Glosas de Sabiduría o Proverbios Morales y otras Rimas

Don Sem Tob:
Glosas de Sabiduría o Proverbios Morales
y otras Rimas

Texto, versión, introducción y comentarios de
Agustín García Calvo

El Libro de Bolsillo
Alianza Editorial
Madrid

Primera edición en «El Libro de Bolsillo»: 1974
Segunda edición en «El Libro de Bolsillo»: 1983

Tres tipos de interés parece que venían confluyendo desde hace años para hacerme preparar primero una edición crítica de los versos de don Sem Tob y publicar ahora esta edición de bolsillo con interpretación y comentario: uno era el interés por la poesía moral o —mejor— la poesía impura que otras veces me había tentado, con motivo sobre todo de Hesíodo, de Parménides o de Lucrecio y los satíricos romanos; otro, la gracia y lógica singulares que entreveía en la composición de los Proverbios, a pesar del evidente estropicio y desconcierto del texto que las viejas ediciones ofrecían; el otro, las apasionantes dificultades de crítica textual que el estudio de los versos me iba revelando.

I.1. *La relación entre la moral (o la política, o, en general, la práctica de la vida) y la poesía es un problema acuciante siempre: pues de algún modo la ideología dominante ha desarrollado la noción de que hay una especie de contradicción entre poesía y práctica. Es sobre todo la tradición romántica la que ha acabado de asentar la idea: el poeta como ser etéreo, que desde las nubes —o más: desde la luna— mira el mundo de los negocios con un desprecio correspondiente a aquél con que el mundo de los negocios lo trata a él; o el alma delicada, a la que hiere y acongoja*

*cualquier roce con las llamadas realidades; o en fin, en caso
de que el poeta sea al mismo tiempo, por ejemplo, un ofici-
nista, reinará en su alma la duplicidad y el antagonismo más
flagrante. Así 'poesía' había venido a ser uno de los nombres más usuales para hablar de lo no práctico, y hasta tal
punto el verso mismo se sentía en contratiempo con el ritmo
de la rutina cotidiana que se llegaba a acuñar como reveladora locución la de 'la prosa de la vida'.*

I.2.   *Nada más natural y complementario ante esto que
el proceso, desarrollado sobre todo en lo que va de siglo, por
el cual la presión social, después de haber condenado las
actitudes de la 'poesía pura' y de 'el arte por el arte' con los
dicterios sucesivos de 'torre de marfil' y de 'evasión', pro-
movía allá por los años cuarenta la exaltación del* engage-
ment *o compromiso (sostenida con la mayor honradez y lucidez que cabía por J.P. Sartre y sus amigos, con las doctrinas de «cada uno responsable de todo» y de la aceptación
de las manos sucias) y producía de hecho un gran floreci-
miento de poesía comprometida, de la que, al lado de la
«novela social» y de los nuevos dramas y películas de tesis,
nos han quedado ríos —o montañas— de panfletos y aren-
gas en verso, o por lo menos tipográficamente versificados.*

I.3.   *Políticamente comprometida —se entiende: pues así
puede describirse la diferencia entre esos nuevos tipos de
poesía impura y los más antiguos: que éstos eran propiamente morales (así en la aparición de la moral del trabajo
con los* Trabajos y Días *o en los dísticos conviviales de Teóg-
nide y los sermones de Horacio, Persio y Juvenal como en los
libros salomónicos o sapienciales de la Biblia hebraica o sus
añadidos alejandrinos, como también en las colecciones de
sentencias y consejos o «castigos» y «documentos» medievales o más tarde en las sátiras modernas, donde incluso
detrás de la arrogante amenaza de Quevedo —«No callaré»—
la censura estatal hacía embrollarse en una confusa moralística la denuncia de la corrupción pública, y la sola producción
de poesía impura de orden público, en la tradición de Tirteo,
el viejo empleado militar de la Laconia, habían de ser a lo
largo del siglo XIX las patrioterías de* La Marsellesa, El Dos
de Mayo *y los himnos de las repúblicas americanas, con sus
secuelas, rojas o fascistas, que acompasaron los bombos y
platillos de las bandas militares de nuestras guerras y entre-
guerras), en tanto que los nuevos tipos de poesía impura no*

*eran ya morales, sino políticos: la necesaria evolución de la
ideología dominante hacía que la mala conciencia de la burguesía (pues clase productora de poesía literaria no hay más
que la burguesía, y sobre todo la pequeña; o si se prefiere al
revés, uno de los rasgos definitorios de la clase burguesa es
el de ser productora de poesía) se manifestara bajo formas
de conciencia política, maldición del Tirano y grito de las
clases oprimidas, mientras condenaba las formas morales como
arcaicas y falsificadoras.*

I.4.   *No importa que a lo largo de este último decenio una
cierta clarividencia haya venido rompiendo entre la nume-
rosa minoría de los rebeldes sin cuartel y sin partido respecto
a la vanidad y falsificación de tal oposición entre 'político' y
'moral', en el sentido de que los problemas tradicionalmente
morales y privados, como los de las relaciones amorosas y los
de la práctica del consumo comercial, se han visto planteados
con la lógica y pasión de los problemas políticos tradicionales, al paso que la asunción de los problemas públicos se ha
venido convirtiendo en algo más personal, más inseparable
del problema de la propia vida o muerte; no importa: sigue
reinando sin embargo, como sobrevivencia de la anterior ideología, que condenaba el engaño del tratamiento moral en
nombre del político, y pese a que a su vez el tratamiento
político haya quedado denunciado como engaño, una repugnancia a los tipos de poesía (o, en general, producciones
culturales) de carácter moralizante, mientras en cambio se
siguen consumiendo con cierto entusiasmo (o con cierto, por
lo menos, acatamiento) los productos poéticos políticamente
comprometidos.*

I.5.   *Pero si dejamos de lado esa falsa oposición entre
'político' y 'moral', para centrarnos con un solo término (sea,
por ejemplo, 'práctico') en el problema de esta parte de la
poesía impura (porque hay otra: la poesía didáctica científica, de que ahora no nos ocupamos) que llamaremos poesía
práctica, el análisis de la cuestión se presenta así: que, bien
mirado, no hay poesía que no sea práctica de uno u otro
modo: la canción más liviana o la más desesperada, aparte
de su empleo del tú y del yo, que la sitúa declaradamente
en plena tesitura empráctica, ya está por el solo hecho de ser
canción cumpliendo una función social, que no puede menos
de ser moral y política en un mundo políticamente constituido y condenado a la estructura antitética en que todo ha de*

ser o malo o bueno; y lo mismo la épica más pura, aun
cuando no caiga en la exaltación heróica, será al menos una
re-presentación de las acciones y de lo pasado, que por el
solo hecho de ser re-presentación será didáctica de algún modo, será una conciencia de las acciones y de su tiempo, conciencia que, estando ausente de la acción y del tiempo mismos
en la necesaria ilusión de libertad, no puede menos de actuar sobre el mundo práctico en que se representa y se recita.
Así que si las nociones vigentes separan de los otros géneros
la poesía didáctica y la poesía práctica, no será por lo que
ellas hagan, sino por la manera en que lo hacen.

I.6.   Podría esta manera caracterizarse como 'directa': esto
es, que la poesía práctica trataría de hacer hacer lo que sus palabras dicen que se haga; y así se acercaría tal poesía, por un
lado, al lenguaje de las leyes (las cuales por cierto en los
pueblos iletrados se recitaban y hasta se cantaban, como las
fórmulas mágicas y los cantares de gesta, según, por ejemplo,
cuenta Estrabón de los turdetanos o eran entre los romanos
una especie de carmina las leyes de las XII tablas) y por
otro lado, al lenguaje de la propaganda comercial (o la política), cuya retórica tan floreciente desarrollo conoce entre
nosotros, aunque los procedimientos de versificación (y canto)
sólo para algunas de las fórmulas o slogans sigan empleán-
dose. Y sería ese procedimiento directo, cuasi legal y cuasi
propagandístico, lo que explicaría la especial repugnancia
con que la poesía práctica se recibe. En efecto, la reprimida
rebelión contra la Ley y contra la explotación, el terror in-
fantil de las cantilenas de tabla de multiplicar y de catecis-
mo, alimentan con justicia la repulsa de toda fórmula yusiva
o suasoria que parezca que quiere imponernos alguna orden
o vendernos alguna cosa, tanto más si se presenta con la
dulzura y el poder de captación memorística del lenguaje
rítmico.

I.7.   Pero, así como es interesante y dulce para nuestra
sed de verdad descubrir bajo las formas de la poesía pura,
según en el § I.5 apuntábamos, su acción y sus virtudes prácticas, así puede ser también inversamente instructivo y delei-
toso descubrir en la lectura de la poesía impura la inutilidad
y gratuidad de sus preceptos y exhortaciones: podemos —esto
es— leerla, cuando ya la fuerza de sus imperativos no nos
amenaza, como quien mira en ella el debatirse de los hombres en la red de las contradicciones morales que constitu-

yen la estructura de su mundo. Pues se equivocan los hombres indiferentemente en cualquiera de los dos sentidos: y lo mismo que, cantando gratuitamente (como el pájaro), realizan una operación de comercio personal y de actuación política, así también, predicando y enseñando y persuadiendo descaradamente, están cantando y agitándose como el pájaro, justamente con la voz específicamente propia de un pájaro que es moral y político por esencia. Cierto que para oír de este modo a los predicadores y preceptistas hace falta una cierta lejanía y desprendimiento del oyente, que apenas de un oyente constituido en su propio ser por los tratos del mercado cultural podría demandarse.

I.8. Otros habrá, con todo, a quienes en la cuestión de la poesía impura no les importe tanto el aspecto ético de la cuestión como el estético (por emplear la inepta distinción habitual): que es que parece como si ese carácter de operación directa con que hemos descrito la poesía práctica impidiera de una vez toda la posible gracia y el misterio que a los clientes ordinarios hoy en día de la producción poética se nos antojan inseparables del disfrute y la emoción de cualquier poema: podemos consentir el efecto práctico en nosotros de unos versos a condición de que se dé como por carambola del efecto de emoción estética o de placer, como subproducto del encanto poético primario; pero basta sentir que la poesía ha sido moralmente (o políticamente) utilizada, como medio, para que el encanto y la emoción se anulen (anulándose con ellos, por supuesto, el fin que por medio de ellos se pretendía); y tendría que ser el poeta de una infinita astucia para que, volviendo al ejemplo de Lucrecio, el amargo medicamento pasara con la miel desapercibido y no que él corrompiera a su vez la dulzura de la miel misma.

I.9. Pues están los hombres a tal punto hastiados del sometimiento al yugo de la Ley de los estados y la coacción de la Propaganda, pero hastiados de ello precisamente en lo más íntimo, es decir, en lo subconsciente de sus almas, originado por la represión, que el propio miedo les impone, de la rebelión contra esos imperativos, que cuando por ventura un predicador moralmente negativo y destructivamente revolucionario les viniere a cantar so capa de ritmos y de tropos la rebelión contra la Ley y la Propaganda, aprovecharán entonces ellos la ocasión para manifestar desaforadamente su hastío de los imperativos, ya que contra otra cosa no *pueda ser, por lo menos contra la poesía. Es en ese hastío donde expresan el celo y el odio al atentado, que el Imperativo implica, a su libertad personal: su libertad personal, no sólo machacada, sino constituída por el imperio del Comercio y el Estado; y así se vengan como críticos estéticos, sintiendo que no puede ser ni poesía tan siquiera lenguaje que viene a emplear los mismos medios de la Propaganda y de la Ley misma.*

I.10.   *Pero acaso sea todo ello entender demasiado rígidamente la dialéctica de los medios y los fines y tomarse demasiado en serio las infantiles seriedades de los hombres enfermos de adulticia: porque cabe asimismo —¿por qué no?— que la relación de medio a fin se invierta, y que, lo mismo que la poesía se utiliza para la prédica moral, la prédica y la Moral resulten utilizadas (tal como sirven también de medio para la poesía la narración de las acciones o la representación en el drama del conflicto de la vida), utilizadas pués a su vez la prédica y la Moral, pero no diré ya «para la poesía» (pues a fin de cuentas, ¿qué sé yo lo que se entiende hablando en prosa con tan prostituído nombre como el de poesía?), sino para otra cosa que no sabría yo nombrar, por cierto, por más que quiera vislumbrar en ella, sobre el tema y objetivación de la estructura moral del Mundo, la confusión del ataque poético con el lógico y decir simplemente «para la verdad», que propiamente querría decir «para la destrucción de la mentira».*

I.11.   *Pues bien, un caso, en su relativa humildad, muy pertinente de esa inversión del fin y el medio me ha parecido que lo eran estas 'Glosas de Sabiduría' o, como las llamó el Marqués de Santillana, 'Proverbios Morales' del rabí don Santob, don Sem Tob o don Šem Tob.*

II.a.12.   *Solía pasar esta obra en los manuales de Literatura como una recopilación de «poesía didáctico-moral, gnómica o sentenciosa», según la expresión de Menéndez Pelayo (La España Moderna LXIII —1894— p. 152), con la que se introducía al castellano el espíritu de la gnómica bíblica y oriental. Con semejantes vagas clasificaciones se ayudaba a que pasara desapercibida de los curiosos lectores, salvo por una nota de «delicadeza poética» ejemplificada mayormente con un par de coplas del Prólogo sobre la rosa y el azor (las mismas que ya citaba el Marqués de Santillana en lo que*

*puede considerarse nuestro primer manual de Literatura: v. el
texto del* Prohemio e Carta *publicado en la* Revue Hispanique LV *pp. 40-41) y a lo más otro par de ellas sobre el
alcance de la escritura, algo que más bien parece ser una
obra bastante original y desacostumbrada en el campo de la
poesía impura.*

II.a.13. *Verdad es que, hasta la edición de González Llubera, en 1947, ni siquiera puede decirse que el poema, em-
brolladamente transmitido por los dos manuscritos conocidos
hasta entonces y apenas editado con bárbara incuria, hubiera
sido propiamente leído por nadie como tal poema; y aun
después de esa primera edición, ya docta y decente, pero
limitada a un escaso comercio en los círculos de especialistas,
no parece que hayan las rimas del rabí alcanzado (o recobra-
do, después de perdido del siglo XVI para acá) ningún uso
entre el público como libro de lectura.*

II.a.14. *Ello es que, después de haber logrado establecer
una lectura medianamente aceptable de las 'Glosas' (y separado de ellas algunos epigramas y canciones que edito como
'Otras Rimas'), se me aparecen, por un lado, como un poema de estructura unitaria, equilibrada y bien pensada, lejos
de ser una acumulación de sentencias misceláneas y añadidas
sin plan, como parece que suele imaginársele (incluso por
un estudioso tan apreciativo como* P. Mazzei Archivum Romanicum IX *—1925—, pp. 177-189, donde cita la opinión
de Restituto del Valle* Cartas Críticas, *Barcelona 1919, en
igual sentido), lo cual lo aparta de las numerosas colecciones medievales de dichos y apotegmas, ya de tradición arábiga o ya latina, aun de aquéllas que tienen con él más puntos
ocasionales de coincidencia, como los* Bocados de Oro *y* Los
buenos Probervios, *y de las colecciones posteriores, como los
mismos* Proverbios Morales *del Marqués de Santillana, aunque con ello se acercaría más bien a algunos de los libros
bíblicos tardíos, el* Eclesiastés, *o alejandrinos, el* Eclesiástico
y la Sabiduría, *con los cuales tiene en cambio poco que ver
en tono y tema.*

II.a.15. *Y se aparece, por otro lado, que no se trata de
un poema moral, en el sentido habitual del término, compuesto de preceptos y reglas para la vida, nacidos de la experiencia, sino más bien de un bosquejo de algo que podríamos llamar* lógica moral, *es decir, exposición de las contra-*

dicciones y la relatividad de los juicios de los hombres, que
no puede menos de recordar los restos del libro de Heraclito,
y también de los conflictos entre «Dios», el «Mundo» y la
«Persona», y aun de los conflictos mismos del lenguaje con
la acción y del bien personal con la sabiduría. Esto es al
menos lo que constituye la armazón del libro y lo que se
desarrolla mayormente tras los Prólogos (y aun ya en los
Prólogos mismos) en la primera y en la última parte del
poema, aunque ciertamente, sobre todo por las partes centra-
les, recaigan de vez en cuando las 'Glosas' en recomendaciones positivas o de moral práctica que las acercan algo más
a las compilaciones habituales de apotegmas.

II.a.16. Y aunque a lo largo del comentario con que en
esta edición sigo el texto del poema he tratado de poner
bien de relieve las articulaciones de su estructura y la marcha
y alternancias del pensamiento, ofrezco aquí en esquema reducido las líneas principales de su discurso:

(0)   1-28: Dedicatoria al Rey, y mención de su deuda
                 con el poeta.

           29-136: Confesión o Prólogo Primero: el hombre
                 vil es el que sube en este mundo, el más
                 honrado se hunde. Yo, por ejemplo, estaba
                 agobiado por la conciencia de mis pecados,
                 hasta que pensé que todas las obras de un
                 hombre no son nada frente a la grandeza del
                 perdón de Dios.

           137-228: Prólogo Segundo: no teniendo oficio ni
                 beneficio, tengo que dedicarme a hablar.
                 Como todo cambia, tal vez, cambiando yo
                 de actitud, cambie mi suerte. Y no se des-
                 precie el discurso porque salga de persona
                 despreciable.

(I, A)   229-332: Los hombres se contradicen en sus jui-
                 cios, y las cosas mismas se manifiestan contra-
                 dictoriamente. No sé a qué atenerme y
                 todo es relativo.

           333-396: Por sus frutos se ve que ni la cordura
                 es siempre buena ni la locura siempre mala.
                 Lo que veo bueno para mí, sólo es bueno
                 en los otros. No hay bien ni mal que sea
                 verdadero.

397-444: El mundo está contruído en oposiciones absolutas, de 'sí o no', sin 'más o menos': igual da perder por poco que perder
por mucho; igual da ayer que hace mil años.

(I, B) 445-552: Pero ningún término se presenta sin su
contrario: cada bien sólo se tiene con su
mal correspondiente (la paz por la guerra,
el ocio por el trabajo); necedad es querer
guiarse por una regla de conducta; menos
mal, confiar en la aventura; y sólo por el
mal se conoce el bien.

553-664: No hay virtud que pueda decirse en verdad buena (ni siquiera la generosidad, que
se destruye a sí misma), y lo menos malo
para uno es mudar contínuamente de actitud moral, según los tiempos y personas,
como el mundo contínuamente muda.

665-696: Y además, el mal seso de los hombres es
tal que nunca acertaría uno por su entendimiento con el punto justo. Acierta por azar
aquél al que Dios le da la ventura; y viene
luego la creencia de que ha sido por el propio entendimiento.

(II, A) 697-800: Con todo, no puede uno menos de moverse y trabajar, haciendo c o m o s i sirviera para algo: 1.º) su condición social le
obliga a ello; 2.º) es ley «natural» moverse
para la subsistencia de uno mismo; 3.º) hasta el ocio, al pretender mantenerse en sí y
sin alternancia con su contrario, se vuelve
tan odioso como el trabajo.

801-920: Los males de uno le vienen de sí mismo. El primero es la codicia, que, siendo
por esencia sin límite (pues busca la seguridad del ser por el camino del más) es
contradictoria consigo misma. Y no necesidad ninguna, sino el «alma grande», es lo
que impone al cuerpo sus penas.

921-1024: Aquí irrumpe la queja del poeta: ¡que
al que está dispuesto a hacer cualquier mal
la Ventura le otorgue lo que quiere y aun
lo que no soñaba! Recuerda luego el des-

precio de «el Sabio» por el comercio y la busca de bienes que nunca satisfacen. Y recomienda el «hacer bien» como única riqueza sin contradicción.

1025-1136: Enumeración de vicios y virtudes contradictorios, referentes a honra o dinero, rematada por la cuestión de la soberbia, que está en oposición implacable con la inteligencia. Enfrentamiento del hombre noble y el vil; y cómo es incomparablemente peor la presencia del malo que la ausencia del bueno.

1137-1236: Si quieres vivir en paz, no te queda sino el «hacer a otro como para tí quieras»; pues no naciste para vivir aislado; es vano esperar que se haga siempre lo que quieres; y el mal que hagas lo pagarás en igual moneda.

(II, B) 1237-1336: Uno se pierde o se gana por sus propias «mañas». Y no hay ninguna que valga como el saber. En el libro se goza de la compañía de los sabios. En cambio, no hay peor enemigo que la necedad.

1337-1476: Exaltación de la verdad, la lealtad y el derecho imparcial. Condenación del mal juez: justicia y codicia son incompatibles; y el oficio del hombre es cosa superpuesta y emprestada.

1477-1552: Las tres cosas por las que se pierde un concejo. Las tres dolencias que no pueden curarse. Los tres mayores desgraciados.

1553-1660: No hay hombre feliz, salvo acaso el sin dignidad y el inconsciente; pero el hombre «que es hombre» y consciente de los cambios del mundo siempre vive en pena.

1661-1828: Recomendaciones misceláneas de desconfianza ante el mundo: sobre el secreto; sobre las condiciones para hacer mal; sobre la prisa; sobre el poder de la palabra escrita. Pero en los versos

(1701-1732) el moralista se interrumpe para hacer

ver sus dudas sobre el lenguaje moral y la
vacilación con que lo continúa.

(II, C)   1829-1964: El placer de uno está contradicho por
el cambio de las cosas y de uno mismo; pla-
cer de veras sólo lo hay en la comunicación
del placer con otro que lo entiende (valía
de lo «espiritual» sobre lo «sin lengua y sin
entendimiento») y por ende en la compañía
de hombres.

1965-2044: Dificultad de encontrar amigo «liso y
verdadero»; la «buena hermandad», y su
ejemplo en las tijeras.

2045-2192: Siendo la soledad el peor de los males y equivalente de la muerte, la compañía
del hombre necio puede ser tal pesadumbre (como se muestra en dos escenas de
ejemplo) que sea preferible la soledad.

(III, A)   2193-2212: Recapitulación y vuelta al principio
de la lógica moral del poema: no hay cosa
del todo mala ni del todo buena.

2213-2424: Así, entre el hablar y el callar, si malo
es lo uno, malo lo otro. Alabanzas del callar. Pero a él mismo se le alaba hablando.
Alabanzas antitéticas del hablar, primero por
su poder, pero luego como visión, actividad
y riqueza.

2425-2440: Nueva recapitulación: en todo hombre hay para alabar y para criticar. Lo que
un hombre sea sólo está en sus manifestaciones; y ello depende del lugar en que lo
ponga la ventura.

2441-2460: Sólo dos «costumbres» escapan de la
contradicción: el «saber» y el «hacer bien».

(III, B)   2461-2560: El hombre cuerdo no puede confiar
en nada, ya que la ley del mundo es cam-
biar. El valor de uno depende de su colocación. Ha de estar pués apercibido al cambio, y sólo confiar en la «merced» de Dios,
aunque no la entienda.

2561-2644: Aunque decimos mal del mundo, el
mundo es indiferente a todos. Y no sabe-

mos de él nada, sino algunos cálculos relativos. Él es uno y el mismo, pero todo se
presenta en oposiciones de bien y mal,
«como haz y envés».

2645-2700: El que es malo por esencia es el hombre: en oposición a las bestias, el bien de
uno no puede ser sino el mal de otro; y así
uno está obligado a guardar lo suyo de la
maldad ajena.

(0') 2701-2760: Ninguna obra más difícil que mantener en avenencia las clases de hombres contrapuestas: es la obra del Rey cumplido;
como lo es el nuestro. El poder en sí solo
es «mitad muy fea», pero no junto con la
mesura. Ley y Rey son la sustentación del
mundo.

2761-2772: Bendiciones al rey y recuerdo de la
deuda del poeta.

II.a.17. *Espero que con este esquema aparezca bien la
estructura de la obra, donde se conjugan un desarrollo linear
bastante cierto (pero generalmente por alternancias) de la
lógica de contradicción moral que lo domina todo con una
ordenación circular en que pasajes del final vuelven sobre
otros del principio. Pero hay que recordar (v. II.a.15) que
la lógica de contradicción y la duda moral se manifiestan
lúcidas y claras en las partes que hemos designado como
I y III (y también a su modo en los prólogos), en tanto que
la parte central, la II, se pierde a veces (en contradicción, a
su vez, con esa lógica general del poema) en manifestaciones morales positivas, salvo por incisos en que la duda metódica reaparece.*

II.a.18. *En cuanto a los poemillas que hemos separado
del cuerpo de las 'Glosas' como 'Otras Rimas', los dos epigramas de las canas y del escrito de tijera, la loa de la
pluma y las dos canciones en octosílabos del beso en sueños
y del No, aparte las razones primarias, de crítica textual, que
nos asisten para ello, puede verse cómo no sólo se segregan
de aquel cuerpo por la unidad independiente de cada uno,
sino por el modo en que interrumpían el discurso de las
'Glosas', cuya estructura y cohesión queda también con ello
puesta de relieve.*

II.b.19. *Es de notar que en las 'Glosas' son justamente las partes (I y III, con parte de los prólogos) en que hemos visto que se expone la lógica de la contradicción moral aquéllas en que la investigación de fuentes ha encontrado menos puntos de imitación de obras anteriores, en tanto que la parte (II) donde hemos visto que el poeta recaía en aforismos de moral positiva es donde abundan algo más los lugares más o menos literalmente tomados de la literatura moralística precedente. De modo que (con la reserva que más abajo diremos: § II.b.22) la parte más interesante y viva del poema parece ser la más original, la parte más trivial y positiva la heredada de la tradición.*

II.b.20. *Los libros que, según las investigaciones de L. Stein, a las que bien poco han añadido las posteriores, parecen haber dejado huella en el poema me parecen principalmente los siguientes.*

Ante todos, el del médico nestoriano sirio Honain (Abû Zaid Ḥonain ben Ishâq el Ibâdi. 809-73), escrito por él en versión siria y árabe, llamado en hebreo *Mussre ha-Philosophim*, esto es, *Apophthegmata Philosophorum:* una serie de dichos atribuídos a sabios griegos, cuyas figuras (y a veces los nombres) son para nosotros difíciles de reconocer. Nuestro rabí pudo leerlo o bien en árabe (que sin duda conocía bien: v. § II.d.27 sobre la traducción de Israel Israelí) o bien por la versión hebrea de Charisi (Alcharisi, Charisius), que se hizo por 1216-18 (hay ediciones de Riva 1562 y Lunneville 1804, y puede consultarse la de A. Löwenthal, Frankfurt am Main 1896, el cual publicó también la traducción alemana *Sinnspruche der Philosophen*, Berlín 1896). De todos modos, el libro de Honain fué durante casi mil años el libro gnómico tal vez más popular en la tradición cultural del Medievo, al menos la de vía arábiga; de él queda, por ejemplo, herencia en las colecciones de sentencias de Shahrastani († 1154), de Thaalebi y sobre todo de Mubashshir ben Fatik (1053/54). Incluso pudo don Sem Tob conocer alguna versión castellana, más o menos directa: conservamos una en el *Libro de los buenos Proverbios* («El libro de los buenos prouerbios que dizen los philosophos e rabinos antiguos ... e trasladó este libro Joaniçio fijo de Isaac de griego en arábigo e trasladámoslo nos de arábigo en latín»; *Joaniçio* es una de las formas del nombre de Honain en la tradición, entre otras como Humainus, Onan, Onen; Joaniçio se le llama también en el *Libre de la Saviesa* del rey Jaime), la cual editó H. Knust ('Mittheilungen aus dem Eskurial' *Bibl. des Litt. Vereins* n.º 141, Tübingen 1875, pp. 66-414) a partir de dos manuscritos del Escorial de los ss. xiv y xv; y otra, que es propiamente una versión de Mubashshir, en los *Bocados de Oro*, publicados por Knust *ibidem* en dos versiones, tal vez del s. xiii (cfr. también Steinschneider 'Ein Beitrag zur Kenntniss der Escorialbibliothek' *Jahrb. für rom.*

und engl. Litt. XII 354-58); de la misma herencia son en catalán el citado *Libre de la Saviesa* y el de Jehuda Bonsenyor o Jafuda ben Astruc *Libre de Paroules*, ed. por Llabrés y Quintana en 1889.

En segundo lugar, se reconocen en las 'Glosas' lugares del *Talmud* (consulto por la gran edición inglesa, *The Babylonian Talmud*, Londres 1935), especialmente del *Pirke Aboth (Dicta Patrum)* y del *Aboth* del rabí Nathan (en el tomo IV 8 de la ed. citada), menos de otros tratados, como el *Rosh Hashanah* y el *Tannith* (ambos en el tomo II 7).

También son varias las huellas bastante ciertas de la colección gnómica de Gabirol (Salomô ibn Gabirol, llamado Avicebrón), *Mukhtar el Deshewahir (Colecta de Perlas)*, que había traducido al hebreo Judá ibn Tibbon con el nombre .de *Sepher Mibchar ha-Pheninim;* puede verse la edición crítica con traducción inglesa de A. Ascher *Choice of Pearls*, Londres 1859.

Menos ciertas son las influencias de otras obras gnómicas, como las de los judíos hispánicos, *Mussar Haskel* de Hay Gaon († 1038), *Ben Mishlé* de Samuel Hanagid, *Tarshshish* de Moisés ibn Ezra, o el *Tachkemoni* del propio Alcharisi.

Un lugar aislado (la copla 269-72) recoge un pensamiento de Maimónides en su *More Nebuchim* o *Guía de Perdidos*. Y se ha especulado (v. *Al-Andalus* XIV, XV y XVI [1949-51]) sobre el recuerdo de los líricos árabes (como el de Abû Yafar Ahmed en su *Diván*) a propósito del poemilla del escrito de tijera (IV de las 'Otras Rimas').

De la *Biblia*, en fin, los pocos lugares claramente derivados (bien lejos de ser las 'Glosas', como Helferich en su *Raimund Lull* opinaba, «meisterteils» traducción de los *Proverbios de Salomón*, o como Kayserling en su *Sephardim* se asombraba de que nadie hubiera visto que «sämtliche» frases y proverbios están tomados de la *Biblia* y el *Talmud)* lo son sobre todo de los *Proverbios* y el *Eclesiastés*, menos de los alejandrinos, *Eclesiástico* y *Sabiduría*.

II.b.21. *Mas, por interesante que sea el estudio de fuentes y paralelos para darnos a conocer el ámbito cultural de don Sem Tob, lo cierto es que sigue valiendo a este respecto el viejo y ponderado juicio de Baist en su* Spanische Litteratur *del* Grundriss *de Gröber, II² 411: «Sólo un número relativamente escaso de pensamientos proceden de las viejas colecciones de apotegmas, más en todo caso de la tradición judía, y los más de su propia sabiduría de la vida* (Lebenweisheit)». *A lo cual, dejando por ahora el estudio de este misterioso origen que puede ser para los poemas la* Lebenweisheit *de su poeta, hay que añadir aquí lo que en § II.b.19 hemos observado, que son precisamente las partes esenciales para la formulación de la lógica moral las que menos responden a la búsqueda de fuentes.*

II.b.22.   Y sin embargo, ello es que este poema se presenta él mismo como unas «glosas» (vv. 6-7 y 1881-82: véanse las notas a estos dos lugares) de algún libro sapiencial, y que en cinco lugares (enumerados en nota al v. 7, y cfr. las notas a los pasajes) se menciona «el Sabio», cuyas palabras serían las que glosa el rabí (así parece decirse explícitamente en vv. 1881-82); pero aunque en cuatro al menos de esos pasajes se reconozca un paralelo estrecho con otros de las colecciones gnómicas (dos en el Talmud, uno en Mubashshir, otro en ben Gabirol), ninguna de esas colecciones, ni siquiera la de Honain, puede ser el libro que el rabí glosaba. El nombre de ese libro hipotético me he atrevido a deducirlo (partiendo de que la lectura «de (la) filosofía sacado» de los MSS es tan métricamente imposible como insatisfactoria para el sentido: ¿qué querría decir un «sermón sacado moralmente por glosas de la filosofía»?) y a escribirlo provisionalmente en el v. 7 como «la Sofía», esto es, un título griego de un libro de «Sabiduría», que podría remitir tal vez a una obra alejandrina o imperial en griego, que don Sem Tob, no obstante el título, podía conocer en versión árabe o hebrea. Pero, no pudiendo, profano como soy en literaturas orientales y medievales, sino apuntar la hipótesis para quienes más conozcan, no insistiré por mi parte en la existencia de ese libro. Otra alternativa sería que, por una especie de modestia, el rabino hubiera presentado su poema como unas glosas de un libro del que en verdad tan sólo tomaba alguna que otra sentencia; y en esa ficción, el libro tendría que ser el de Honain, sería «el Sabio» algunos de los filósofos que en él aparecen, y en cuanto a la lección «de (la) filosofía» en el v. 7, habría de tomarse como alteración de una forma abreviada de su título, como, por ejemplo, «filsofim» o «felsafim», en vez de «ha-philosophim».

II.b.23.   Lo cierto es que, si el rabí pretendía simplemente hacer una glosa de la moralística y la gnómica tradicional de la Edad Media arábigo-europea, fue una rara inspiración la que le hizo, sobre todo por los desarrollos de las implicaciones lógicas de la Moral misma, reencontrar, aunque en «sermón comunalmente trobado», las lúcidas dudas y las formulaciones contradictorias de los escépticos antiguos o, más aún, de la lógica antitética de Heraclito; discordantes armonías que apenas si volverían a oírse (al menos en discurso comunal y fuera de las escuelas) en los tiempos de Erasmo o del Quod nihil scitur del doctor Sánchez.

II.c.24. *En cuanto a la persona del poeta (ya que ceda-*
mos a la tradición de hablar del poeta, como parte o circuns-
tancia del poema), no se sabía de él (hago gracia de las
inepcias inventadas por los viejos eruditos acerca de su con-
versión al cristianismo, con la atribución de un Tractado de
la Doctrina Cristiana *y otras obrillas cosidas con los 'Prover-*
bios' en el manuscrito E, y de las disputas sobre el judaísmo
o no de su pensamiento, que está tan por encima de las con-
tiendas religiosas) nada fuera de lo que puede deducirse de
sus propios versos: que era «judío de Carrion» (v. 4) impli-
que esto o no el nacimiento en esa villa; que dedicó su poe-
ma a don Pedro I no mucho después de la muerte de Alfon-
so XI en 1350 (vv. 9-24 y 2769-70) y seguramente antes del
cambio de actitud del rey Pedro para con los judíos que
parece señalarse con la ejecución de su tesorero Samuel Leví
en 1360; pero, si mi interpretación de las variantes de los
manuscritos en los vv. 2717-19 es acertada (véase en notas
a los vv. 1-28 y 2717-19), el poema se habría compuesto en
vida todavía de Alfonso XI y a este rey se le habría dedicado
en su primera versión, y sobrevenida, tal vez antes de pre-
sentarse el poema al dedicatario, la muerte y sucesión, se
habría dedicado en una segunda versión al rey don Pedro;
que blanqueaba el pelo del autor (y es probable que real-
mente se lo tiñera), según se deducía de las dos coplas de
las canas, lo cual le haría nacer alrededor del 1300, aunque,
si es razonable la separación que hago de esas coplas, editán-
dolas como un epigrama aparte (n.º II de las 'Otras Rimas'),
la conclusión no valdría para el poema de las 'Glosas' (v. por
lo demás en nota a ese epigrama la tradición literaria de
que procede); de todos modos, la vaga indicación que en su
Carta e Prohemio *ofrece el Marqués de Santillana (v. en*
Rev. Hisp. LV *40-41), al decir de don Sem Tob que «con-*
currió en estos tienpos», refiriéndose, al parecer, a los de
su abuelo don Pedro Gonçalez de Mendoça, viene a corro-
borar aquella fecha aproximada; que el rey tenía con el poeta
una «debda» (vv. 25-28), cuyo pago reclama como «merçed»
(2769-72): véase sobre la naturaleza de esa deuda la nota a
23-28; que parece encontrarse sin oficio ni beneficio cuando
se pone a escribir las 'Glosas' (vv. 137-40; y cfr. sobre la
posibilidad de una dedicación al comercio, nota a 23-28; pero
no son de fiar como autobiográficos los rasgos que ofrecen
los vv. 2085-2192 sobre casa, criado y mujer); que aceptaba
él mismo la forma castellanizada de su nombre, Santo (v. 3;

pero cfr. 2772) y acaso el tratamiento de Don *(así para el
v. 3 en el* MS. E, *no en el* M*); en cuanto al de* rab *o* rabí,
se lo dan ya los encabezamientos de los códices M *y* E, *así
como el éxplicit y el comentador anónimo de* M *(líneas 59
y 69 del 'Prefacio'), y también sus dos tempranos citadores
Abraham Saba' (v. § IIc.25) y Santillana; y aunque R. Gartenlaub en su* Mémoire, *p. 16, hace notar que no aparece su
nombre citado en el* Libro de la Cábala *de Abraham Salomón
de Torrutiel (trad. de F. Cantera Burgos, Salamanca 1928),
cronista del s. XVI que enumera las generaciones de los «sabios» de 1180 a 1510, ello no parece excluir que tuviera ese
cargo o dignidad en las comunidades judías, tanto menos
cuanto que el carácter de su sabiduría, muy alejado de la
tradición teológica más o menos cabalística, puede explicar
que no le resultara muy acepto al autor de la crónica para
inscribirlo en la sucesión de los doctores reconocidos.*

II.c.25. *Esto venía a ser todo, si no me engaño (v. por
lo demás el art. de P. Mazzei 'Valore biografico e poetico
delle Trobas del Rabí Don Santo'* Archivum Romanicum IX
*—1925— 177-189), hasta que se descubrió y se fue certi-
ficando la identidad de don Santob de Carrión con el escritor
hebraico Rab Shem Tob ibn Ardutiel ben Isaac.*

Steinschneider *(Catalogus Libr. Hebraeorum in Bibl. Bodleiana,* Berlín 1852-60, col. 2519) había notado que una cita
del cabalista español del s. XV Abraham Saba' en su comentario al Pentateuco *Seror ha-Mor* («... y esto que compuso
el poeta [*payyaṭ*] Rab Don Shem Tob —recordación a él—:
'por qué huellan poco <tiempo> la tierra en su camino,
desgraciados, cuando ella los huella siempre, para siempre
ellos silenciosos'») se refería a ibn Ardutiel, aunque no reco-
noció su identidad con Sem Tob de Carrión, que ya había
apuntado Dukes en *Ergänzungs-Blätter zu Der Orient* XII
(1851) col. 29, nota 3; en efecto, esa cita parece ser una
traducción (aunque inexacta: no se ha entendido el juego de
la oposición entre el «parlando» —los hombres— y el «callando» —la tierra—, y se ha traducido el «porque» como
«por qué») de nuestra copla 169-72. La identificación la asentó
definitivamente F. Baer ('Especímenes de los poetas hebraicos
de Castilla en el siglo XIV', en hebreo, en el libro de homenaje a David Yellin *Minhat le-Dawid,* Jerusalén 1935, 197-204;
y cfr. Millán *Al-And.* IV —1936— 248-49); y hace falta toda la
especialización de nuestra ignorancia para explicarnos la dificultad en el reconocimiento: pues aparte de esa cita, veo
que algunos pasajes del *Widduy* de ibn Ardutiel (v. § II.d.27)
se reproducen casi literalmente en otros del Primer Prólogo
de nuestras 'Glosas', una observación que sólo G. Llubera,
a mi noticia, iba a hacer en el comentario a los 'Proverbios'

que anuncia en la pág. 3 de su edición y que no llegó a publicar; antes de leer el *Widduy* había yo coincidido en ponerle a ese Primer Prólogo el mismo título, 'Confesión'.

II.c.26. *Con esta identificación, disponemos de algunos
datos más sobre la persona, que sin duda se ampliarán cuando se editen o reediten, se traduzcan y estudien las obras del
poeta en hebreo, que hasta ahora parecen yacer en un casi
general olvido. De ibn Ardutiel se sabe que un tiempo co-
rrieron rumores de que había sido detenido (tal vez en alguna persecución de judíos del reinado de Alfonso XI, tal
vez en las numerosas contiendas entre partidos bajo Alfonso
o bajo Pedro), de cuya falta de fundamento se congratula
con Sem Tob el poeta Samuel ben Yosef ibn Shashon (MS.
Add. 27168 del British Museum, ff. 67-96; v. el trabajo de
F. Baer citado en el § anterior y su reseña en* Sefarad I 407*);
que residió en Soria, donde terminó en 1345 el* Debate del
Cálamo y las Tijeras, *como se ve por el colofón del manuscrito de esta obra, y donde también por 1345, según Steinschneider (v. § siguiente) hizo la traducción de los* Preceptos
de Israel Israelí; *de modo que si, como indicaba más arriba
(II.c.24), hay que poner la composición de las 'Glosas' en
los últimos años de Alfonso XI (1347 a 1349), cuando se
llama «de Carrión», habría que pensar o bien que pasó de
Soria a Carrión en esos años o bien —menos probablemente— que el «de Carrión» alude sólo al nacimiento; también
en otra obra que se le atribuye se le llama «Shem Tob de
Soria», y si fuere cierta la atribución de otra obrilla que propongo (v. § siguiente), en ella figuraría como «Shem Tob
Soriano»; como en cambio el poeta amigo Samuel ben Yosef
que le dirige la poesía arriba citada era de Carrión de los
Condes, ello acaso implicaría que la referida amenaza de
prisión tendría que referirse a los años posteriores (acaso
1360: cfr. en II.c.24; acaso haya noticia interesante
en un libro que no he podido ver, el de Martín Ramírez de
Helguera* Libro de Carrión de los Condes, 1896, *en cuyo
cap. XV se habla del rabí), cuando don Sem Tob, ya viejo,
era eminente y venerado en la aljama de Carrión.*

II.d.27 *He aquí las obras del rabí don Shem Tob ibn
Ardutiel ben Isaac de las que me ha llegado noticia:*

Una popular en las comunidades judías, el *Widduy* o *Confesión*, hasta el punto de figurar en la liturgia sefardí, en el
musaf o aditamento del servicio de *Kippur*. Una versión castellana de Abraham Usque y otra de Isaac ben David Nieto,

que no he podido consultar, se publicaron en el *Orden de Rosh ha-Shanah y Kippur* (Ferrara 1553 y sucesivas, Londres 1740 y sucesivas); he leído la que publica como apéndice a su *Mémoire* Régine Gartenlaub. De su relación con el Primer Prólogo a las 'Glosas' v. II.c.25.

El *Ma'ase* ('acción' o 'agón'), una disputa de la pluma y las tijeras en prosa rimada (cfr. notas a los vv. 2005-41 de las 'Glosas' y al poema III de las 'Otras Rimas'). La única edición que conozco es la de Eliezer Ashkenasi en el *Dibre ha-Kanim*, Metz 1846, pp. 47-55. No tengo noticia de traducción; v. el art. de F. Díaz Esteban en *Revista de la Univ. de Madrid* XVIII (1969) (Homenaje a Menéndez Pidal t. I), pp. 61-102.

Una *Baqqashah* o *Súplica* y otras poesías litúrgicas, inéditas, en los Manuscritos Hebreos de Berlín n.º 185, París n.º 970 y Cambridge Add. 1512, según las noticias de Dukes en *Litteraturblatt des Orients* VIII (1846), col. 780.

Se le ha atribuido un *Sefer ha-Peer* (*Libro de la Corona* o *del Elogio*), conservado en un MS del Vaticano (v. Assemani *Cat. Vat.* I, n.º 235), un tratado cabalístico, al parecer, cuyo autor se dice ser «el rabí Shem Tob de Soria».

Steinschneider *Cat. Libr. Hebraeorum in Bibl. Bodleiana*, col. 2520, atribuyó a ibn Ardutiel el *Ma'asé Sofar* (ed. Salónica, por 1600), «una historia moral en prosa rimada», sin ningún fundamento, al parecer de G. Llubera en el prólogo de su edición, p. 3, nota 2.

Atañente a sus funciones como rabino puede haber sido la traducción del árabe al hebreo de un tratado litúrgico de Israel Israelí, sobre los deberes religiosos, principalmente oraciones, dependientes de un tiempo determinado, llamado en hebreo *Mitswot Zemanniyot* o *Preceptos Temporales*, que, según Steinschneider *Die arabische Litt. der Juden*, Frankf. a. M. 1902, p. 165, habría traducido en Soria, por 1345, «Shemtob ibn Ardotial, od. Ardutial», y del que cita varios MSS, los Bodl. 904 y 1081, el Flor. 536, el Halb. 263, el Par. 881 (*sic*, pero es sin duda el mismo que he visto en la Bibl. Nationale con el n.º 831, ff. 328-415, copiado en Burgos en 1489).

He visto también que en el MS 261 de la Bibliothèque Nationale hay en los ff. 16-39 un comentario de pasajes difíciles de los *Proverbios* salomónicos por un rabí Shem Tob, «de época incierta», cuya atribución sería de investigar.

En fin, en la misma biblioteca he encontrado en un MS una obrilla en prosa rimada titulada *Milhamot ha-'Ivarim* (*Los Combates de los Miembros*), esto es, una disputa de los miembros del cuerpo, cuyo nombre de autor aparece en el Catálogo leído de otro modo, pero creo que podría leerse «Shem Tob Soriano», y que a primera vista parece estar muy en las costumbres de nuestro poeta; espero animar a alguno de mis amigos hebraístas a darla a conocer en breve.

II.e.28. *En cuanto a la manera en que la figura de don Sem Tob se inserta al mismo tiempo en las dos tradiciones, la de la poesía, erudición y teología judaica del período llamado hispano-arábigo, y la de la cultura y literatura caste-*

*llana del XIV, no puedo, estando tan lejos de mis intereses
y conocimientos la Historia en General y la de la Cultura y
Literatura en particular, aportar aquí al lector noticias muy
ricas ni luminosas, y prefiero remitirlo, en especial para la
cara de la tradición judaica, a alguna obra como la de Abraham A. Neuman* The Jews in Spain, their social, political
and cultural life during the middle ages, *Filadelfia 1944,
a las páginas de Américo Castro en* La Realidad Histórica de
España, *Méjico 1954 (en las pp. 546-50 habla de don Sem
Tob y de su filosofía, con algunas comparaciones con Rai-
mundo Lulio y con Montaigne, y son por lo menos el primer
texto que he visto en que se intenta discernir algo del pensamiento de las 'Glosas') y al libro de Gabriel Jackson* The
Making of Medieval Spain, *Londres 1972, que, aparte de
una síntesis ponderada de la investigación corriente, ofrece
una valiosa bibliografía, sin olvidar entre los más viejos,
pero todavía irremplazables como fuente de noticias, los de
Steinschneider, Güdemann, Kayserling y Rodríguez de Castro
que cito en la Bibliografía.*

II.e.29.   *Me contento aquí con poner de relieve lo conflictivo y elocuente de esa situación de nuestro poeta en el
cruce o confluencia de las dos citadas tradiciones: la de dentro de la judería, por así decir, la tradición de la minoría judaica, más o menos cercada y embebida de su exterior, ya
árabe o ya cristiano, en la cual el período árabe-hispano suele
presentarse como la fase de decadencia, como era uso decir
antaño, en todo caso de cristalización de las formas y bizan-
tinismo —por acudir a esta analogía, que no me parece im-
propia—, en que florecen el* remaniement *de las fórmulas, la
sutilidad de las especulaciones, la frivolidad de los juegos
poéticos (los acrósticos, un rasgo revelador de tales fases,
parece ser que se encuentran en algunos de los poemillas
del propio don Sem Tob, y por cierto que el arte de la
prosa rimada, en que está compuesto el* Ma'asé *y algunas
otras de sus obras, me parece característico de ese trance
literario), de modo que el cultivo del hebreo se encontraba
en estadio paralelo al del griego bizantino y del latín medieval tardío; y frente a ello y junto con ello, la tradición, apenas en trance de establecimiento y domesticación, del lenguaje literario castellano, donde el arte del «mester de clerecía»
apenas contaba, desde Gonzalo de Berceo, algo más de un
siglo de cultivo y estaba en fase de renovación y florecimien-
to con el libro de Juan Ruiz, que es probablemente casi*

*riguroso contemporáneo de don Sem Tob y, al otro lado de
la Sierra, su más obvio paralelo y en algunos aspectos con-
trapunto suyo.*

II.e.30. *El estar así a caballo entre las dos lenguas y las
dos tradiciones literarias en momentos tan contrarios (y aun
habría que añadir el beber de la Antigüedad al mismo tiempo por el cauce latino y por el arábigo, aunque sin duda
mucho más por éste) no es seguramente ajeno al peculiar
carácter y tono de la poesía castellana del rabino: aquel movimiento lógico casi heraclitano de que hablábamos arriba,
que se compagina con el uso de refranes y de un buen sentido de modesta burguesía; ese humor con frecuencia irónico
y sutil (no sólo en las graciosas escenillas o momentos co-
loquiales intercalados, sino en la perplejidad misma en que
a menudo caen las reflexiones y las dudas), que se deja bien
contraponer con el humor, más vivaz y más indiscreto, del
Arcipreste de Hita; ese amor de la sabiduría y de los libros,
que no ciega, sino al contrario, a la observación de las cosas
prácticas, menudas y cotidianas.*

II.e.31. *Es cierto que todos los poetas, especialmente
«clérigos», que por los siglos XII-XIV se ingenian en habi-
litar las lenguas nuevas para instrumento de las tradiciones
poéticas de las antiguas (y así, por ejemplo, Juan Ruiz con
respecto a la «comedia» medieval latina) se encuentran en
una situación de duplicidad más o menos semejante; sólo
que don Sem Tob, como «clérigo rabínico», presenta el caso,
más raro, del conflicto del castellano con relación a la tradición hebraica. Y en fin, por estas circunstancias, entre
tantas otras que nunca llegarían a dar cuenta cabal de la
traza poética de sus rimas, nos ha legado don Sem Tob un
tipo de poesía que varía y enriquece nuestra visión literaria
de aquella Castilla de los fines de la Edad Media, una Castilla en que cabían (más o menos acosados, más o menos
influyentes) judíos, más europea cuanto más arábiga, más
rica cuanto menos definida, más floreciente cuanto menos
conquistadora, más libres sus ciudades cuanto más impoten-
tes sus reyes y señores, que tan alegre y graciosa se nos
vislumbra cuando se la compara con el sombrío dominio de
insipiencia y miedo que iría cubriendo desde el siglo XVI
las letras, ya españolas.*

III.a.32. *Pero, dejando la «historia irreparable», volvá-*

monos todavía al consuelo de nuestro libro. Me quedaba hablar del tercer interés que en él había encontrado, y que eran las apasionantes dificultades que ofrecía para la crítica del texto.

III.a.33. *El texto de las coplas se nos ha transmitido por los cuatro manuscritos hasta ahora conocidos, de los que paso a dar una somera referencia.*

Primero, los dos que eran conocidos desde antiguo y sirvieron a mediados del siglo pasado para las dos primeras ediciones, y que, siendo materialmente los más completos, son por diversas razones los que presentan un texto más adulterado:

Uno, el manuscrito M (9216 de la Bibl. Nacional de Madrid), de mediados del s. xv, que contiene el «Libro del Rab dô santob» en los ff. 61-81v, precedido de una colección de apotegmas llamada «Libro de los Sabios Judios» y un «Libro de Consejos» por Pero Gómez Barroso, y seguido de un «Libro de la Consolaçion de España»; escribe (como los otros dos MSS de caracteres latinos) las coplas en cuatro líneas, a dos columnas por página; y contiene 627 coplas; además es el único que ofrece el prefacio de un comentarista anónimo, resto de unas glosas de lugares difíciles de los 'Proverbios'. Es de los cuatro el más descuidado en la copia (aparte de que en la encuadernación también algunos folios o cuadernillos se han trastocado), pero por ello mismo sus faltas son en general fáciles de advertir y remediar. Sin labor editorial apenas, fué publicado por Ticknor en su *History of Spanish Literature*, Londres 1849, III 436-64 (ed. española, Madrid 1856, t. IV, 331-73).

Otro es el manuscrito E (b.IV.21 de la Bibl. del Escorial), donde figuran los versos de Sem Tob (introducidos por «Comiençan los versos del Rabi don Santo al Rey don Pedro») en los ff. 1-86, seguidos de cuatro obras de autores cristianos (v. II.c.24); parece ser, por la letra, del siglo xv, aunque probablemente el más moderno de todos, ya de la época isabelina; escribe a una sola columna, generalmente a cuatro coplas por página; y ofrece 686 coplas, siendo por tanto el más extenso. Por desgracia es al mismo tiempo el menos de fiar para la lectura del texto, por cuanto no presenta propiamente una transmisión del original, sino un texto arreglado por algún curioso editor (si no el propio copista, casi contemporáneo suyo), especialmente con el fin de reducir las rimas semtobianas (de las que hablo en III.b.43) a consonantes normales, aunque también con algunas otras modernjzaciones del lenguaje; obra tanto más peligrosa cuanto que está hecha no sin cierta habilidad y hasta buen gusto poético generalmente; los viejos eruditos se dejaron seducir por él, y todavía Stein lo consideraba preferible a M. Fué editado, o más bien reproducido, por Florencio Janer en la Bibl. de Autores Españoles, LVII (1864), 331-72, con anotación de las variantes de M.

Los otros dos MSS, de que se tuvo más tarde noticia, no

fueron aprovechados hasta la primera y única edición propiamente dicha, la de Ignacio González Llubera, *Santob de Carrión — Proverbios Morales*, Cambridge 1947.
Uno es el manuscrito C (Add. 3355 de la Cambridge University Library), de la primera mitad del s. xv, escrito en caracteres hebraicos, del tipo que G. Llubera llama rabínico español,
con puntos vocálicos en muy pocos lugares, y no especialmente
destinados a resolver homografías. Aparte de los restos del
poema de *Yoçef* o *Yusuf* (al final del códice, aunque originariamente parece que estaban delante), ofrece la parte de las
'Glosas' que conserva en los ff. 1-53: se ha perdido el comienzo del códice, cuyo texto empieza para nosotros con el
v. 307 de las 'Glosas', aunque al final el escriba ha añadido
algunas coplas que deben de ser del comienzo; y a su original le faltaba la última hoja. Escribe las coplas seguido, sin
división en versos, pero marcando con paso a línea aparte y
calderón el fin de cada copla, de las que hay de cinco a siete
por página; conserva en total 560, tres de ellas incompletas.
Y es no sólo probablemente el más antiguo, sino con mucho
el más respetuoso del texto y cuidadoso además en la escritura. Una transcripción cuidadosa publicó González Llubera
en *Romance Philology* IV (1951) 217-256.
El otro es el manuscrito N, perteneciente a una biblioteca
particular de Madrid, que es (según R. Gartenlaub en su
Mémoire p. 20) la del Sr. Rodríguez Moñino, y del que
G. Llubera dispuso para su edición de una fotocopia; son
once folios extraídos de un códice perdido, de los que el
primero comienza con nuestro verso 193, lo cual sugiere otro
folio delante, que ha desaparecido; y a diferencia de los otros
tres, contiene sólo el texto de las 'Glosas', sin restos de las
'Otras Rimas'. Por la letra parece de los tiempos de Juan II,
y como la atribución de G. Llubera a una época posterior
a 1465 se basaba en una interpretación errónea del v. 2719,
creo que debe de ser más bien de la primera mitad del s. xv,
y por tanto el más antiguo, al menos después de C. Escribe
por páginas de tres columnas a diez coplas cada una, y conserva en total 609. Aunque no exento de faltas materiales
(de las que muchas están salvadas) ni tampoco de algunas
tentativas de arreglos de la rima (pero independientes de las
de E, y no sistemáticas como en éste), debería seguramente
estimarse, después de C, como el más valioso para la reconstrucción del texto.

III.a.34. *La única edición crítica, la citada de I. González Llubera*, Santob de Carrión - Proverbios Morales, *Cambridge 1947, tiene cuenta de los cuatro manuscritos, y es
loable no sólo por haber utilizado C y N por primera vez,
sino por haber hecho un considerable esfuerzo para ofrecer
un texto relativamente inteligible y haberlo acompañado de
un aparato crítico sistemático que nos permite conocer prácticamente con certidumbre la lectura de los cuatro para cada
lugar del texto. No es, ciertamente, una edición satisfactoria,
no ya por las ocasionales distorsiones que han impuesto a la*

escritura ciertas creencias del autor acerca del lenguaje del original y acerca de las rimas (creencias ya criticadas en el artículo de Alarcos Rev. de Filol. Esp. 1951, pp. 249-309), sino porque el método de edición fue demasiado mecánico: a saber, elegir el texto de C en todas las partes que se conserva, atreviéndose a muy pocas correcciones, algunas de ellas desafortunadas; donde falta C, tomar el texto de M; donde C y M, el de N; donde C, M y N, el de E; con la misma actitud respecto a las lecturas respectivas; y resultando una ordenación de la serie (sobre todo para el principio y el final) difícilmente aceptable, así cuando ella resulta de la acumulación de los varios manuscritos como cuando el editor quiso por su parte modificar el orden; la ilación sintáctica entre las coplas no se ha estudiado bien a veces, y tampoco la división del poema en XXI secciones resulta convincente. Pero en lo uno y en lo otro es el primer intento de devolver realmente el texto a los lectores, y en todo caso me place rendir a la memoria de González Llubera el testimonio de agradecimiento que le debo como principal fuente por la que, gracias al esmero de su edición y también a la transcripción del manuscrito C en Romance Philology IV *(1951) 217-256, he podido contar con un conocimiento suficiente del texto de los cuatro códices, que hasta ahora no he tenido ocasión de colacionar directamente, colación que no podrá modificar en mucho ese conocimiento.*

IIIa.35.   En cuanto al texto que aquí ofrezco, es el mismo, con algunas diferencias de presentación, que aparecerá en la edición crítica que tengo en trámites editoriales. Para ella he puesto en juego, haciendo una incursión en un campo ajeno a mis tareas habituales, lo que de escarmiento y práctica pueda haber ganado en mis estudios de crítica textual sobre obras griegas y latinas; la he venido corrigiendo en cuatro redacciones sucesivas; y bien me alegraría si, dentro de la modestia que mis ignorancias en la romanística le imponen, pudiera contribuir este dulce trabajo a animar a los nuevos editores de libros romances y especialmente castellanos a seguir ejercitando este viejo arte de la crítica textual, sazonada en muchos siglos de errores y tanteos para la edición de los antiguos, y a abandonar la incuria y malas costumbres que hacen que aun hoy mucha vieja literatura tenga que seguirse leyendo, pese a algunas pocas y muy notables excepciones, en ediciones semibárbaras, plagadas de generaciones de ininteligencia sobrepuestas, con una escritura

*incierta o caprichosa, y tan ayunas de luces para los posibles
lectores como faltas de piedad para con el texto. Sea de ello
lo que sea, quiero también, al mencionar esta edición, dejar
constancia de mi agradecimiento a los que en ella me han
prestado su ayuda, sobre todo a don Rafael Lapesa, que
examinó una primera versión del texto, me proporcionó algunos datos y me hizo atinadas observaciones, y a mi viejo amigo Moshé Lazar, ahora de la Universidad de Tel-Aviv, que
como romanista y hebraísta me ha hecho algunas indicaciones
valiosas.*

III.a.36.   *Pero, estando en vías de publicación dicha edición crítica, no será aquí oportuno sino apuntar algunas cuestiones que puedan ser para el público general interesantes.
La primera, que no creo que se pueda establecer un árbol
genealógico preciso de los cuatro manuscritos: no hay datos
para mostrar que dos o tres de ellos frente a los otros sean
copias inmediatas de un antecesor común (aunque ciertamente a veces solo C mantiene la lección originaria frente a
los otros tres; pero en cambio, solo E conserva los vv. 2057-
76 y 2133-92; y se encuentran coincidencias ocasionales de
N y E, p. ej. en 2481-92 y 2717-19, frente a otras entre C
y N o entre M y E); lo que sí he hallado son alteraciones
comunes a los cuatro, ya en lecciones o ya en el orden de
coplas o pasajes (v. nota a 460, 665, 1157-60, 1277-80, 1701-
32), lo cual revela que los cuatro, mediatamente, derivan de
la misma copia. De estos y otros datos deduzco como más probable la siguiente historia: de las 'Glosas' al menos (las
'Otras Rimas' pudieron añadirse luego en una de las líneas
de la tradición) se hizo una copia en su versión primera (la
dedicada a Alfonso XI); sobre una parte de las copias sa-
cadas de ésta se hicieron (seguramente por el propio don Sem
Tob) las correcciones correspondientes a la nueva dedicatoria al rey don Pedro; de una de estas copias corregidas puede
proceder inmediatamente C; de una de las otras puede salir,
tal vez con sólo otra copia intermedia, N, que parece haberse copiado de un ejemplar en letra hebraica (v. nota a
229); de otra no corregida, más completa, procedería, a través de varios intermediarios, E; de otra distinta M, también
con algún códice intermedio.*

III.a.37.   *Semejante situación implica que no se puede hacer gran uso para descubrir el texto originario de razones ex-
ternas (esto es, fundadas en la autoridad del manuscrito), sino*

sobre todo de crítica interna y apreciación de las lecciones de cada pasaje por criterios como el de la lectio difficilior y por la práctica en las costumbres lingüísticas del escritor. Cierto que por esta vía interna resulta que en los más de los casos las lecciones de C son preferibles a las de los otros; pero ello no excluye ciertos descuidos ocasionales también de C, que tendremos que reconocer y remediar cuando se pueda.

III.a.38. *Esto mismo y el hecho de que C nos falte para casi una cuarta parte del texto nos deja condenados en muchas ocasiones a la práctica de la conjetura. Confío en no haber abusado de este arte peligrosa, y espero que, por lo menos para esta edición relativamente popular, en que la presión del deseo de ofrecer un texto lo más legible, contínuo y congruente posible no se podía desoír del todo, se me agradecerán más bien las elucubraciones que me han llevado en muchos pasajes (y en especial en el comienzo de las 'Glosas', sin duda perdido o alterado en todos los MSS, y para los pasajes conservados sólo en E) a presentar en el texto algunas lecciones no transmitidas, con más o menos tanto por ciento de probabilidades de haber acertado en ello; al fin y al cabo, al editor le toca tratar de librar al texto de las corrupciones de los escribanos transmisores; al juicioso lector librarlo a su vez de las corrupciones del editor.*

III.a.39. *Por lo demás, en el extenso aparato de la edición crítica se podrán ver razonadas las lecciones de cada pasaje; y de todos modos, ya en esta edición encontrará el lector en las notas, para los pasajes más alterados o dudosos, una indicación de mi conjetura y una reproducción de las lecciones correspondientes de los manuscritos. En fin, tampoco ha parecido que fuera propio para la presente edición añadir una tabla de concordancias entre los números de los versos en ella y los de los (dobles) versos o coplas en la edición de González Llubera, tabla que acompañará a la edición crítica; espero que, tratándose de una obra no muy larga, no encontrará el lector dificultad mayor en localizar aquí algunos versos que vea citados por los números de G. Llubera o por los de las viejas ediciones.*

III.b.40. *Se presenta además en esta edición el texto acompañado de una versión en español oficial contemporáneo. La finalidad de esta versión es simplemente la de ayudar al lector no habituado al castellano medieval a entender con la mayor precisión posible lo que las coplas dicen, y así con ella ahorrar una gran cantidad de notas explicativas, ya sobre el léxico o ya sobre las construcciones, que sin duda habrían hecho la lectura más desapacible y sobrecargado de trivial erudición las anotaciones.*

III.b.41. *Habría sido relativamente hacedero fabricar una traducción en verso de las coplas; pero me he decidido por esta versión explicativa, no sólo en prosa, sino irremediablemente torpe y desgarbada con frecuencia, porque justamente de lo que se trata es de que la versión no venga en la lectura a substituirse al original para los lectores perezosos o desaprensivos, sino, al contrario, que, con ayuda de la versión, aun tales lectores, si los hubiere, puedan volverse a la lectura del texto mismo de don Sem Tob, percibir junto con la marcha del pensamiento la gracia de su castellano y, si alguna de las coplas se les prende en la memoria, recordarla tal como el rabino lo más probablemente la escribiera.*

III.b.42. *Sobre ese lenguaje del original sólo voy a añadir unas palabras: que, si bien aparecen en él algunos rasgos de vocabulario o de morfología (los de pronunciación y ortografía pueden en general atribuirse mejor a los copistas) de color evidentemente portugués (sobre los restos de unos versos de don Sem Tob en portugués, acaso dirigidos a la madre del rey Pedro, doña María de Portugal, v. nota a los vv. 29-136) y también leonés y hasta acaso aragonés, que González Llubera trató de poner de relieve en el prólogo de su edición (en parte razonablemente criticados y precisada la calidad del lenguaje semtobiano en el citado artículo de Alarcos Rev. de Filol. Esp. 1951, pp. 249-309), y si bien, por otra parte, no dejan de encontrarse algunos rasgos de sintaxis y de calco semántico que pueden atribuírse a la influencia del hebreo, a pesar de ello, o más bien justamente por ello entre otras cosas, me parece el lenguaje del rabino uno de los ejemplos más puros y acrisolados de castellano viejo que conozco (ya que no tenga la abundancia del contemporáneo de Juan Ruiz), en el cual, al mismo tiempo que reconozco el docto intento de configurar el castellano en lengua sabia y de discurso filosófico en verso (en el sentido que menos de un siglo antes se había empezado a hacer en prosa con don Alfonso X), al mismo tiempo se me despiertan en él con especial deleite y añoranza resonancias de la vieja lengua castellana-leonesa cuyos últimos ecos he recogido todavía entre las gentes de los pueblos de mi tierra, por oposición a la insustancialidad y maquinalidad del español oficial en que la versión de las coplas está escrita para contraste.*

III.b.43.   Y en lo que atañe a la métrica, precisar escuetamente algunos puntos: a) que la creo perfectamente regular, de «sílabas contadas», a saber, por versos heptasílabos (salvo las dos canciones, en octosílabos, que publico como n.º V y n.º VI de las 'Otras Rimas'), de manera que esa perfección puede usarse como criterio para el establecimiento del texto (tengo, por otra parte, grandes dudas de que en los otros poetas del mester de clerecía la irregularidad y vacilación entre 7 y 8 o incluso de 6 a 9 por hemistiquio que suelen admitir los editores no se deba, aun en casos como el de muchas partes del Libro del Buen Amor y más aún en otros como el del Rimado de Palacio, al descuido de los manuscritos y a lo poco estudiado de la crítica del texto); b) que los versos se agrupan siempre en coplas de cuatro (no veo gran interés ni fundamento a la decisión de G. Llubera de imprimirlos por líneas de a dos, como alejandrinos), rimados en esquema a-b-a-b, de modo que es de tomar como una alteración en la transmisión del texto la manera en que el códice M presenta en orden a-a-b-b algunas de las coplas de 33-56 (v. nota y cfr. la nota a 113-16); c) que como regla para el cómputo silábico de la palabra con final vocálico delante de otra de comienzo vocálico rige todavía constantemente la del hiato (cómputo como dos sílabas distintas) y no la de la elisión ni la sinalefa (encuentro un par de excepciones, por su propio aislamiento sospechosas, en 188 y 189), en tanto que sigue valiendo la regla de la doble posibilidad de cómputo (lo mismo que siga vocal o que consonante), con «apócope» y con sílaba plena, para toda palabra terminada en -e y para un pequeño grupo de terminadas en -o (tanto, quanto, mucho, todo, sólo, quando, commo); para facilitar la lectura, siempre que la vocal no cuenta, la he remplazado por apóstrofo; y también me he sentido más bien inclinado a reconocer la presencia de cómputos de en el y de con el en una sola sílaba.

III.b.44.   Tocante a la rima, ofrece don Sem Tob una peculiaridad, a mi noticia, única en castellano: que, usando normalmente la consonante, lejos de transigir con la asonante, lo que emplea con bastante frecuencia es un tipo de rima en palabras llanas que sólo tiene cuenta de la parte posterior a

*la sílaba acentuada, pero no —al menos por entero— de la
sílaba acentuada misma, siéndole dado rimar no sólo* alto-
santo, tavardo-onrrado, otro-cobro, pleito-çierto, sabio-agravio,
sino igualmente sin asonancia, furte-cuente, noble-cunple, cun-
ple-sinple, omre-costumre, omre-sienpre, cobdiçias-preçias, bi-
ven-deven, joya-suya, reja-çerraja, bozes-vezes, poco-flaco, quan-
tas-preguntas, noble-convenible, commo-mismo *y hasta* vee-oe.
*Fué la extrañeza de tales rimas lo que hizo a G. Llubera bus-
car una solución en suponer (como ya ocasionalmente lo hace
el escriba del manuscrito N, en tanto que el texto de E ha
reducido todo a rimas consonantes normales) formas de vo-
calismo anómalo (como* ruestro, juezio, cuemen, bieve), *cuya
falta de fundamento expuso debidamente Alarcos en el art.
citado en el § 42, al tiempo que sugería, con razón, la influencia del sistema de rima hebraico, que le habría hecho al
rabí ensayar en castellano un sistema de rima en que sólo la
última sílaba contara. Cierto que la cosa no puede ser tan
simple (como lo indica el hecho de que estas rimas semtobianas sean, las sin asonancia, en número de 90 o muy pocas
mas, es decir, apenas un 6'5 % del total); fundándose sin
duda en las costumbres de la métrica hebrea (algunas sugerencias útiles he encontrado, sobre la independencia entre la
marca del ritmo y el acento de palabra, en el art. de J. Schir-
mann 'La métrique quantitative dans la poésie hébraïque du
moyen âge' Sefarad VIII —1948— 323-32, así como en las
doctrinas del rabí David ben Salomón, sobre los tres grados
de rima y el intercambio de vocales afines, que dió a conocer J. Llamas 'Tres capítulos de métrica rabínica de R. David
ben Selomó ibn Yahyá' ibidem 277-291), hay que buscar una
teoría del juego convencional de equivalencias entre los gru-
pos diferentes de vocal + consonante(s) de la sílaba penúltima, con cuyos detalles no voy a entretener aquí al lector. Él
se habituará, con la repetición de la lectura, a estas rimas extrañas con que tanteaba don Sem Tob el establecimiento de
unas convenciones que no iban a lograr aceptación en castellano.*

III.c.45. *En fin, en cuanto al comentario que sigue y
acompaña en esta edición a las 'Glosas' y las 'Otras Rimas',
consta, por un lado, de notas ocasionales sobre pasajes de crítica textual dudosa o sobre puntos lingüísticos o históricos interesantes, pero sobre todo expone periódicamente la línea del
pensamiento y la articulación de las partes sucesivas que en
las 'Glosas' he distinguido, y luego, en su mayor parte, sigue,*

a modo de comentario cursivo, el desarrollo de la filosofía del poema, atreviéndose a veces a reproducirla y prolongarla en otro lenguaje acaso más abstracto, no reteniéndose tampoco de señalar los puntos (sobre todo de la parte central: cfr. § II.a.17) en que parece que las propias presiones morales del poeta le hacen entrar en contradicción con la teoría y lógica moral contradictoria que en general anima su poema.

III.c.46. *Se vuelve así el comentario por momentos una especie de glosas de éstas que ellas mismas se presentan como glosas de otro libro de sabiduría; el cual a su vez, en caso de que lo hubiera habido, ¿qué podría haber sido sino glosas de los escritos o las palabras de hombres más antiguos? Pues desde el principio está el lenguaje funcionando y dejando como subproducto de su funcionamiento fórmulas y doctrinas. Pero no le pese al lector tampoco de añadir a su vez con su lectura (y su inevitable comentario, más o menos mudo) del texto de Sem Tob y de este comentario suyo otra capa más a la acumulación de palabras sobre palabras, recordando que no se trata sólo de un proceso de acumulación, sino también, por fortuna, de otro inverso: que la glosa es también una crítica y negación del libro que le precede, y éste puede serlo del anterior, y así sucesivamente, por tal manera que, al hablar de las palabras, a lo que se va quizá es a ir levantando las capas sucesivas de formulaciones y doctrinas, en el amor de llegar a hablar de la cosa y de la práctica misma de la vida.*

París, Noviembre de 1972.

BIBLIOGRAFIA

EDICIONES

I. González Llubera *Santob de Carrión — Proverbios Morales*, Cambridge 1947.
Publicación del manuscrito M : Ticknor *History of Spanish Literature*, Londres 1849, III 436-64 (edición española, Madrid 1856, IV 331-73).
Id. del manuscrito E : Fl. Janer en la Biblioteca de Autores Españoles, LVII (1864) 331-72.
Id. del manuscrito C : G Llubera 'A transcription of MS C of Santob's Proverbios Morales' *Romance Philology* IV (1951) 217-256.

OBRAS HEBREAS DE SHEM TOB IBN ARDUTIEL

Widduy en el *Orden de Rosh ha-Shanah y de Kippur*. Varias ediciones; por ejemplo, la de Amsterdam 1652, pp. 397 y ss. Cfr. § 27 de mi Introducción.

Ma'asé en E. Ashkenasi *Dibré ha-Kanim*, Metz 1846, pp. 47-55.

F. Díaz Esteban «El 'Debate del cálamo y las tijeras', de Sem Tob Ardutiel, don Santo de Carrión» *Rev. de la Univ. de Madrid*, XVIII (1969) (Homenaje a M. Pidal, t. I), pp. 61-102.

Para las demás, véase 'Introducción' § II.d.27.

ESTUDIOS REFERENTES A 'SANTOB DE CARRION' Y A 'IBN ARDUTIEL'

El Marqués de Santillana en su *Carta e Prohemio*, editada en la *Revue Hispanique* LV, pp. 40-41.

Joseph Rodríguez de Castro *Biblioteca Española*, t. I ('Escritores rabinos españoles').

M. Menéndez Pelayo *La España Moderna* LXIII (1894) 152.—Id. *Antol. de Poetas Líricos Cast.* III (1891) CXXV-XXXVII.

L. Clarus *Darstellung der spanischen Literatur im Mittelalter*, Maguncia 1846.

Baist *Spanische Litteratur* en el *Grundriss de Gröber*, II² 411.

P. Mazzei 'Valore biografico e poetico delle *Trobas* del Rabi Don Santo' *Archivum Romanicum* IX (1925) 177-189.

F. Baer 'Shedisim mimeshoreré Qastilla bimeá 14' (Especímenes de los poetas hebraicos de Castilla en el s. xiv) en el *Minhat le-Dawid*, Jerusalén 1935, 197-204.—Id. 'Séfer Qenaot...' Tarbiz XI (1940) 188-206.

Régine Gartenlaub *Los 'Proverbios Morales' de Sem Tob de Carrión*, Mémoire pour le Diplôme d'Etudes Supérieures, Paris, Juin 1955 (inédito). ••• ▸•

Jacques Joset «Opposition et réversibilité des valeurs dans les 'Proverbios morales': approche du système de pensée de Santob de Carrión» *Marche romane*, nu. spécial (Homenage au Prof. Maurice Delbouille), 1973.

FUENTES DE LOS 'PROVERBIOS MORALES'

L. Stein *Untersuchungen über die Proverbios Morales von Santob de Carrion mit besonderem Hinweis auf die Quellen und Parallelen*, Berlín 1900 (publicadas como tesis doctoral y como opúsculo independiente [110 páginas], creo que sin cambios).

M. Steinschneider *Die arabische Literatur der Juden*, Frankfurt a. M. 1902.

Id. *Die europäischen Übersetzungen aus dem Arabischen bis Mitte des 17 Jahrhunderts*, Graz 1956.

Para Honain: Edición del texto hebreo por A. Löwenthal, Frankfurt a. M. 1896.—Traducción alemana por el mismo, Berlín 1896.—H. Knust 'Mittheilungen aus dem Eskurial' *Bibliothek des litt. Vereins* n.° 141, Tübingen 1875.

Para ben Gabirol: edición crítica con traducción inglesa por A. Ascher *Choice of Pearls*, Londres 1859.

Para el *Talmud:* traducción inglesa, con estudios de cada tratado, *The Babylonian Talmud*, Londres 1935.

LENGUAJE Y MÉTRICA

Introducción de la edición de I. G. Llubera, pp. 26-58.

Id. 'The text and language of Santob de Carrión's Proverbios Morales' *Hispanic Review* VIII (1940), pp. 113-124.

E. Alarcos Llorach *Revista de Filología Española* 1951, pp. 249-309.

SOBRE JUDÍOS Y LITERATURA JUDÍA DE LA ÉPOCA HISPANO-ARÁBIGA

Abraham A. Neuman *The Jews in Spain, their social, political and cultural life during the middle ages*, t. I (A political-Economic Study) y t. II (A social-cultural Study), Filadelfia 1944.

Yitzhak Baer *A History of the Jews in Christian Spain*, Filadelfia, t. I 1961, t. II 1966.

Claudio Sánchez Albornoz *Estudios sobre las instituciones medievales españolas*, Méjico 1965.

Américo Castro *La realidad histórica de España*, Méjico 1954.

Id. *Origen, ser y existir de los españoles*, Madrid 1959.

Sánchez *Colección de poesías castellanas anteriores al siglo XV*, Madrid 1799, esp. I p. 180.

Kayserling *Sephardim. Romanische Poesien der Juden in Spanien*, Leipzig 1859.

Güdemann *Das jüdische Unterrichtswesen während der spanisch-arabische Periode*, Viena 1873.

M. Steinschneider, las obras citadas bajo 'Fuentes', y la de F. Díaz Esteban, citada bajo 'Obras hebreas'.

ALGUNAS OBRAS QUE NO HE VISTO

Martín Ramírez de Helguera *Libro de Carrión de los Condes*, 1896, cap. XV.

M. Durán Gil 'El amor en los libros de Don Sem Tob' *Tribuna Israelita* n.° 109 (Dic. 1953).

Publicación del texto con estudio de E. González Lanuza y notas de A. Portnoy, 'Sociedad Hebraica Argentina', Buenos Aires, 1958.

Rubén A. Turi «Las coplas del rabí don Sem Tob» *Rev. Univ. de Santa Fe*, XVII (1945), 89-113.

Sanford Shepard *Shem Tov. His world and his words*, Miami, 1978.

Carlos E. Polit *La originalidad expresiva de Sem Tob* (J. M. Hill Monograph series, I), Indiana University, Bloomington, 1974.

Se nos han llegado las fechas de reeditar este libro sin
haber encontrado ocasión aún para publicar la edición con
aparato crítico exhaustivo que como fundamento para ésta
tengo redactada desde hace años. Confío en que el lector más
erudito pueda pronto disponer de ella. Entre tanto, la presente aparece con no pocas correcciones que la reflexión sobre su aparición primera, las críticas de algunos lectores y
algún suceso en la historia del texto de las Glosas nos han
deparado durante estos años.

De esto último, lo más curioso ha sido la publicación por
Luisa López Grigera en el Boletín de la Real Academia Española, LVI (1976), pp. 221-281, bajo el título de «Un nuevo códice de los 'Proverbios Morales' de Sem Tob», de una
copia de versos de las Glosas sacados de su memoria por un
reo de la Santa Inquisición, Ferrán Verde, estando preso en
el año 1496, y con el intento de justificarse ante sus jueces
contra la alegación que se le había hecho de citar y alabar las
coplas del rabí, queriendo mostrar así, al escribir todas las
que jura que recuerda, que no había en ellas «cosas que
fuesen contra nuestra santa fe católica». Son 219 las escritas,
contando dos veces una que se repite (63 y 168), arrancando
de nuestro v. 141, hilvanándose por cortas tiradas en un gran
desorden, muchas veces saltando de un pasaje a otro en vir-

*tud de alguna sugerencia semántica y algunas fundiendo en
una dos coplas de contextos diferentes; es de notar que
hay una, la 214, que no parece corresponder a ninguna de las
que tenemos:*

> El honbre malo y de maldad
> que tiene poder y saber
> vsa sienpre mal del
> quien se guardara del

(*tal vez reconstruible en algo así como*

> Omre de torpedat
> que tien' poder e dél
> usa pora maldat
> ¿quí s' guardará de él?*);*

*de manera que, de no pensar que ha sido una conflación de
diversos retazos en la memoria asendereada del redactor,
habría que tomarla como nueva, y buscar en qué lugar (pre-
feriblemente tras el v. 1324; pero también cabría, recons-
truyéndola de otros modos, tras 1128, tras 652, y aun tras
2652) podía haber estado en la copia de las Glosas donde
había leído el reo. Por lo demás, dada la inexactitud que la
cita de memoria impone a casi todas las coplas, llegando con
frecuencia a un entendimiento derechamente perverso y mostrando en varios lugares haberse aprendido el texto con pun-
tuación equivocada, ya se comprende que no es mucho lo que
esta notable recolección puede ayudar a la crítica de nuestro
texto; desde luego, aun descontadas las variaciones claramente atribuibles a error de la memoria, se encuentran en el
texto, tal como editado por doña Luisa López Grigera, los
bastantes rasgos para situar aproximadamente en la tradición
manuscrita el ejemplar o ejemplares de donde nuestro hombre había «decorado», según la recomendación del prefacio
del ms. M, los versos del rabí.*

No era desde luego un códice hermano de ninguno de nuestros
cuatro mss.: en algún raro caso (519 *quier tomar la*) conserva
él solo la buena lección con *C* frente a *NME*; seguramente con
C y *E* en 842 *diez* frente a *NM*, y, a falta de *C*, con *N* y *E*
frente a *M* en 195 *algunt rroto*, mientras sólo con *N* frente a
M y *E* en el v. siguiente *buenos*. Pero en cuanto a errores o
arreglos significativos (uno que encuentro en común con *C*
y *M* 584 *menguara* puede ser mera coincidencia) se encuentran
bastantes en común con *N* solo: 489 y 491 *tanta - quanta*, 844

por su, ambos contra *CME,* y el más notable 991 *sabroso*
contra *CM;* tal vez en común con *N* y *E,* 427 *aquel que,* 873
(a)bastara; pero también algunos en común con *E* frrente a
los otros incluido *N:* 282 *ya otorgo ya niego,* 364 *toda su,* 443
tardar. De manera que tenemos que contar con una tradición
contaminada, de un original semejante al antecesor inmediato
de *N* con otro semejante a aquel sobre el que haría su nueva
redacción arreglada *E,* ya sea que el único libro del reo memo-
rizante estaba contaminado por correcciones tomadas de un
códice de esta segunda línea en uno de la primera, ya sea que
el hombre mismo había leído las coplas en dos códices. En
común con *M* aparece la alteración de orden de 161-64 después
de 168; pero ahí es *M* nuestro solo ms., y por tanto lo único
que ello quiere decir es que esa alteración era de tradición muy
antigua. En fin, caso curioso sería que en su copia pasa del
v. 460 al 461, contra los cuatro mss., que tienen alterado el orden, y dándome la razón en la restitución que de él había hecho; pero no quiero darle demasiada significación a esto, porque, como puede verse a la simple lectura, es bastante fácil
que en este caso la mala memoria de nuestro redactor hubiera
acertado a corregir el orden sin darse cuenta.

*Más importancia han tenido para algunas modificaciones
del texto que presento las sugerencias de amigos y lectores,
y en especial de Rafael Sánchez Ferlosio en carta de 12 de
febrero de 1975 desde Coria y las que tuvo a bien comuni-
carme por carta de 31 de marzo de 1975 el profesor Jacques
Joset, de la Universidad de Amberes, y excelente editor del*
Libro de buen amor *en los 'Clásicos Castellanos'. Según su
consejo, se acentúan aquí sistemáticamente los Impfs. en
-ié, -ién, las formas verbales* só *y* dó, *el anaf.* y *y el indf.* ál.

*He leído también, en tanto, el artículo de Fernando Díaz
Esteban, «El 'Debate del cálamo y las tijeras', de Sem Tob
Ardutiel»,* Revista de la Universidad de Madrid, *XVIII
(1969), 61-102, que recomiendo vivamente, así por ofrecer
una cuidadosa traducción de esa obrilla hebrea, con anotación de fuentes, como por las muchas doctas noticias sobre
la tradición literaria hebraica en la que se inserta la labor
de nuestro poeta.*

*Aparte de esto, verá el lector que aparecen unos pocos
cambios en el texto en virtud de una más madura valoración
de algunas de las variantes, eliminando también algunos restos inadvertidos de las conjeturas (p. ej.* cuemo *por* commo*)
introducidas sin necesidad por G. Llubera, y buscando (sobre
todo en el n.º V de las 'Otras rimas' y en el comienzo) conjeturas menos violentas para pasajes sin duda corrompidos.
En los versos de la 'Dedicatoria' y el comienzo de la 'Confesión' (que ahora se titula simplemente así, dejando el título*

de 'Prólogo' para el que había impreso como 'Prólogo segundo') la falta de los mejores mss. y las especiales condiciones de la transmisión que en las notas explico abonan el terreno para las dudas, y de ellas proceden algunos cambios
de parecer que se reflejan en el texto: en especial, me he
decidido para el v. 7 a imprimir el Filsofim, según ya en mi
prólogo apuntaba, pero siempre con las salvedades que allí
se hacen sobre lo poco que el texto de Honain haya podido
ser de fundamental para las Glosas. En el v. 18 me decido
por reconocer el uso de ende como prep. (cfr. 418) y así
modifico el texto. Me he confirmado más bien, en cambio,
en las conjeturas sobre las pérdidas y alteraciones en lo que
imprimo como parte primera de la 'Confesión' (aunque la
mejor reconstrucción del v. 34 me sigue atormentando: el
que no s'da a menudo que ahora escribo aprovecha casi sin
alteración la lección de M y acaso da mejor cuenta de la refundición de E), y veo que, para las pérdidas de versos y los
cambios de orden en M en los vv. 33-52 tal como las suponía
y razonaba en nota, bastaría en rigor con suponer un códice
antecesor de C, M y E que fuera un cuadernito de formato
chico y apaisado donde se escribieran (en renglón y medio
aproximadamente cada copla, ya fuera en caracteres hebraicos o castellanos) a razón de tres coplas por anverso y tres
por reverso.

En fin, confío en que en esta nueva salida las Glosas del
rabí sigan proporcionando a los lectores el deleite (y con él
—cómo no— instrucción) de que muchos me han dado
testimonio.

Zamora, 8 de abril de 1980.

<Glosas de Sabiduría o Proverbios
Morales y otras Rimas>

LIBRO DEL RAB DON SANTOB
<Prefacio del comentador en el MS. M>

Commo quiera que dize Salamón —e dize verdat—
en el Libro de los Proverbios «Quien acreçienta çiençia
acreçienta dolor», pero yo entiendo que esto que él llama
dolor que es trabajo del coraçón e del entendimiento, e
5 assí non lo devemos tener el tal dolor por malo (ca él
non lo dixo mal dolor) nin por que omne deve escusarse
de la çiençia e de la buena arte; ca la çiençia es causa al
entendido ponerle en folgura corporal e espiritual.

E aun digo que Salamón, antes e después que escrivió
10 e dixo en los dichos Proverbios «El que acreçienta çiençia acreçienta dolor», él acreçentó çiençia ([e] a[ve]mos

Libro del rabí Don Sem Tob
Prefacio de un comentador anónimo conservado
en el manuscrito M

A pesar de que dice Salomón —y dice verdad— en el Libro
de los Proverbios «Quien acrecienta ciencia acrecienta dolor»,
sin embargo, yo entiendo que lo que él llama dolor es trabajo
del corazón y del entendimiento, y por tanto, no debemos tal
5 dolor considerarlo malo (pues él no lo llamó mal dolor) ni que
sea un dolor por el que deba uno desinteresarse de la ciencia
y de los buenos aprendizajes; pues la ciencia al hombre instruido
le produce placer corporal y espiritual.

Y además añado que Salomón, antes y después de escribir y
10 decir en los citados Proverbios «El que acrecienta ciencia acrecienta dolor», él mismo acrecentó ciencia (y muestra de ella

del[l]a [día]de oy vista en la Viblia: que leemos el
dicho Libro de Proverbios e el Libro de los Cantares o
Canticores e el Libro de Vanidades o Clesiásticas) e fi-
15 zo el Libro de Sapiençia («Amad justiçia los que judga-
des la tierra» e[t] se [q.]); assí que se entiende que non
lo dixo por mal dolor, ca si lo él sintiera por dolor, non
se trabajara de acreçentar çiençia.

Pero este dolor es asemejado al trabajo de bien fazer:
20 que trabaja omne en ir luengo camino por alcançar con-
plimiento de su deseo, e es aquel trabajo folgura, gloria
e non dolor, aunque passa por él; pero lo mucho del
bien faze ninguno aquel [trabajo] o dolor.

E assí que dixo «acreçienta dolor» porque quien mun-
25 cho lee muncho trabaja; e mientra más acreçienta el
estudio, más acreçienta trabajo para [el fruto; e] el
fruto que el entendido saca del tal trabajo o dolor es de
tamaña gloria que el trabajo e dolor con que se alcançó
es ninguno e cosa olvidada e non sentida nin enpeçible,
30 mas antes, fué e es cabsa de bien. E es afigurado commo
si dizen a omne contar doblas para él: çierto es que trabaja en el contar, pero más pro saca mientra más con-
tare.

Assí que non lo dixo por dolor enpeçible nin malo;
35 ca dolor ay que omne desea a las vezes, que con él avrie
grant folgura e non sin él; assí que es munchas vezes

tenemos hoy día en la Biblia: donde leemos dicho Libro de Proverbios y el Libro de los Cantares o Canticum Canticorum y el
Libro de Vanidades o Eclesiastés) y compuso el Libro de la Sabi-
15 duría (<el que empieza> «Amad la justicia vosotros que juzgáis
la tierra» etcétera); así que se entiende que no se refería a un
mal dolor, pues si él lo hubiera considerado dolor, no se hubiera
molestado en acrecentar ciencia.
Pero es que este dolor es parecido a los trabajos que se pasan
20 por conseguir beneficio: que cuando trabaja uno en andar un
largo camino para alcanzar el cumplimiento de su deseo, ese trabajo es gozo, es gloria, y no dolor, aunque por él pasa; pero lo
muy grande del bien que recibe reduce a nada aquel trabajo o
dolor.
25 Así pues, si dijo «acrecienta dolor», fue porque quien mucho
lee mucho trabaja; y mientras más aumenta el estudio, más
aumenta el trabajo para conseguir el fruto; y el fruto que el
hombre culto saca de tal trabajo es de tanta gloria que el trabajo
y dolor con que se alcanzó es nulo, es cosa olvidada y que no
30 se siente ni estorba, sino que, por el contrario, fue y sigue
siendo causa de bien. Y es ello, por poner una comparación, como
cuando le dicen a uno que cuente monedas para cobrarse de
ellas: es cierto que trabaja en el contar, pero más provecho saca
cuanto más cuente.
De manera que no se refería Salomón a un dolor dañoso ni
35 malo; pues dolores hay que a veces uno los desea, que con ellos
sentiría uno gran gozo, y sin ellos no; así que hay muchas veces

deseado dolor, e commo la †tan†ger mañera, que toda
vía cobdiçia aquel dolor más que todas las folguras e
viçios del mundo, porque es causa de todo su deseo;
40 assí que es dolor neçessario o provechoso.

E por esto non deve çessar de fablar çiençia el que sabe por cuita de sofrir trabajos o dolor; mayormente que
es notorio que viene por devina influída de Dios en el
omne que la [ha]: assí que non la da Dios para que la
45 calle nin para el influído solo, salvo para fazer bien;
commo la Santa Ley, què dió a Muysén non solamente
para él, mas para su pueblo de generaçión en generaçión, e aun para todos los naçidos que a su Ley se alle-
garen, como dize Ysaías en el capítulo [?]: «El linaje
50 que le serviere será contado a él por público suyo». Assí
que el Señor da sabiduría a uno para enseñarla a muchos.

E puede aquí dezir qui vien quisiere «Pues el Señor
Dios, commo da la sabiduría a uno para enseñarla a
55 muchos, tan bien la podría dar a los munchos; e en
verdat, ¿para qué o por qué es esto?». Diría yo a él:
respóndote que también podría dar Dios la Ley sin que
se enseñasse por escritura a cada naçido; pero non se le
entendría ni sería sabido que le binía de Dios nin por
60 acarreamiento del Espíritu Santo; assí que non sería
Dios tan conoçido.

dolores deseados, como es el caso con la mujer estéril, que continuamente está ansiando aquel dolor <de la preñez y el parto>
más que todas las comodidades y placeres del mundo, porque
en él está la causa de todo su deseo; de modo que es un dolor
40 necesario o provechoso.
Conque por eso no debe dejar el que sabe de hablar de su
saber por la preocupación de sufrir penalidades o dolor; cuanto
más que es notorio que <esa ciencia> viene por inspiración divi-
na que Dios infunde en el hombre que la posee: de manera que no
45 la da Dios para que la calle ni se la da al inspirado para él
solo, sino para que haga bien; como pasó con la Santa Ley, que
se la dió a Moisés no sólo para él, sino para su pueblo de generación en generación, y aun para todos los nacidos que vengan
a afiliarse a su Ley, como dice Isaías en el capítulo [ ]: «Todo
50 linaje que le sirva le será contado como público y común linaje
suyo.» Así que el Señor le da sabiduría a uno para que se la
enseñe a muchos.
Y puede a esto replicar cualquiera «Entonces, el Señor Dios,
así como le da la sabiduría a uno para que se la enseñe a
55 muchos, igual podría dársela a esos muchos; y verdaderamente,
¿para qué o por qué ha de ser así?» A ése yo le diría: te
respondo que también podría Dios comunicar la Ley sin necesidad de que se le enseñase por medio de escritura a cada
uno de los nacidos; pero entonces <el que la recibiese> no se
daría cuenta de ello ni se sabría que le venía de Dios y por
60 aportación del Espíritu Santo; de modo que no sería Dios tan
conocido.

E por esto es en el secreto de Dios vien lo que a nos
non se entiende; ca el Señor todas las cosas que El fizo
[las fizo] e son con sabiduría acabada, que es en El. Assí
65   que devemos creer que es bien aprender de quien aprende e entender del que entiende, e punar en el tal trabajo
que naçe dello gloria e folgura, assí que non es dolor
doloroso, mas es dolor provechoso.

Pues assí es, plaziendo a Dios, declararé algo en las
70   trobas de Rabí Santob, el judio de Carrión, en algunas
partes que pareçen escuras; aunque non son escuras,
salvo por quanto son trobas; e toda escritura rimada
pareçe [escura], e, entrepatada, non lo es; que por
guardar los consonantes, algunas vezes lo que ha de dezir
75   después dízelo antes.

E esto quiero yo trabajar en declarar, con el ayuda de
Dios, para algunos que puede ser que leerán e non en-
tenderán sin que otri ge las declare, commo algunas
vezes lo he ya visto esto; por quanto sin dubda las di-
80   chas trobas son muy notable escritura, que todo omne la
deviera decorar. Ca ésta fué la entençión del sabio rabí
que las fizo: porque escritura rimada es mejor decorada
que non la que va por testo llano.

E dize assí el prólogo de sus rimas, e es veinte e tres
85   coplas, fasta do «Quiero dezir del mundo»:

Conque así es que en el secreto de Dios es bien lo que nosotros no entendemos que lo sea; pues el Señor todas las cosas
que El hizo las hizo —y así son ellas— con la sabiduría perfecta
65   que en El está. Así pues, debemos creer que es bueno aprender
de quien aprende y entender con ayuda del que entiende, y es-
forzarse en un trabajo como ése, de lo cual nace gloria y placer,
de tal modo que no es dolor doloroso, sino dolor provechoso.

Puesto que así es ello, y si a Dios le place, haré algunas acla-
70   raciones en los versos del Rabí Santob, el judío de Carrión,
en algunas partes que parecen oscuros; aunque no son oscuros
más que por el hecho de que son versos; y toda escritura versi-
ficada parece oscura, pero, una vez interpretada, no lo es; sólo
que, por guardar las rimas, algunas veces lo que ha de decirse
75   después se dice antes.

Y eso es lo que quiero yo esforzarme en aclarar, con la ayuda
de Dios, para algunos que puede ser que lean y no entiendan
<estos versos> si no se los explica otro, como ya a veces he
80   visto que sucede; porque ello es que dichos versos son una obra
muy notable; porque ello es que dichos versos son una obra
ésa fué la intención del sabio rabí que los cómpuso: porque una
obra vertificada se remembra mejor que la que está escrita en
prosa y líneas seguidas.

Y dice así el prólogo de sus rimas, que son ventirés coplas, hasta
85   donde empieza con «Quiero dezir del mundo»:

[... ... ...]

‹I›
‹GLOSAS DE SABIDURIA O PROVERBIOS MORALES›

‹DEDICATORIA AL REY DON PEDRO›

1   Señor rey, noble, alto,   *1*
             oí este sermón
             que vien' dezir don Santo,
             judió de Carrïón,

5   communalment' trobado,   *2*
             de glosas, moralmente,
             de *Filsofim* sacado,
             segunt qu' ý va siguiente.

9   Quand' el rey don Alfonso   *3*
             finó, fincó la gente
             commo quando el pulso
             falleçe al doliente;

1/ Señor rey, noble, alto, oíd este discurso que viene a decir don Santo, judío de Carrión,
5/ versificado en lengua común, a manera de glosas y con intención moral sacado del libro de la 'Sofía' o 'Sabiduría', según viene a continuación.
9/ Cuando falleció el rey don Alfonso, la gente se quedó como cuando al enfermo le falla el pulso;

13   ca luego non cuidava
        que tan grant mejoría
        a <cab'>ellos fincava,
        nin omre l' entendía.

17   Quando la rosa seca
        ende su tienpo sale,
        el agua della finca
        rosada, que más vale:

21   sí vos fincastes dél,
        para mucho turar
        e librar lo que él
        cobdiçiava librar,

25   commo la debda mía,
        qu' a vos muy poco monta,
        con la qual yo podía
        bevir sin toda onta.

                <CONFESION>
        <..>

29   porque toda la villa
        (ca faz' algo de nada)
        vean la maravilla
        de Dios quánto es granda.

33   E non sab' la persona
        que no s' da a menudo,
        torpe, que no s' baldona
        por las priessas del mundo,

37   non sab' que la manera
        a los omres astrosos
        del mundo ésta era:
        tener sienpre viçiosos

13/ pues no pensaba que para después quedaba entre ellos tan gran
mejora, y nadie lo entendía así.
17/ Cuando la rosa, seca, pasa del límite de su tiempo, queda de ella
el perfume de agua de rosas, que vale más que ella:
21/ así de él quedásteis vos, para durar largo tiempo y cumplir lo
que él deseaba cumplir,
25/ como, por ejemplo, la deuda que conmigo tenía contraída, cuyo
importe para vos asciende a muy poca cosa, mientras que yo con
ello podía vivir sin ningún desdoro.
... ...
29/ para que toda la gente de la ciudad, en vista de que de nada
hace algo, vean qué grande es la maravilla de Dios.
33/ Y no sabe el personaje que se da a valer y no se vende al menudeo
(necio de él, que no se ofende de los aprietos y las prisas del mundo)
37/ no sabe que la manera que tiene el mundo de tratar a los mí-
seros hombres era la siguiente: tener siempre florecientes

41   <e altos a los viles,>
        e los omres onrrados
        <baxos e muy sotiles>
        del seer guerreados.

45   Alça los ojos, cata:
        andar las cosas muertas
        verás en la mar alta
        e sobre las sus cuestas,

49   e yazen çafondadas
        <las cargas d' averíos>
        e piedras preçïadas
        <de los rotos navíos; >

53   e el peso assí
        la más llena balança
        avaxa, otrossí
        la más vazía alça.

57   El cuerdo non consiente
        tomar de sus bondades
        plazer, quando en miente
        le vienen sus maldades;

61   ca, quanto es del punto
        a la rueda, justiçia
        non monta más del justo
        ante la su maliçia.

65   El loco, es su sobra
        que anda muy pagado
        <de quanta> buena obra
        se fizo, no <l' memrando>

41/ y altos a los que menos valen, y en cambio a los hombres honrados tenerlos bajos y muy flacos de la guerra que les da.
45/ Alza los ojos, mira: verás cómo las cosas muertas flotan en la
alta mar y sobre las crestas de sus olas,
49/ y en cambio yacen sumergidos los cargamentos y las piedras preciosas de los bajeles naufragados;
53/ y así también la balanza hace descender el platillo más lleno, y
por otro lado levanta el más vacío;
57/ El hombre cuerdo no se permite recibir placer de sus bondades,
cuando sus maldades le vienen a las mientes;
61/ pues, según es de grande la diferencia que hay del punto al
círculo, no más que eso cuenta la virtud del justo en comparación
con su malicia.
65/ En cambio, la desmesura del loco consiste en que anda muy contento de todas las buenas obras que se hicieron, sin que se le
acuerde

69   quántas malas ha fecho;
            \<ca, si\> oviesse seso,
            andarié con derecho
            triste e malapreso.

73   Yo, estando con cuita
            por miedo de pecados
            muchos que fiz' sin cuenta,
            menudos e granados,

77   teníame por muerto;
            mas vínom' al talante
            un conorte muy çierto
            que m' fizo bienandante:

81   «Omre torpe, sin seso,
            serié a Dios baldón
            la tu maldat en peso
            poner con su perdón;

85   él te fizo naçer,
            bives en merçed suya:
            ¿cómmo podrá vençer
            a su obra la tuya?

89   Pecar es la tu maña,
            la suya perdonar
            e alongar la saña,
            los yerros olvidar.

93   Bien commo es más alto
            el çielo que la tierra,
            el su perdón es tanto
            mayor que la tu yerra.

69/ cuántas malas ha hecho; que, si tuviese seso, con buena razón
andaría triste y malagusto.
73/ Yo por mi parte, angustiado como estaba por miedo de los muchos pecados que sin cuento cometí, de los ligeros y de los consi-
derables,
77/ me tenía ya por muerto; pero me vino al pensamiento una muy
cierta reflexión alentadora que me volvió dichoso:
81/ «Hombre necio, sin seso, vergüenza y ofensa para Dios sería
poner en comparación tu maldad con su poder de perdonar:
85/ él te hizo nacer, a su merced y por su gracia vives: ¿cómo va
a poder tu obra superar la suya?
89/ Pecar es tu costumbre y condición, la suya perdonar y aplazar
el golpe de su ira, olvidarse de los errores.
93/ Tal como es más alto el cielo que la tierra, otro tanto su perdón
es más grande que tu falta.

97   Segunt el poder suyo,
                tant' es la obra suya;
                qual es el poder tuyo,
                tal es la obra tuya:

101   obra d' omre, que nada
                es, e tod' el su fecho
                e su vida penada
                es a muy poco trecho,

105   ¿cómmo serié tan granda
                com' la del Criador,
                que tod' el mundo manda
                e faz' en derredor

109   andar aquella rueda
                del çielo e d' estrellas
                que jamás nunca queda,
                e sabe cuenta dellas

113   <e quándo apareçen
                al año cada> una
                <e cómmo> escoreçen
                <c>on el sol e la luna?

117   Quanto el tu estado
                es ante la su gloria,
                monta el tu pecado
                a su misericordia.

121   Serié cosa estraña,
                muy fuera de natura,
                la tu yerra tamaña
                seer com' su mesura.

97/ A la medida de su poder, así es su obra de grande; según es tu poder, así es tu obra:
101/ obra de hombre, que es una nada y que todos sus actos y su vida penosa son para tan corto trecho,
105/ ¿cómo iba a ser tan grande como la del Creador, que gobierna el mundo entero y que hace a la redonda
109/ moverse la rueda aquella del cielo y las estrellas que jamás se está quieta un momento, y que sabe el número de ellas
113/ y en qué tiempo del año cada una aparece y cómo se oscurecen ante el sol y la luna?
117/ Lo que es tu condición comparada con su gloria, eso es lo que cuenta tu pecado ante su misericordia.
121/ Cosa asombrosa sería y contra todo lo natural que tu falta fuera tan grande como su medida.

125   Desto non temas más,
        ca seer non podría,
        e non tornes jamás
        en la tu rebeldía;

129   mas, con te rependir
        e fazer oraçión
        e merçed le pedir
        con manifestaçión

133   de todo lo passado
        e partir dello mano,
        con tanto perdonado
        serás bien de liviano».

                    <PROLOGO>

137   Pues trabajo me mengua
        d' onde pueda aver
        pro, diré de mi lengua
        algo de mi saber.

141   Quand' non es lo que quiero,
        quiera yo lo que es;
        si pesar he primero,
        plazer avré después.

145   Ca, pues aquella rueda
        del çielo una ora
        jamás non está queda,
        peora e mejora,

149   aún aqueste lasso
        renovará esprito;
        este pandero canso,
        aún el su retinto

125/ Deja ya de temer tal cosa, porque eso no puede ser, y no insistas
más en tu pretensión rebelde,
129/ no, sino que con arrepentirte y hacer oración y pedirle gracia,
manifestando
133/ todo lo pasado, y apartarte de ello, sólo con eso serás muy de
ligero perdonado».
137/ Ya que me falta un trabajo del que pueda sacar ganancia, refe-
riré por mi lengua algo de lo que sé.
141/ Puesto que no es lo que quiero, quiera yo lo que es; si a lo
primero siento pesadumbre, después sentiré placer.
145/ Pues, dado que aquella rueda del cielo nunca se está quieta ni
una hora, que va para peor y para mejor,
149/ todavía ha de renovar este espíritu fatigado; aún el retumbo de
este pandero maltrecho

153   sonará; verná día
               qu' avrá su libra tal
               preçio commo solía
               valer el su quintal.

157   Yo prové lo pesado:
               provaré lo liviano;
               quiçá mudaré fado
               quando mudare mano;

161   ca el que non se muda
               non falla lo que plaz'.
               Dizen que ave muda
               agüero nunca faz':

165   reçelé, si fablasse,
               que enojo faría,
               pero, si me callasse,
               por torpe fincaría.

169   Porque pisan poquiella
               sazón tierra, parlando,
               omres, que pisa ella
               pora sienpre, callando,

173   entendí qu' en callar
               avrié grant mejoría;
               aborreçí fablar,
               e fuéme peoría.

177   Que non só para menos
               que otros de mi ley,
               que ovieron muy buenos
               donadíos del rey;

153/ resonará; día vendrá que una libra de él alcance tanto precio
como solía valer un quintal suyo.
157/ Yo probé lo pesado: probaré lo ligero; quizá cambiaré de suerte
cuando cambie de acera;
161/ porque el que no se cambia no encuentra cosa de gusto. Dicen
que el ave muda nunca hace bueno ni mal agüero:
165/ desconfié que, si hablaba, causaría enojo, pero, si me callase,
quedaría por necio.
169/ Por el hecho de que, hablando como hablan, pisan la tierra por
poquito tiempo los hombres, a los que ella pisa para siempre, callando como calla,
173/ discurrí que de callar sacaría gran ventaja; aborrecí el hablar,
y me fué peor.
177/ Que no soy yo para menos que otros de mi religión, que reci-
bieron del rey muy buenas donaciones;

181 mas vergüença afuera
     me tiró; e, a pro,
     si non, tanto non fuera
     sin onrra e sin pro.

185 Si mi razón es buena,
     non sea despreçiada
     porque la diz' presona
     rafez: que mucha 'spada

189 de fin' azero sano
     sab' de rota vaína
     salir, e del gusano
     se faz' la seda fina,

193 e astroso garrote
     faze muy çiertos trechos;
     algunt roto pellote
     escubre blancos pechos,

197 e muy sotil trotero
     aduze buenas nuevas,
     e algunt vil bozero
     presenta çiertas pruevas;

201 por naçer en espino
     non val' la rosa çierto
     menos, nin el buen vino
     por salir de sarmiento;

205 non val' el açor menos
     por naçer en vil nío
     nin los enxenplos buenos
     por los dezir judío.

181/ pero la vergüenza me hizo retirarme; y por ventura que, si no, no estaría tan sin honra y sin provecho como estoy.
185/ Si mis razones son buenas, no se las desprecie porque las diga persona vil: que mucha espada
189/ de fino acero sin mella acierta a salir de vaina rota, y del gusano se hace la seda fina,
193/ y una mísera gabarra hace muy ciertos recorridos; a veces pelliza desharrapada descubre blanco pecho,
197/ y recadero muy flaco trae buenas noticias, y a veces un vil abogado presenta pruebas ciertas;
201/ porque nazca en espino no vale ciertamente menos la rosa, ni el buen vino porque salga de sarmiento;
205/ no vale menos el azor porque nazca en un nido miserable ni las buenas consejas porque las diga un judío.

209   Non m' esdeñen por corto, *53*
     que mucho judió largo
     non entrarié a coto
     a fazer lo que fago.

213   Bien sé que nunca tanto *54*
     quatro trechos de lança
     alcançarían quanto
     la saeta alcança;

217   e razón muy granada *55*
     se diz' en pocos versos,
     e çinta muy delgada
     sufre costados gruessos;

221   e omr' much' entendido, *56*
     por seer vergonçoso,
     es por torpe tenido
     e llamado astroso,

225   e si viesse sazón, *57*
     mejor e más apuesta
     dirié la su razón
     que el que lo denuesta.

   <COMIENZAN LAS GLOSAS MORALES>

229   Quiero dezir del mundo *58*
     e de las sus maneras,
     e cómmo de él dubdo,
     palabras muy çerteras;

233   que non sé tomar tiento *59*
     nin fazer pleitesía:
     d' acuerdos más de çiento
     me torno cada día.

209/ No me desdeñen por corto, que mucho judío largo no entraría
a competir conmigo en hacer lo que estoy haciendo.
213/ Cierto estoy de que cuatro tiros de lanza no llegarían nunca
tan lejos como llega la saeta;
217/ y en pocos versos se dice pensamiento muy notable, y cinturón
muy delgado aguanta cintura gruesa;
221/ y a un hombre de buen entendimiento, por el hecho de ser tí-
mido, se le tiene por necio y se le llama desgraciado,
225/ y si encontrara ocasión, mejor y con más gracia expresaría su
pensamiento que aquél que así le insulta.
229/ Quiero acerca del mundo y de sus costumbres y de cómo dudo
de él decir palabras bien atinadas;
233/ que no acierto a adoptar una norma ni inclinarme a ningún
partido: cada día me vuelvo atrás de más de cien acuerdos.

237   Lo que uno denuesta,
           veo otro loarlo;
           lo que éste apuesta,
           el otro afearlo.

241   La vara que menguada
           la diz' el conprador,
           .éssa mesma sobrada
           la diz' el vendedor;

245   el que lança la lança,
           seméjal' vagarosa,
           pero que al qu' alcança
           tién'la por pressurosa.

249   Farían dos amigos
           çinta de un anillo
           en que dos enemigos
           non metrién un dedillo.

253   Por lo que éste faze
           cosa, otro la dexa;
           con lo que a mí plaze
           mucho, otro se quexa;

257   en lo que Lope gana,
           Rodrigo enpobreçe;
           con lo que Sancho sana,
           Domingo adoleçe.

                    ●

261   Quien, a fazer senblante,
           de su vezino tiene
           ojo, sin catar ante
           lo que a él conviene,

237/ Lo que uno denigra veo que otro lo alaba; que lo que éste adorna
aquél otro lo afea.
241/ La vara de medir que el comprador dice que mide de menos, ésa
misma dice que mide de más el vendedor;
245/ al que arroja la lanza le parece lenta, a pesar de que al que
le alcanza la juzga rápida.
249/ Dos amigos harían cinturón de un anillo en el que dos enemigos
no podrían meter ni un dedo pequeño.
253/ Por la misma razón por la que uno hace algo otro deja de hacerlo; con lo que a mí me da mucho placer otro sufre;
257/ en donde Lope saca ganancia Rodrigo se empobrece; con lo que
Sancho se cura Domingo enferma.
261/ Quien, para guardar las apariencias, se fija en su vecino, sin
mirar antes lo que a él le viene bien,

265   en muy grant yerro puede   67
        caer muy de rafez;
        ca una cosa pide
        la sal, otra la pez:

269   el sol la sal atiesta   68
        e la pez enblandeçe;
        la mexilla faz' prieta,
        el lienço enblanqueçe.

273   E él es esso mesmo   69
        assí en su altura
        quando faz' frío commo
        quando faze calura;

277   con frío fázel' fiesta   70
        e le sal' al encuentro
        el que dend' a la siesta
        échal' puerta en ruestro.

                        •

281   Quando viento s' levanta,   71
        ya apello, ya viengo:
        la candela amata,
        ençiende el grant fuego:

285   dó luego por sentençia   72
        que es bien el creçer,
        e tomo grant acuçia
        pora ir bolleçer;

289   ca por la su flaqueza   73
        la candela murió
        e por su fortaleza
        el grant fuego bivió;

265/ puede muy fácilmente caer en grave error; pues una cosa pide la
sal y otra la pez:
269/ el sol endurece la sal y la pez la reblandece; pone morena la
mejilla, el lienzo lo blanquea.
273/ Y él es en su altura una misma cosa así cuando hace frío como
cuando hace calor;
277/ con frío le hace fiestas y le sale al encuentro el mismo que luego
a la hora de siesta le da con la puerta en las narices.
281/ Cuando se levanta viento, ya tiro para un lado, ya para otro:
<veo que> mata la candela y que aviva el fuego grande:
285/ doy enseguida por decidido que el crecer es cosa buena, y pongo
gran diligencia en moverme y medrar;
289/ pues por su debilidad murió la candela y por su fortaleza vivió
el gran fuego;

293   mas apelo a poco
           rato deste juïzio:
           ca vi escapar flaco
           e pereçer el rezio;

297   que esse mesmo viento
           que éstas dos fazía
           fizo çoçobra desto
           en esse mesmo día:

301   el mesmo menuzó
           el árbol muy granado,
           e non s' espeluzó
           dél la yerva del prado.

305   Quien sus casas se l' queman,
           grant pesar ha del viento,
           quando sus eras toman
           con él gran pagamiento.

                        ●

309   Por end' non sé jamás
           tenerm' a un' estaca,
           nin sé quál me val' más,
           si prieta o si blanca.

313   Quand' cuido que derecho
           en toda cosa presta,
           fallo a poco trecho
           que non es cosa çierta:

317   si a uno aproa,
           a otro caro cuesta;
           si el peso lo loa,
           el arco lo denuesta;

293/ pero al poco rato me retracto de este juicio: pues vi cómo débiles salían salvos y fuertes perecían;
297/ porque ese mismo viento que producía esos dos efectos echó
abajo el mismo día esa conclusión:
301/ ese mismo destrozó el árbol robusto, y no se despeinó por él
la yerba del prado.
305/ Al que se le queman las casas mucho le pesa que haga viento,
en tanto que sus eras están con él muy contentas.
309/ Por tanto, no puedo atenerme nunca a un mismo acuerdo, ni sé
cuál me conviene más, si la morena o si la blanca.
313/ Cuando juzgo que lo derecho es lo mejor en cualquier asunto,
de allí a poco descubro que no es cosa segura:
317/ si al uno le aprovecha <lo derecho> al otro le sale caro; si la
balanza lo alaba, el arco lo reprueba;

321   ca 'l derecho del arco   *81*
           es seer tuerto fecho,
           e su plazer del marco,
           aver peso derecho.

325   Por end' non puedo cosa   *82*
           loar nin denostarla,
           nin dezirle fermosa
           sól' nin fea llamarla.

329   Segunt qu' es el lugar   *83*
           e la cosa qual es,
           sí s' faz' prissa vagar
           e faz llaman envés.

                    ••

333   Yo nunca he querella   *84*
           del mundo, de que muchos
           la han, e que por ella
           se tienen por maltrechos:

337   que faz' bien a menudo   *85*
           al torpe, e al sabio
           mal e al entendudo;
           d' aquesto non m' agravio;

341   e si, bestia com' omre,   *86*
           salva 'l grand' e el chico,
           faz' acuçioso pobre
           e al que s' duerme rico,

345   a aquesto Dios usa   *87*
           porque uno de çiento
           non cuide que faz' cosa
           por su entendimiento.

                    •

321/ pues lo derecho del arco consiste en que se le ponga curvo, y
el placer propio de la pesa está en tener derecho el fiel.
325/ Por tanto, no puedo alabar ni reprobar cosa ninguna, ni decirle
sólo y sin más hermosa ni llamarla fea.
329/ Según es el lugar y según como es la cosa, así el aprisa se hace
despacio y al derechas lo llaman revés.
333/ No tengo yo ninguna queja del mundo por lo que muchos la tienen, y que por causa de ella se consideran maltratados,
337/ a saber, que a menudo le hace bien al necio y mal al sabio y
entendido; por eso yo no me ofendo;
341/ y si, lo mismo entre animales que entre hombres, saca adelante
al grande como al chico, hace pobre al diligente y rico al que se
queda dormido,
345/ suele Dios hacerlo así para que el hombre no crea que ni uno
entre cien hace nada por su propio entendimiento.

349   Unos vi por locura
        alcançar gran provecho,
        e otros por cordura
        perder todo su fecho.

353   Non es buena cordura
        qu' a su dueño baldona,
        nin es mala locura
        la que lo apersona.

357   Yo vi muchos tornar
        sanos de la contienda,
        otros ocasionar
        dentro en la su tienda;

361   e muere el dotor
        que la física reza,
        e guareç' el pastor
        con la su gran torpeza.

365   Non cunple gran saber
        a los que Dios non temen,
        nin tien' pro el aver
        del que pobres non comen.

                        •

369   Quando ý meto mientes,
        much' alegre sería
        con lo que otros tristes
        veo de cada día;

373   pues, si çertero bien
        es aquél que cobdiçio,
        ¿por qué el que lo tien'
        non toma con él viçio?

349/ Unos vi que por una locura conseguían gran ganancia, y otros
que por cordura perdían todo su negocio.
353/ No es buena la cordura que deshonra al que la tiene, ni es mala
locura la que lo enaltece.
357/ A muchos los vi volver sanos de la batalla, a otros tener un
accidente dentro de su tienda;
361/ y muere el doctor que recita los textos de medicina, y se cura el
pastor con su gran ignorancia.
365/ No les vale gran saber a los que no temen a Dios, ni sirve de
nada la hacienda de la que no comen los pobres.
369/ Cuando me paro a pensar en ello, muy alegre estaría yo con lo
que otros a cada paso veo que están tristes;
373/ pues bien, si el que deseo es un bien cierto, ¿por qué el que
lo tiene no disfruta con él?

377   Mas ésta es señal
        que non ha bien çertero
        en mundo, nin ha mal
        que sea verdadero.

381   Bien çierto el serviçio
        de Dios es, çiertamente;
        mas por catar al viçio
        olvídanlo la gente;

385   e otro bien par déste,
        el serviçio del rey
        que mantiene la gente
        a derecho e ley.

389   Suma de la razón:
        es muy gran torpedat
        levar toda sazón
        por una egualdat,

393   mas tornars' a menudo
        comm' el mundo se torna:
        bezes seer escudo
        e a vezes açcona.

397   Toda buena costumre
        ha çertera medida,
        que si la passa omre,
        su bondat es perdida.

401   Tal es un dedo fuera
        de la raya signada
        commo si lueñe fuera
        dende una jornada.

377/ Pero es que eso es señal de que no hay bien cierto en el mundo,
ni hay mal que sea verdadero.
381/ Un bien cierto es, ciertamente, el servicio de Dios; sólo que la
gente se olvida de él por atender a los placeres;
385/ y otro bien semejante a ése, el servicio del rey que mantiene
en derecho y buena ley a sus gentes.
389/ Resumen del discurso: es muy gran necedad tomarse todos los
tiempos por un igual;
393/ sino mejor dar a menudo vueltas, como vueltas da el mundo:
unas veces ser escudo y a veces ser venablo.
397/ Toda virtud, por buena que sea, tiene una medida determinada, que si uno la sobrepasa, su bondad se pierde.
401/ Lo mismo da salirse por un dedo de la raya trazada que si
fuera una jornada de camino lejos de allí.

405   Cuidando que avía
        menos el omre loco
        en lo que se perdía
        por mucho que por poco,

409   quand' por poco estorvo
        perdió lo que buscava,
        del gran pesar que ovo
        nunca se conortava.

413   Non sab' que, por' cobrirse
        del ojo, cunple tanto
        un lienço com' si fuesse
        torre de cal e canto:

417   tanto sé lo que yaze
        allende del destajo
        quanto sé lo que s' faze
        el de allende Tajo.

421   Lo que suyo non era,
        tanto son dos passadas
        lueñe dél com' si fuera
        dend' a veinte jornadas.

                          ●

425   Tan lueñ' está ayer
        comm' el año passado.
        A quien ha de seer
        de feridas guardado

429   tanto val' un escudo
        entr' él e la saeta
        commo que tod' el mundo
        entr' él e ella meta;

405/ Creyendo el hombre insensato que tenía él menos en lo que se perdía por mucha diferencia que en lo que por poca,
409/ cuando por un pequeño impedimento perdió lo que buscaba, del gran pesar que sintió no se consolaba nunca.
413/ No sabe que para taparse el ojo lo mismo sirve un trozo de tela que una torre de cal y canto:
417/ lo mismo sé lo que hay al otro lado de allá de este terraplén como sé lo que pasa con el que está del lado de allá del Tajo.
421/ Lo que de todos modos ya no era suyo, lo mismo da que esté a dos pasos de lejos de él como que estuviera a veinte jornadas de allí.
425/ Tan lejos está ayer como el año pasado. A quien ha de protegerse de las heridas
429/ tanto le vale un escudo entre él y la flecha como meter el mundo entero entre él y ella;

433   ca, pues non le firió,
        tal es un dedo çerca
        dél commo la que dió
        allende de la çerca.

437   El día de yer tanto
        alcançarlo podemos,
        nin más nin menos, quanto
        oy mil años fariemos.

441   Nin por mucho andar
        alcánças' lo passado,
        ni s' pierde, por quedar,
        lo que non es llegado.

                ●●

445   Nin fea nin fermosa,
        en el mundo avés
        pued' omr' alcançar cosa
        si non con su revés.

449   Quien ante non esparze
        trigo, non lo allega;
        si so tierra non yaze,
        a espiga non llega;

453   non se pued' coger rosa
        sin pisar las espinas;
        la miel es dulçe cosa,
        mas tien' agras vezinas.

457   La paz non se alcança
        si non con guerrear;
        non se gana folgança
        si non con el lazrar;

433/ pues, una vez que no le hirió, igual da que le pase a un dedo
de cerca como la otra que fué a dar al otro lado de la tapia.
437/ El día de ayer igual podemos alcanzarlo, ni más ni menos, como
podríamos alcanzar el de hoy hace mil años.
441/ Ni por mucho caminar se alcanza lo pasado ni se pierde por
estarse quieto lo que no ha llegado aún.
445/ Ni fea ni hermosa, apenas puede uno en el mundo alcanzar cosa
alguna si no es acompañada de su revés.
449/ Quien antes no derrama el trigo, no lo cosecha luego; si no
está hundido bajo tierra, no llega a ser espiga;
453/ no se puede coger la rosa sin tocar las espinas; la miel es cosa
dulce, pero tiene amargas vecinas.
457/ La paz no se alcanza si no es guerreando; no se gana el ocio
si no por el trabajo;

461   el que quisier' folgar
        ha de lazrar primero;
        si quier' a paz llegar,
        sea antes guerrero;

465   el que torna del robo
        fuelga, maguer lazrado:
        plaz' al ojo del lobo
        co' l polvo del ganado.

                    ·

469   Fizo pora lazeria
        Dios a omre naçer,
        por ir de feria 'n feria
        buscar dó guareçer,

473   por rúas e por eria
        a buscar su ventura;
        ca es muy gran sobervia
        qui quier' pro con folgura.

477   Non ha tan gran folgura
        com' lazeria con pro.
        ¿Quién por la su cordura
        su entinçión conplió?

481   Quien por un seso çierto
        quier' acabar su fecho,
        una vez entre çiento
        non sacará provecho;

485   ca en las aventuras
        yaz' la pro enpeñada,
        e es con las locuras
        la ganançia conprada.

461/ el que quiera estar ocioso primero ha de penar; si quiere llegar
a la paz, que antes sea guerrero;
465/ el que vuelve de una expedición de rapiña disfruta, aunque
esté molido de trabajos; gusto le da al ojo del lobo la polvareda que
el ganado levanta.
469/ Para trabajos hizo nacer Dios al hombre, para que vaya de feria
en feria a buscar dónde cobijarse,
473/ por calles y por despoblado a buscar su suerte; pue es mucha
soberbia la del que quiere provecho con holganza.
477/ No hay holganza tan grande como trabajo con provecho. ¿Quién
hay que con obrar cuerdamente haya logrado nunca sus aspira-
ciones?
481/ Quien por medio de una sensatez segura quiere concluir su negocio, ni una vez de ciento conseguirá provecho;
485/ pues en los riesgos está el beneficio puesto en prenda, y con las
locuras se compra la ganancia.

489   Semrar cordura tanto
        que non naçca pereza,
        e vergüença en quanto
        non la llamen torpeza.

493   Quien las cosas dubdare
        todas, no s' meçerá;
        de lo que cobdiçiare
        poco acabará.

497   Por la mucha cordura
        es la pro estorvada,
        pues en la aventura
        está la pro colgada.

                    •

501   Pues por regla derecha
        el mundo non se guía,
        el mucho dubdar echa
        a omr' en astrosía.

505   Mal seso manifiesto
        non digo yo usar,
        ca el peligro presto
        dévolo escusar;

509   mas, egual uno d' otro,
        el menguar o sobrar
        a azar o encuentro
        déves' aventurar.

513   Quien vestir non quisiere
        si non piel sin ijada,
        del frío que fiziere
        avrá raçión doblada.

489/ Sembrar cordura en tal medida que de ella no venga a nacer
pereza, y vergüenza hasta tanto que no la llamen torpeza de entendimiento.
493/ Quien se pare a dudarlo todo, no se moverá; de lo que desee
poco llevará a cabo.
497/ La mucha cordura impide el provecho; pues del riesgo depende
el beneficio.
501/ Dado que el mundo no se gobierna por regla cierta y fija, el
mucho dudar lo arroja a uno a la miseria.
505/ No digo yo que se obre con insensatez manifiesta, porque el peligro evidente debo evitarlo;
509/ pero el quedarse corto o pasar la raya, lo mismo lo uno que lo
otro, se debe aventurar al azar o a lo que salga.
513/ El que no quiera vestirse más que con la piel limpia, sin el
reborde duro de los ijares, del frío que haga tendrá ración doble.

517 Quien de la pro quier' mucha,
    ha de perder del brío:
    quien quier' tomar la trucha,
    aventúres' al río.

521 Quien los vientos guardare
    todos, non semrará;
    quien las nuves catare,
    jamás non segará.

         •

525 Non ha sin noche día
    nin segar sin semrar
    nin caliente sin fría
    nin reír sin llorar;

529 non ha sin corto luengo
    nin tarde sin aína,
    nin ha sin fumo fuego
    nin sin somas farina,

533 nin ganar sin perder
    nin sin baxar alteza;
    salvo en Dios, poder
    non lo ha sin flaqueza.

537 Non ha sin tacha cosa
    nin cosa sin çoçobra
    nin sin fea fermosa,
    nin sol non ha sin sonbra.

541 La bondat de la cosa
    sábes' por su revés,
    por agra la sabrosa,
    la faz por el envés:

517/ Quien quiere mucha ganancia, ha de ceder en exigencias: quien quiere coger la trucha, que se aventure río adentro.

521/ El que atienda a todos los vientos, no sembrará; el que se pare a mirar las nubes, no segará nunca.

525/ No hay noche sin día ni siega sin siembra ni calor sin frío ni risa sin lloro;

529/ no hay sin corto largo ni tarde sin pronto, ni hay sin humo fuego ni sin salvados harina,

533/ ni ganar sin perder ni sin bajar altura; potencia, salvo en Dios, no la hay sin debilidad.

537/ No hay cosa alguna sin defecto ni ninguna sin perturbación ni sin fea hermosa, : i tampoco hay sol sin sombra.

541/ Lo bueno d una cosa se sabe por su contraria, por la amarga la sabrosa, el anverso por el reverso:

545   si noche non oviéssemos,   *137*
             ninguna mejoría
             conoçer non sabriemos
             a la lumre del día.

549   Non ha piel sin ijadas   *138*
             nin luégo sin después
             nin vientre sin espaldas
             nin cabeça sin pies.

●●

553   Por la gran mansedat   *139*
             a omre follarán,
             e por la crueldat
             todos l' aborreçrán;

557   por la gran escasseza   *140*
             tenerlo han en poco,
             e por mucha franqueza
             razonarl' han por loco.

561   Si tacha non oviesse,   *141*
             en el mundo proeza
             non avrié que valiesse
             tanto com' la franqueza;

565   mas ha en ella una   *142*
             tacha que l'enpeeçe
             mucho: que com' la luna
             mengua, e nunca creçe.

●

569   La franqueza çoçobra   *143*
             es de toda costumre:
             que por el uso cobra
             saber las cosas omre

545/ si no tuviésemos noche, no sabríamos percibir mejora ninguna en la luz del día.
549/ No hay piel sin rebordes ni 'enseguida' sin 'más tarde' ni vientre sin espaldas ni cabeza sin pies.
553/ Por la mucha mansedumbre lo pisotearán a uno, y por la crueldad le aborrecerán todos:
557/ por su mucha avaricia han de menospreciarlo, y por demasiada generosidad dirán de él que es un loco.
561/ Si no tuviera defecto, no habría en el mundo rasgo de gran deza que valiese tanto como la generosidad;
565/ pero tiene en sí un defecto que le perjudica mucho: que mengua como la luna, y no crece nunca.
569/ La generosidad perturba la regla que rige para las virtudes en general: que es que por la práctica adquiere uno el saber de las cosas

573   (lo que omre más usa, *144*
        esso mejor aprende),
        si non es esta cosa,
        que por usar se pierde:

577   usando la franqueza, *145*
        non se pued' escusar
        de venir a pobreza
        quien la mucho usar';

581   ca, toda vía dando, *146*
        non fincará qué dar;
        assí que, franqueando,
        mengua el franquear.

585   Com' la candela mesma, *147*
        cosa tal es el omre
        franco: que s' ella quema
        por dar a otro lumre.

589   Al rey solo conbien' *148*
        de usar la franqueza,
        que sigurança tien'
        de venir a pobreza;

593   a otro non es bien, *149*
        sinon lo comunal
        dar e tener conbien',
        e lo de más es mal.

597   Si omre dulçe fuere, *150*
        comm' agua lo bebrán;
        e si agro sopiere,
        todos l' escopirán.

·

573/ (lo que uno practica más es lo que mejor aprende), excepto
esta cualidad, que se pierde por practicarla:
577/ practicando la generosidad, no puede evitar quien la practique
mucho venir a dar en pobreza;
581/ pues, a fuerza de dar de continuo, no quedará qué dar; así que,
siendo generoso, merma la generosidad.
585/ Como la candela exactamente, tal es el hombre generoso: <la
candela,> que se quema ella por darle a otro lumbre.
589/ Al rey solo le corresponde practicar la generosidad, que está
bien asegurado de caer en pobreza;
593/ para otro no está bien, sino que lo propio es dar y retener
según la común medida, y lo que exceda de eso está mal.
597/ Si uno es dulce, lo beberán como agua; y si sabe amargo, todos lo escupirán.

601   Siquier por se guardar
        de los arteros, omre
        a menudo mudar
        deve la su costumre.

605   Ca tal es çiertamente
        el omre comm' el vado;
        reçélanlo la gente
        ante que l' han passado;

609   un' a otro a grandas
        bozes diz' «¿Dó entrades?
        Fondo es çient braçadas.
        ¿Qué vos aventurades?»;

613   desque a la orilla
        passó, diz' «¿Qué dubdades?
        Non da a la rodilla.
        Passad, non vos temades».

617   Bien atal es el omre:
        desque es barruntado
        en alguna costumre,
        por ella es entrado.

621   Por aquesto los omres,
        por se guardar de daño,
        deven mudar costumres
        commo quien muda paño:

625   oy bravo e cras manso,
        oy sinple, cras loçano,
        oy largo, cras escasso,
        oy otero, cras llano;

601/ Aunque sólo sea por guardarse de los intrigantes, uno debe
mudar a menudo su manera de ser.
605/ Pues en verdad el hombre es tal como el vado: antes de haberlo pasado, recela de él la gente;
609/ uno al otro le dice a grandes voces «¿Adónde os metéis? Es
cien brazas de hondo. ¿A qué os aventuráis?»;
613/ una vez que ha atravesado hasta la orilla, dice «¿Qué andáis
dudando? No da ni por la rodilla. Pasad, no tengáis miedo».
617/ Tal justamente es el hombre: desde el momento que se le
cala en alguna manera de ser, por ella se le ataca.
621/ Por eso es que los hombres, para evitar perjuicios, deben mudar de maneras como quien muda de ropa:
625/ hoy fiero y mañana manso, hoy sencillo, mañana presuntuoso,
hoy liberal, mañana mezquino, hoy monte, mañana llano;

629   una vez umildança
        e otra vez baldón,
        e un tienpo vengança,
        otro tienpo perdón.

                ●

633   Bien está el perdón
        al que se pued' vengar,
        e sofrir el baldón
        quand' se puede negar.

637   Con todos non convien'
        usar por un egual,
        mas a unos con bien
        e a otros con mal.

641   Pagado e sañudo,
        vez dexa e vez ten;
        ca non ha en el mundo
        mal en que non ha bien.

645   Tomar del mal lo menos
        e lo de más del bien,
        a malos e a buenos
        a tod's esto conbien'.

649   Onrrar por su bondat
        al bueno es forçado;
        al malo, de maldat
        suya por ser guardado.

653   Lo peor del buen omre,
        que non vos faga bien
        (que daño, de costumre
        del bueno nunca vien'),

629/ unas veces rebajamiento y otras veces insulto, y en un tiempo
venganza, en otro tiempo perdón.
633/ Bien está el perdón para el que puede vengarse, y sufrir el
insulto cuando se puede rechazar.
637/ No conviene tratar a todos por un igual, sino a unos por
las buenas y a otros por las malas.
641/ Contento y enojado, una vez suelta y otra vez sujeta; pues no
hay en el mundo mal en que no haya bien.
645/ Tomar del mal la parte de menos y la parte de más del bien,
para malos y para buenos, es cosa que a todos les conviene.
649/ Por su bondad es forzoso respetar al bueno; al malo, por
guardarse de su maldad.
653/ Lo peor del hombre bueno es que no os haga bien (que daño
no viene nunca de la manera de ser del bueno),

657   e lo mejor del malo,
       que mal dél non ayades;
       ca ningunt bien fallarlo
       en él non entendades.

661   Pues seer omre manso
       con todos non convien',
       mas oy prissa, cras passo,
       vezes mal, vezes bien.

                    ••

665   Demás, que son muy pocos
       los que saben el seso:
       tan pocos com' los locos
       los cuerdos, por un peso.

669   Uno non sab' el quarto
       buscar de lo que deve;
       el otro al dos tanto
       del derecho s'atreve;

673   el uno por allende
       buscar de su derecho,
       el otro por aquende,
       non ovieron provecho;

677   ca los exenplos buenos
       non mintieron jamás,
       que quant' es lo de menos,
       tanto es lo de más.

681   En el seso çertero
       al que Dios da ventura
       açierta de ligero,
       e non por su cordura.

657/ y lo mejor del malo, que de él no recibáis mal; pues bien no
penséis encontrar en él ninguno.
661/ Así que ser hombre manso para con todos no conviene, sino
hoy prisa, mañana despacio, a veces mal, a veces bien.
665/ Cuanto más, que son muy pocos los que tienen buen sentido:
tan pocos como son los locos, por medida más o menos equilibrada
son los cuerdos.
669/ Uno hay que no sabe conseguir ni la cuarta parte de lo que
debe; y otro que se atreve al doble de lo que de derecho le corresponde;
673/ el uno por pretender más de lo que le es debido, el otro por
menos, ninguno de los dos sacaron beneficio;
677/ pues las buenas consejas no mintieron jamás <al mostrar> que
pecar por más es igual que pecar por menos.
681/ En el punto justo del buen sentido acierta fácilmente aquél a
quien Dios le da buena suerte, y no es por su cordura por lo que
acierta.

685   Fázese lo que plaze
         a Dios en todo pleito;
         omre cosa non faze
         por su entendimiento:

689   si se faz' por ventura
         lo que a él plazía,
         tien' que por su cordura
         e su sabiduría;

693   e faze dél escarño
         Dios, porque quier' creer
         que pued' alongar daño
         nin provecho traer.

●●●

697   Pero, por non errar,
         ante —es seso çierto—
         trabaje por lazrar:
         siquier saldrá de riebto,

701   que la gente non digan
         dél que es perezoso,
         nin escarño dél fagan
         e l'tengan por astroso;

705   trabaje ante, commo
         si en el su poder
         del omre fuesse mesmo
         el ganar o 'l perder;

709   e pora conortarse,
         si lazrare en vano,
         deve bien acordarse
         que non es en su mano.

685/ En todo asunto se hace lo que le place a Dios; nadie hace
nada por obra de su entendimiento:
689/ si se hace por suerte lo que a uno le agradaba, ya se cree
que fue por su cordura y su sabiduría;
693/ y hace Dios burla de él, porque se empeña en creer que puede
él alargar el daño ni acarrear provecho.
697/ Sin embargo, para no equivocarse, más bien —y esto es juicio
seguro— esfuércese por pasar trabajos: por lo menos escapará a los
reproches,
701/ que no diga de él la gente que es perezoso, ni hagan burla de
él y lo tengan por un desgraciado;
705/ antes bien, esfuércese y trabaje como si en el propio poder
del hombre mismo estuviese el ganar o el perder;
709/ y para consolarse, si resulta que se ha fatigado en vano, debe
acordarse bien de que no está en su mano <el ganar ni el perder>.

713 Lazre por guareçer
   omre, e la pro cuelgue
   en Dios, que lo naçer
   fizo porque non fuelgue:

717 darl' ha su gualardón
   bueno e su destajo;
   non querrá que en don
   sea el su trabajo.

•

721 Non pued' cosa naçida
   sin afán guareçer,
   e non avrá guarida
   menos de bolleçer.

725 Non quedan las estrellas
   punto en un logar:
   serié mal lazrar ellas
   e los omres folgar.

729 No s' meçen las estrellas
   por fazer a sí viçio:
   es el meçerse dellas
   fazer a Dios serviçio;

733 e el meçers' del omre
   es pora mejorar
   a sí, e non a otre
   lo mandaron lazrar.

737 Diól' Dios entendimiento
   porque busque guarida,
   porque falleçimiento
   non aya en su vida.

713/ Trabaje el hombre por salud suya, y el provecho atribúyaselo a
Dios, que lo hizo nacer para que no estuviera ocioso:
717/ El le dará su premio bueno y su paga; no querrá que su
trabajo sea gratuito.
721/ No puede cosa ninguna salvarse y mantenerse sin afán, y no
se mantendrá en salud a menos que se mueva.
725/ No se están un momento las estrellas quietas en un mismo
sitio: estaría mal que ellas se fatigasen y los hombres estuvieran
ociosos.
729/ No se mueven las estrellas por darse a sí mismas gusto: el
moverse de ellas es hacerle servicio a Dios;
733/ y el moverse del hombre es para mejorarse él mismo, y no
para otra cosa le mandaron trabajar.
737/ Le dio Dios entendimiento para que buscara modo de mantenerse, de modo que en su vida no tuviera falta.

741   Si cobro non falló
        por el su bolleçer,
        non dirién que valió
        menos por se meçer:

745   por su trabajo quito
        de culpa fincará,
        e a la çima vito
        alguno fallará.

                    •

749   Es por andar la rueda
        del molino preçiada,
        e porque s' está queda
        la tierra es follada;

753   establo es el huerto
        en que fruto non naçe,
        e non val' más que muerto
        el omre que no s' meçe.

757   Non cunple qui non gana,
        mas lo ganado pierde
        faziendo vida vana
        e 'l su cabdal espiende.

761   Non ha mayor afán
        que la mucha folgura,
        que pon' a omr' en gran
        baldón e desventura:

765   faz' el cuerpo folgado
        al coraçón lazrar
        con mucho mal cuidado
        que l' trae a errar.

                    •

741/ Pongamos que no encontró recompensa por moverse: <por lo
menos,> no podrían decir que porque se movió valía menos:
745/ por su trabajo quedará libre de culpa, y al fin y al cabo algún
alimento encontrará.
749/ Por andar se ve estimada la rueda del molino, y por estarse
quieta se ve la tierra pisoteada;
753/ corral de ganado es el huerto en que no nace fruto, y no
vale más que un muerto el hombre que no se mueve.
757/ No cumple <como es debido> el que no gana nada, sino que
pierde lo ganado llevando una vida vana y gasta su caudal.
761/ No hay mayor fatiga y afán que el demasiado ocio, que lo
reduce a uno a gran deshonra y desventura:
765/ hace el cuerpo ocioso trabajar al corazón con muchas negras
preocupaciones que lo llevan a cometer error.

769   Demás, el que quisiere
        estar sienpre folgado,
        de lo que más oviere
        mester será menguado;

773   e qui l' dessearía
        quand' no l' toviess' a ojo,
        veyéndol' toda vía
        toma con él enojo.

777   Sacan por pedir lluvia
        las reliquias e cruzes,
        quand' en tienpo non uvia,
        e dan por ella bozes;

781   e si vien' a menudo,
        enójanse con ella
        e maldizen al mundo
        e la pro que vien' della;

785   dizen « ¡Siquier non diesse
        pan nin vino el suelo,
        en tal que omre viesse
        ya la color del çielo!

789   Olvidado avemos
        su color con nublados;
        con lodos non podemos
        andar por los mercados».

793   Lo mucho non es nunca
        bien, nin d' especia fina;
        más val contralla poca
        que mucha melezina.

769/ Además, el que quiera estar ocioso siempre, de lo que más necesite se verá privado;
773/ y <el amigo> que lo echaría de menos cuando no lo tuviese a la vista, viéndolo contínuamente, le coge aborrecimiento.
777/ Sacan las reliquias y las cruces para pedir lluvia, cuando no se presenta a tiempo, y a voces la reclaman;
781/ y si viene a menudo, se aburren de ella y maldicen al mundo y el provecho que de ella venga;
785/ dicen «Aunque sea, que no diese la tierra pan ni vino, con tal de que uno viese de una vez el color del cielo!
789/ Olvidado tenemos con tanto nublado su color; con los barros que hay, no podemos andar por los feriales».
793/ Lo mucho no está nunca bien, aunque sea de especia fina; más vale una pequeña dosis de antídoto que muchos medicamentos.

797   Non pued' cosa ninguna
            sin fin sienpre creçer:
            desque finche la luna,
            torna a falleçer.

801   A tod' omre castigo
            de sí mesmo que s' guarde
            más que de enemigo:
            con tant', seguro ande;

805   guárdes' de su enbidia,
            guárdese de su saña,
            guárdes' de su cobdiçia,
            que l' es la peor maña.

809   Non pued' omre tomar
            en la cobdiçia tiento:
            es profundada mar
            sin orilla nin puerto.

813   D' alcançar una cosa
            naçe cobdiçia d' otra
            mayor e más lazrosa;
            que mengua vien' de sobra.

817   Non fall' a mengua peña
            si non el que tien' paño;
            e el que tien' non deña,
            sinon otro estraño.

821   Quien buena piel tenía,
            que l' cunplie para 'l frío,
            tavardo non pidría
            jamás si non por brío;

797/ Cosa ninguna puede crecer por siempre sin fin: la luna, en cuanto se llena, vuelve a ponerse a menguar.
801/ A todo hombre le aconsejo que se guarde de sí mismo más que de enemigo alguno: con eso sólo, ya puede andar tranquilo;
805/ que se guarde de su envidia, que se guarde de su cólera, que se guarde de su codicia, que es para él la peor condición de todas.
809/ No puede uno en la codicia atender a cálculo ni medida: es mar insondable sin orilla ni puerto.
813/ De conseguir una cosa nace deseo de otra mayor y más trabajosa <de conseguir>; que de la sobra viene la falta.
817/ No echa de menos forro de pluma sino el que tiene abrigo de paño; y no aprecia el que tiene, sino otro nuevo y raro.
821/ Quien tenía buena pelliza que le bastaba para guardarse del frío, nunca habría de requerir gabán sino por presunción;

825   porque el su vezino   207
            buen tavardo vestía,
            con çelo el meçquino
            en cuidado bevía

829   pora buscar tavardo;   208
            fallól': entró en cuita
            por otro más onrrado,
            para de fiesta 'n fiesta;

833   e si este primero   209
            tavardo non fallara,
            del otro disantero
            jamás non se l' memrara.

                        •

837   Quando lo poco vien',   210
            cobdiçia de más creçe;
            quanto más omre tien',
            tanto más le falleçe,

841   e quanto más alcança,   211
            más cobdiçia diez tanto.
            El peón, desque calça
            calças, tien' por quebranto

845   andar de pie camino,   212
            e va buscar roçín:
            de calçar calças vino
            a cobdiçia sin fin;

849   pora 'l roçín quier' omre   213
            qui l' piense e çevada,
            establo e pesebre;
            e desto todo nada

825/ porque su vecino vestía buen gabán, con la envidia el pobre
de él vivía en desasosiego
829/ por conseguir gabán; lo encontró: cayó en congojas por tener
otro más decente para los días de fiesta;
833/ y si aquel primer gabán no lo hubiera encontrado, nunca se
le habría ocurrido pensar en el festivo.
837/ Cuando viene lo poco, surge deseo de más; cuanto más tiene
uno, tanto más le falta,
841/ y cuanto más consigue, diez veces más desea. El peatón, en
cuanto calza botas altas, tiene por gran molestia
845/ hacer el camino a pie, y se pone a buscar caballo: de calzar
botas vino a dar en un deseo sin fin:
849/ para el caballo quiere cebada y hombre que le eche el pienso,
establo y pesebre; y de todo eso nada

853   non le menguava quando
              las calças non tenía:
              los çapatos solando,
              sus jornadas conplía.

•

857   Yo fallo en el mundo
              dos omres e non más,
              e fallar nunca puedo
              el terçero jamás:

861   un buscador que cata
              e non alcança nunca,
              e otro que no s' farta
              fallando quanto busca.

865   Quien falle e se farte
              yo non pude fallarlo;
              que podrié bienandante
              e ricomre llamarlo:

869   ca non ha omre pobre
              si non el cobdiçioso,
              nin rico, si non omre
              con lo que tien' gozoso.

•

873   Quien lo que l' cunple quiere,
              poco l' abondará;
              e quien sobras quisiere,
              el mundo no l' cabrá.

877   Quanto cunple a omre,
              del su algo se sirve;
              de lo de más él sienpre
              es siervo quanto bive,

853/ le faltaba cuando no tenía las botas: echando medias suelas a
sus zapatos, iba acabando sus caminatas.
857/ Yo encuentro en el mundo dos <clases de> hombres y no
más, y no hay modo de que se encuentre nunca una tercera:
861/ uno, el buscador que anda mirando y nunca alcanza nada, y
otro, el que, hallando todo lo que busca, nunca se harta.
865/ Hombre que encuentre y se satisfaga yo no he podido encontrarlo; que bien podría llamarlo bienaventurado y rico:
869/ pues no hay hombre pobre más que el codicioso, ni rico sino
el hombre que goza con lo que tiene.
873/ Quien quiere lo que le basta, con poco estará abundante; y al
que quiera demasía, el mundo entero no le dará cabida.
877/ Hasta el punto en que es bastante para uno, uno se sirve de su
hacienda; de lo que pasa de eso es él esclavo eternamente todo el
tiempo que viva,

881   tod' el día lazrado
        corrido por traerlo,
        e la noche cuitado
        por miedo de perderlo.

885   E le tanto non plaze
        del algo qu' ha averlo
        quanto pesar le faze
        el miedo de perderlo;

889   no s' farta, no l' cabiendo
        en arca nin talega,
        e lazra, non sabiendo
        pora quién lo allega.

                        ·

893   Sienpre las almas grandas,
        queriéndose onrrar,
        fazen en sus demandas
        a los cuerpos lazrar:

897   por conplir sus talantes,
        non los dexan folgar;
        fázenlos viandantes
        de logar en logar.

901   La alma granda viene
        a perderse co 'l çelo:
        cuidando que más tiene
        su vezino un pelo,

905   tién'le gran miedo fuerte
        que l' aventajará:
        no l' miemra de la muerte,
        que los egualará.

881/ fatigado todo el día, ajetreado por juntarlo, y por la noche
acongojado por el miedo de perderlo.
885/ Y de la hacienda que tiene no saca tanto placer en tenerla
como el miedo de perderla le causa pesadumbre;
889/ no se satisface con ella, a pesar de que no le cabe en arca
ni en bolsa, y trabaja y pena, sin saber para quién lo está acu-
mulando.
893/ Siempre las almas grandes, queriendo ganar honra para ellas,
les hacen a los cuerpos penar en la persecución de sus ambiciones:
897/ por cumplir ellas sus apetencias, no los dejan disfrutar de holganza; los hacen andar viajando de lugar en lugar.
901/ El alma grande acaba por perderse con la envidia: pensando
que su vecino tiene una pizca más que él,
905/ tiene de él un miedo tremendo de que lo vaya a aventajar:
no se acuerda de la muerte, que ha de igualarlos a ambos.

909   Por buscar lo de más
    es quanto mal avemos:
    por el mester jamás
    mucho non lazraremos.

913   Si que no t' mengüe quieres
    toda la tu cobdiçia,
    lo que aver pudieres
    sólo esso cobdiçia,

917   de las cobdiçias sienpre
    toda sobra dexando,
    e de toda costumre
    lo de medio tomando.

●●

921   De las muchas querellas
    que 'nel coraçón tengo
    una, la menor dellas,
    es la que contar vengo:

925   dar la ventura pro
    a qui farié maliçia
    e, si echar' a pro,
    a otros con cobdiçia

929   de poc' algo ganar
    farié gran astrosía
    e suzia; perdonar
    esto non lo podría:

933   que la ventura tien'
    por guisado de l' dar
    mucho más que y vien'
    por boca demandar,

909/ Por buscar la demasía es todo el mal que padecemos: por
lo necesario nunca hemos de penar mucho.
913/ Si no quieres quedar a falta de todo lo que deseas, desea sólo
aquello que puedas tener.
917/ renunciando siempre a todo exceso en los deseos, y de toda
cualidad moral tomando el término medio.
921/ De las muchas quejas que tengo en el corazón, una, la menos
grave de ellas, es la que voy a contar ahora:
925/ que la fortuna le proporcione beneficios a aquél que estaría
dispuesto a hacer maldad, y que, si le viniera bien, a otros con
el deseo
929/ de ganar un poco de dinero les haría gran perjuicio y sucia
mala jugada; tal cosa no podría yo perdonarla:
933/ que la fortuna tiene por oportuno darle mucho más de lo él
por su boca viene a pedir allí,

937 e fázel' bienandante, *235*
  dál' onrra e valía,
  la que por el talante
  buscar no l' passaría;

941 ventura quier' guisar *236*
  sobirle tal sobida
  qual no s' trevié osar
  cobdïar en su vida:

945 él, sienpre trabajado *237*
  de meterse a quanto
  baldón tien' el onrrado
  por onta e quebranto,

949 teners' ía por vano *238*
  si sól' cuidass' en ella,
  e viénel' a la mano
  sin trabajar por ella.

     •

953 Al Sabio preguntava *239*
  su deçiplo un día
  por qué non trabajava
  d' alguna merchandía,

957 e en ir bolleçer *240*
  de logar en logar,
  pora enrriqueçer
  e algo allegar;

961 e respondiól' el Sabio *241*
  que por algo cobrar
  non tomarié agravio
  de un punto lazrar;

937/ y lo hace venturoso, le da honores y dignidad, tal como no se le
pasaría por las mientes pretenderla;
941/ quiere fortuna arreglar las cosas para hacerle subir tanto como
a él en su vida no se le ocurría atreverse a desear:
945/ él, siempre agitándose por meterse en todas las vilezas que
el hombre honrado tiene por vergüenza y por quebranto,
949/ se tendría él mismo por un iluso si tan siquiera pensase en
ella, y hela aquí que se le viene a las manos sin trabajar por con-
seguirla.
953/ Al Sabio le preguntaba un día su discípulo por qué no traba-
jaba en algunos tratos de comercio,
957/ en ir a traficar y moverse de lugar en lugar, para enrique-
cerse y juntar hacienda;
961/ y le respondió el Sabio que, para ganar dinero, ni por un momento se tomaría la molestia de pasar fatigas;

965 diz' «¿Por qué buscaría
    cosa de que jamás
    nunca me fartaría
    fallándola?»; e más:

969 «Acuçia nin cordura»
    diz' «non ganan aver:
    gánase por ventura,
    non por sí nin saber;

973 piérdese por franqueza
    fazer e mucho bien;
    guárdalo escasseza,
    vileza lo mantien';

977 e por esta razón
    farié locura granda
    el sabio que sazón
    perdiess' en tal demanda».

·

981 Con tod' esto, convien'
    al que algo toviere
    fazer dél mucho bien,
    quanto más y podiere;

985 que no l' pierde franqueza
    quando es de venida,
    ni l' mantien' escasseza
    quando es ya de ida.

989 Non ha tan gran tesoro
    commo el bien fazer,
    nin aver tan seguro
    nin con tan gran plazer

965/ «¿Por qué había yo» decía «de buscar una cosa con la que,
encontrándola, no me hartaría nunca?»; y además
969/ «No es diligencia ni cordura» añade «lo que gana dinero: se
gana por suerte, no por uno mismo ni por saber;
973/ se pierde por ser generoso y hacer mucho bien; lo guarda la
avaricia, la mezquindad lo conserva;
977/ conque por estas razones, gran locura haría el sabio que per-
diese tiempo en buscar semejante cosa;
981/ Con todo y con eso, le corresponde al que tenga riqueza hacer
con ella mucho bien, todo lo más que en su caso pueda;
985/ que no la hace perderse la generosidad cuando ella está de venir, ni la conserva la avaricia cuando está ya de perderse.
989/ No hay tan gran tesoro como hacer bien ni hacienda tan des-
preocupada ni que dé tanto placer

993   comm' el que tomará *249*
              aquél que lo fiziere:
              en vida l' onrrará
              e después que muriere.

997   El bienfecho non teme *250*
              que lo furten ladrones
              nin que fuego lo queme
              nin d' otras ocasiones;

1001   nin ha pora guardarlo *251*
              condejo menester
              nin en arca çerrarlo
              nin so llave meter.

                   ●

1005   Fincar l' ha buena fama *252*
              quando fueren perdidos
              los algos e la cama
              e los buenos vestidos;

1009   por él será onrrado *253*
              el linaj' que fincare
              quando fuer' acabado
              lo que dél eredare;

1013   jamás el su buen nomre *254*
              non se acabará,
              que lengua de tod' omre
              sienpre lo nomrará.

1017   Por end' en bien fazer *255*
              tu poder mostrarás;
              en ál, de tu plazer
              lo de más dexarás

993/ como el que ha de recibir el que lo haga: en vida suya le
honrará y también después de que haya muerto.
997/ La buena acción no teme que la roben ladrones ni que la
queme fuego ni por otros accidentes;
1001/ ni para guardarla hace falta escondrijo ni encerrarla en arca
ni meterla bajo llave.
1005/ Buena fama le ha de quedar <al que lo haga> cuando se hayan perdido los dineros y la cama y las ricas vestimentas;
1009/ por ella recibirá honra la descendencia que de él quede cuando
se haya acabado lo que herede de él;
1013/ su buen nombre no se acabará nunca, que siempre lo estarán
pronunciando las lenguas de todos los hombres.
1017/ Por tanto, en hacer bien mostrarás tu poder; en cuanto a lo
demás, dejarás la demasía de tu placer

1021   e de toda cobdiçia,
             do ex' la mayor parte
             que de fazer maliçia
             los omres han talante.

                          ••

1025   Quien de mala ganança
             quier' sus talegas llenas,
             de buena seguran, ça
             vazyará las sus venas.

1029   Non ha tan dulçe cosa
             commo la seguran`ça
             nin miel atán sabrosa
             que paz e amistança;

1033   nin ha cosa tan quista
             commo la omildança
             nin tan sabrosa vista
             commo la buenandança;

1037   nin ha tal loçanía
             commo la obedença
             nin tal barraganía
             com' la buena sufriença.

1041   Non pued' aver tal maña
             omre commo sofrirse
             nin fazer con la saña
             qué l' faga rependirse:

1045   el que porque s' sufrió
             se tovo por biltado,
             a la çima salió
             por más avantajado.

1021/ y de toda codicia, de donde sale la mayor parte de las disposiciones que tienen los hombres para hacer mal.
1025/ Quien de mala ganancia quiere que se le llenen sus talegas,
hará que de buena despreocupación sus venas se vacíen.
1029/ No hay cosa tan dulce como la despreocupación ni miel tan
sabrosa como paz y amistad;
1033/ ni hay cosa tan estimada como la humildad ni tan gustosa
de ver como la vida venturosa;
1037/ ni hay orgullo tal como la obediencia ni tal gozo como el
buen aguante.
1041/ No puede uno tener virtud tan buena como la de aguantarse
y no hacer con la ira cosa que le haga arrepentirse:
1045/ aquél que porque se aguantó se tuvo por rebajado, a la postre
resultó con más ventaja.

1049   Non ha más atreguada   263
                  cosa que la pobreza
                  nin cosa guerreada
                  tanto com' la riqueza.

1053   Digó que omre pobre   284
                  es princep' desonrrado:
                  ansí es el ricomre
                  un lazrado onrrado.

•

1057   Quien s' enloçaneçió   265
                  por onrra que l' creçía,
                  a entender bien dió
                  que non la mereçía.

1061   Tien' de la loçanía   266
                  el seso tal despecho,
                  que entrar non podría
                  con ella so un techo,

1065   e los que s' trabajaron   267
                  de los en paz meter
                  por muy torpes fincaron
                  sól' en lo cometer:

1069   si esta paz fizieran,   268
                  ligero fuera luego
                  de creer que bolvieran
                  el agua con el fuego.

1073   De sí da cuenta çierta   269
                  quien orgullo mantien'
                  que punto en su tiesta
                  de meollo non tien';

1049/ No hay cosa más apacible que la pobreza ni cosa como la riqueza de guerreada.

1053/ Digo que el hombre pobre es príncipe sin honras: así también es el rico un ganapán con honores.

1057/ Quien se ensoberbeció por el aumento de su honra, bien dió con ello a entender que no la merecía.

1061/ Tal desapego le tiene el buen sentido a la soberbia que no podría entrar con ella bajo un mismo techo,

1065/ y los que se esforzaron por hacer paz entre ellos quedaron por muy necios ya sólo con intentarlo:

1069/ si semejante paz hubieran hecho, sería ya enseguida fácil de creer que pudieran mezclar el agua con el fuego.

1073/ De sí mismo revela claramente quien mantiene una actitud de orgullo que no tiene en la sesera ni pizca de meollo;

1077   ca, si non fuesse loco,
                 non usarié ansí,
                 si conoçiess' un poco
                 al mundo e a sí.

●

1081   Usa el omre noble
                 a los altos alçarse,
                 sinple e convenible
                 a los baxos mostrarse;

1085   muestra la su grandeza
                 a los desconoçidos,
                 e muestra grant sinpleza
                 a los baxos caídos;

1089   es en la su pobreza
                 alegre e pagado
                 e en la su riqueza
                 muy sinpl' e mesurado:

1093   su pobreza encubre,
                 dáse por bienandante,
                 e la su prissa sufre
                 mostrando buen talante.

●

1097   Su revés el villano:
                 báxas' a los mayores,
                 e alto e loçano
                 se faz' a los menores;

1101   más de quant' es dos tanta
                 muestra su malandança,
                 e al mundo espanta
                 en la su buenandança:

1077/ pues, si no fuera un loco, no se portaría así, sólo con que
conociera un poco al mundo y a sí mismo.
1081/ Suele el hombre noble alzarse ante los altos, mostrarse simple
y tratable con los bajos;
1085/ su grandeza la muestra con los envanecidos, y muestra mucha
llaneza con los bajos humillados;
1089/ en su tiempo de pobreza está alegre y contento y en el de
riqueza muy sencillo y mesurado:
1093/ encubre su pobreza, se presenta como venturoso, y sufre sus
aprietos mostrando buen talante.
1097/ Al revés de él el hombre vil: se rebaja ante los mayores, y a
los menores se les muestra alto y soberbio;
1101/ su desdicha la luce doble de lo que es, y en su buena ventura
quiere asombrar al mundo;

1105 en la su malandança
   es más baxo que tierra,
   e en su buenandança
   al çielo quier' dar guerra.

1109 El que oír quisiere
   las mañas del villano,
   porque, quando lo viere,
   lo conoçca de mano,

1113 non faz' cosa por ruego,
   e la premia consiente:
   quebrantadlo, e luego
   vos será obediente;

1117 comm' el arco lo cuento
   yo en todo su fecho:
   fasta que l' fazen tuerto,
   él nunca faz' derecho.

       •

1121 Peor es levantarse
   un malo en la gente,
   mucho más, que perderse
   diez buenos, çiertamente:

1125 en perderse los buenos,
   çierto, el bien falleçe;
   pero el daño menos
   es que quand' el mal creçe.

1129 Quando el alto cae,
   el baxo se levanta:
   vida al fumo trae
   el fuego quand' s' amata;

1105/ en su tiempo de desventura se rebaja más que a ras del suelo,
y en el de su buena suerte al cielo quiere hacerle guerra.
1109/ Para el que quiera oír las maneras del hombre vil, de modo
que, cuando se presente, lo conozca a la primera:
1113/ no hace nada por ruegos, y en cambio consiente que le hagan
fuerza: apretadle, y enseguida se os pondrá obediente;
1117/ con el arco lo comparo yo en todas sus acciones: hasta que lo
encorvarse, él nunca obra a derechas.
1121/ Peor es que aparezca un malo entre el pueblo, mucho más
que no que se pierdan diez buenos, sin duda alguna:
1125/ con la pérdida de los buenos —es cierto— disminuye el bien;
pero el daño es menor que cuando el mal aumenta.
1129/ Cuando el alto cae, el bajo se levanta: vida le da al humo
el fuego cuando se le apaga;

1133   el caer del roçío
        faz' levantar las yervas;
        ónrrans' con el peçío
        de la señor las siervas.

                        ••

1137   Omre que la paz quieres
        e non temer merino,
        qual para tí quisieres
        farás a tu vezino.

1141   Fi d' omre, que t' querellas
        quando lo que te plaze
        no s' cunple, e rebellas
        en Dios porque non faze

1145   todo lo que tú quieres,
        ý andas muy errado:
        non te miemra que eres
        de vil cosa criado,

1149   de una gota suzia,
        podrida e dañada;
        e tiéneste por luzia
        estrella muy preçiada.

1153   Pues dos vezes passaste
        camino muy biltado,
        locura es preçiarte.
        Daste por muy menguado,

1157   mucho te maravillas,
        tiéneste por nartado,
        porque todas las villas
        non mandas del regnado,

1133/ el caer del rocío hace a las yerbas levantarse; se engalanan
las siervas con los restos de naufragio de la señora.
1137/ Hombre que quieres la paz y no temer al regidor, lo mismo
que para tí quieras le harás a tu vecino.
1141/ Hijo de hombre, que te quejas cuando no se cumple lo que
te agrada y te rebelas contra Dios porque no hace
1145/ todo lo que tú quieres, grave error cometes en ello: no se te
acuerda que formado has sido de materia vil,
1149/ de una gota sucia, podrida y corrompida; y te tienes por lu-
ciente estrella de muy gran precio.
1153/ Ya que has pasado por dos veces por camino tan miserable,
locura es que te precies mucho. Te das por muy ofendido,
1157/ mucho te asombras, te tienes por rebajado, por el hecho de
que no mandas en todas las ciudades del reino,

1161   e más que un mosquito
        el tu cuerpo non vale
        desque aquel esprito
        que lo meçe dél sale.

1165   Non te miemra tu çima,
        e andas de galope,
        loco, sobre la sima
        do yaz' muerto don Lope,

1169   que tu señor sería
        mil vezes, e gusanos
        comen de noch' e día
        sus rostros e sus manos.

                    •

1173   Eres rico, no t' fartas,
        e tiéneste por pobre;
        con cobdiçia, non catas
        que lazras para otre,

1177   e de tu algo tocas
        por' enbolver tus huessos
        avrás e varas pocas
        d' algunos lienços gruessos;

1181   lo ál eredará
        alguno que non t' ama;
        para tí fincará
        sola la mala fama

1185   del mal que en tus días
        e la mala verdat
        qu' en las plaças fazías
        e en tu poridat.

1161/ y tu cuerpo no vale más que un mosquito desde el momento
que aquel espíritu que lo mueve se sale de él.
1165/ No te acuerdas de tu fin, y corres al galope, loco de tí, sobre
la sima donde yace don Lope muerto,
1169/ que podría haber sido mil veces tu señor, y los gusanos sin
embargo le comen de noche y día la cara y las manos.
1173/ Si eres ya rico, no te hartas y te tienes por pobre; con tu
codicia, no miras que estás trabajando para otro,
1177/ y lo que tendrás de tu hacienda serán unos velos para envol-
ver tus huesos y unas pocas varas de algún lienzo basto;
1181/ lo demás lo heredará alguno que no te quiere bien; para tí
quedará tan sólo la mala fama
1185/ del mal y las falsedades que en los días de tu vida solías cometer en la plaza pública y en el secreto de tu casa.

1189   Quando las tus cobdiçias
         ganas por ser mintroso,
         por muy sabio te preçias,
         e tienes por astroso

1193   al que non quier' engaño
         nin en don nin en preçio,
         e fazes dél escarño,
         razónaslo por neçio,

1197   por' algo allegar,
         falsando e robando,
         e la verdat negar,
         e sobrella jurando.

1201   Conoçe tu medida,
         e nunca errarás,
         e en toda tu vida
         sobervia non farás.

                        ●

1205   Qual quieres reçebir,
         atal de tí reçiban:
         conviénete serbir
         si quieres que te sirban;

1209   conviénete que onrres
         si quieres ser onrrado;
         faz pagados los omres,
         e fazer t' han pagado.

1213   Nunca omre naçió
         que quanto le ploguiesse,
         segunt lo cobdiçió,
         atal se le cunpliesse.

1189/ Cuando consigues por medio de la mentira el fin de tus
deseos, te estimas por muy sabio y consideras un desgraciado
1193/ al que no quiere engaño ni de regalo ni por dinero, y haces
burla de él, lo cuentas como neçio,
1197/ <todo> con tal de juntar riqueza falsificando y robando y
de negar la verdad, y además jurando sobre <tu mentira como>
verdad.
1201/ Conoce tu medida, y no te confundirás nunca, y no te portarás
en toda tu vida con soberbia.
1205/ Tal como quieras recibir, tal reciban de tí <los otros>: servir
te corresponde si quieres que te sirvan;
1209/ te corresponde honrar a los otros si quieres que ellos te hon-
ren; deja contentos a los hombres y contento te dejarán.
1213/ Nunca nació hombre alguno que todo lo que le agradara se
le cumpliese tal como lo deseó.

1217   Quien quier' fazer pesar,
             convien' se perçebir,
             ca no s' pued' escusar
             de pesar reçebir;

1221   si quieres fazer mal
             pués, fazlo a tal pleito
             de reçebir atal
             qual tú fizieres: çierto

1225   non puedes escapar,
             si una mala obra
             fizieres, de topar
             en reçebir tú otra.

1229   Ca sab' que non naçiste
             por' bevir apartado;
             al mundo non veniste
             por' ser avantajado.

1233   En el rey mete mientes;
             toma enxenplo dél:
             más lazra por las gentes
             que las gentes por él.

                  ••

1237   Por sus mañas el omre
             se pierde o se gana,
             e por la su costumre
             adoleçe o sana.

1241   Cosa que tanto cunple
             por' amigos ganar
             non ha commo ser sinple
             e bien se razonar.

1217/ Quien quiere hacer daño, bien es que esté apercibido, pues no puede evitar recibir daño él;
1221/ si quieres pues hacer mal, hazlo bajo la condición de recibir lo mismo que tú hagas: de cierto,
1225/ no puedes escapar, si haces una mala obra, de toparte tú con que recibes otra igual.
1229/ Pues sábete que no naciste para vivir aislado; no viniste al mundo para estar en ventaja sobre los otros.
1233/ Fíjate en el Rey; toma de él ejemplo: trabaja más por las gentes que las gentes por él.
1237/ Por sus propias maneras de ser es por lo que se pierde o se gana el hombre, y por sus costumbres es por lo que enferma o sana.
1241/ Cosa que tanto valga para ganar amigos no hay como el ser sencillo y el explicarse bien.

1245   Sin que esté presente,
        conoçrás de ligero
        a omr' en su presente
        o en su mensagero;

1249   por su carta será
        conoçido en çierto:
        por ella pareçrá
        el su entendimiento.

                    •

1253   En mundo tal cabdal
        non ha comm' el saber,
        nin eredat nin ál
        nin ningunt otr' aver:

1257   el saber es la gloria
        de Dios e la su graçia;
        non ha tan noble joya
        nin tan buena ganançia,

1261   nin mejor conpañón
        comm' el libro nin tal;
        e tomar entençión
        con él más que paz val':

1265   quant' omre fuer' tomando
        con el libro porfía,
        tanto irá ganando
        buen saber toda vía;

1269   los sabios que quería
        veer, los fallará
        en él, e toda vía
        con ellos fablará.

                    •

1245/ Sin que esté presente, conocerás enseguida a un hombre por
su regalo o por su mensajero;
1249/ por el papel que escriba se le conocerá con certidumbre: a través de él aparecerá su entendimiento.
1253/ No hay en el mundo caudal tan bueno como el saber, ni here-
dad ni otro ninguno ni ninguna otra riqueza:
1257/ el saber es la gloria de Dios y gracia suya; no hay gala tan
noble como él ni tan buena ganancia,
1261/ ni mejor compañero ni tan bueno como el libro; y tomarle
afición a uno de ellos vale más que la paz:
1265/ cuanto más vaya uno cogiendo empeño con un libro, tanto más
irá ganando buen saber contínuamente;
1269/ los sabios que quería ver, en él los encontrará, y a cada paso
con ellos estará hablando.

1273 Los sabios muy granados
    que omre desseava,
    filósofos onrrados,
    e veer cobdiçiava,

1277 ¿qué 'ra si non leer
    sus letras e sus versos?
    Sí, que non por veer
    sus carnes e sus huessos.

1281 Lo que d' aquellos sabios
    él cobdiçia avía,
    qu' era los sus petafios
    e su sabiduría,

1285 allí lo fallará
    en el libro signado,
    e respuesta avrá
    dellos por su dictado;

1289 aprendrá nueva cosa
    de muy buen saber çierto
    e mucha buena glosa
    que fizieron al testo.

1293 La su sabiençia pura
    escribta la dexaron;
    sin ninguna boltura
    corporal la sumaron,

1297 sin buelta terrenal
    de ningunt alemento,
    saber çelestrïal,
    claro entendimiento.

1273/ Los sabios más notables, filósofos venerados, a los que uno
añoraba y deseaba ver,
1277/ ¿por qué era más que por leer sus letras y las líneas que
escribieron? Sin duda que por eso, que no iba a ser por ver sus
carnes y sus huesos.
1281/ Lo que uno deseaba de aquellos sabios, que eran sus aforismos y su sabiduría,
1285/ allí lo encontrará en el libro con sus caracteres de escritura,
y de ellos recibirá respuesta por medio de su dictado;
1289/ aprenderá nuevos puntos de saber muy bueno y cierto y muchos buenos comentarios que pusieron al texto principal.
1293/ Su sabiduría pura la dejaron escrita; sin ninguna mezcla corporal allí la condensaron,
1297/ sin mixtura terrenal de elemento físico ninguno, saber celestial, clara inteligencia.

1301   Por esto solo quier'
        tod' omre de cordura
        a los sabios veer,
        non por la su figura.

1305   Por ende tal amigo
        non ha commo el libro;
        pora los sabios digo,
        que con torpes non libro.

                    •

1309   Seer sierbo del sabio
        o señor d' omre neçio,
        déstas dos non m' agravio
        que anden por un preçio.

1313   El omre torpe es
        la peor animalia
        qu' ha en mundo; estés
        <desto> çierto sin falla:

1317   non entiende fazer
        si non deslealtat,
        nin ál es su plazer
        si non fazer maldat;

1321   lo que él más entiende
        que bestia, en acuçia
        d' engaños lo espiende
        e en fazer maliçia.

1325   Non pued' omre aver
        en mundo tal amigo
        commo el buen saber
        nin peor enemigo

1301/ Por eso es por lo único que quiere todo hombre cuerdo ver
a los sabios, no por su figura.
1305/ Por tanto, no hay amigo tal como el libro; para los sabios
—quiero decir, que con estúpidos no disputo.
1309/ Ser esclavo del sabio o amo de un hombre necio, son dos
cosas que no me parece mal que se estimen en lo mismo más o
menos.
1313/ El hombre sin inteligencia es la peor alimaña que hay en el
mundo; dalo por cierto sin excepción;
1317/ no tiene otra idea sino obrar deslealmente, ni es otro su placer que el de hacer mal;
1321/ lo que tiene de entendimiento más que una bestia, lo gasta
en diligente procura de engaños y en hacer maldades.
1325/ No puede uno tener en el mundo amigo tal como el buen saber
ni peor enemigo

1329   que la su torpedat;
             e del torpe su saña
             más pesa en verdat
             que arena, nin maña

1333   non ha tan peligrosa
             nin ocasión tamaña,
             nin en tierra dobdosa
             caminar sin conpaña.

                         ●●

1337   Tan esforçada cosa
             non ha com' la verdat
             nin cosa más medrosa
             que la deslealtat.

1341   El Sabio coronada
             leona asemeja
             la verdat, esformada
             la mentira gulpeja:

1345   «Dezir sienpre verdat
             he, maguer daño tenga,
             e non la falsedat,
             maguer pro della venga».

1349   Non ha cosa más larga
             que lengua de mintroso
             nin çima más amarga
             a comienço sabroso:

1353   faz' ricos a los omres
             con su prometimiento;
             después fállanse pobres,
             odres llenos de viento;

1329/ que su propia estupidez; y la ira y crueldad del estúpido es
en verdad más pesada que arena, ni hay condición
1333/ tan peligrosa <como ésa> ni riesgo que sea tan grave, ni
siquiera el caminar sin compañía por tierra sospechosa.
1337/ Cosa tan valiente no hay como la verdad ni cosa más miedosa
que la deslealtad.
1341/ El Sabio compara la verdad a una leona coronada, la mentira
a una zorra deforme:
1345/ «He de decir siempre verdad, aunque traiga perjuicio, y nunca falsedad, aunque de ella venga provecho».
1349/ No hay cosa más generosa y larga que lengua de mentiroso
ni final más amargo tras un dulce comienzo:
1353/ hace ricos a los hombres con sus promesas; luego se encuentran pobres, odres llenos de viento;

1357   las orejas tien' fartas,
        el coraçón famriento,
        el que lo oe: tantas
        cosas diz' sin çimiento.

                    •

1361   Non ha fuerte castillo
        más que la lealtat,
        nin tan ancho portillo
        com' la mala verdat,

1365   nin omre tan covarde
        com' el que mal ha fecho,
        nin barragán tan grande
        com' el que tien' derecho.

1369   Non ha tan sin vergüenza
        cosa com' el derecho:
        del daño essa fuerça
        faze que del provecho;

1373   tan sin pïadat mata
        al pobre com' al rico,
        e con un ojo cata
        al grande e al chico;

1377   al señor non lisonja
        más que al serbiçial;
        al rey non avantaja
        sobre su ofiçial.

1381   Pero el jüez malo
        dél fázese muy franco:
        al que lo non tien' dalo;
        faze vara del arco.

                    •

1357/ hartas tiene las orejas, hambriento el corazón, el que le presta
oído: tantas son las cosas que dice sin fundamento.
1361/ No hay castillo más fuerte que la lealtad, ni tan ancha brecha
en el muro como la mentira,
1365/ ni hombre tan acobardado como el que ha hecho mal ni tan
tranquilo gozador como el que tiene el derecho de su parte.
1369/ No hay cosa tan libre de vergüenza como el derecho: del
perjuicio hace el mismo caso que del beneficio;
1373/ tan sin piedad mata al pobre como al rico, y con el mismo
ojo mira al grande y al pequeño;
1377/ no adula al señor más que al sirviente; no pone al rey por
cima del escribano de su corte.
1381/ Pero lo cierto es que el juez malo muy bien se desentiende del
<derecho>: se lo da al que no lo tiene; del arco <torcido> hace
vara <derecha>.

1385   El mundo la bondat   *339*
                 de tres cosas mantien':
                 jüizio e verdat
                 e paz, que dellos vien';

1389   e el jüizio es   *340*
                 la piedra çemental
                 de todas estas tres,
                 e es la que más val';

1393   ca el jüizio faz'   *341*
                 escobrir la verdat
                 e con la verdat paz
                 venir e amizdat.

1397   E, pues por el jüizio *342*
                 el mundo se mantien',
                 tan onrrado ofiçio
                 baldonar non es bien:

1401   devie se catar, ante *343*
                 de dar tal petiçión
                 a omre, qui bien cate,
                 quál es en entinçión

1405   tal omre: que non mude *344*
                 entinçión del ofiçio,
                 nin entienda nin cuide
                 que l' fué dado por viçio;

1409   ca por pro del ganado *345*
                 es puesto el pastor:
                 non ponen el ganado
                 por la pro del pastor;

1385/ Al mundo lo sostiene la virtud de tres cosas: el juicio y la verdad y la paz, que de ambos nace;
1389/ y de todas las tres el juicio es la piedra de cimiento, y es la que más vale;
1393/ pues es el juicio el que hace que la verdad se descubra y que con la verdad vengan paz y amistad.
1397/ Y, dado que por el juicio se mantiene el mundo, no está bien deshonrar un cargo tan honroso <como el de juez>:
1401/ antes de otorgar a nadie una solicitud para semejante cargo, se debía examinar —alguien que sepa examinar bien— cómo es en su espíritu
1405/ semejante hombre: <que sea tal> que no trastrueque el espíritu del cargo y no entienda ni piense que le fue dado para su disfrute;
1409/ pues al pastor se le pone para bien del ganado; no se pone el ganado para bien del pastor;

1413
non cuide que fué fecho
jüez porque presente
del ageno derecho
faga a su pariente,

1417
nin porque dé por suelto
al que fuer' su amigo
sin derecho, nin tuerto
faga al enemigo.

·

1421
Ca no s' pued' ayunar
jamás este pecado:
él sano, perdonar
feridas del lijado,

1425
él pagado, soltar
demanda del forçado,
él entrego, testar
la boz del tortiçiado,

1429
por amor nin por preçio:
maldízelo la ley;
ca de Dios el jüizio
sólo es e del rey,

1433
e él vezes-teniente
es de Dios e del rey,
porque judgue la gente
por derecho e ley.

1437
Mensajero l' fizieron
d' una cosa signada:
en poder non le dieron
creçer nin menguar nada.

1413/ no crea que se le hizo juez para que a su pariente le haga
regalo del derecho ajeno,
1417/ ni para que a su amigo lo absuelva contra derecho ni le haga
injusticia a su enemigo.
1421/ Pues no hay ayuno con que se pueda hacer nunca penitencia
por tal pecado: que, estando él sano, perdone las heridas del lisiado,
1425/ que, estando él contento, absuelva <al culpable de> la querella que presenta el que ha sufrido violencia; que, estando él ínte-
gro y sin daño, asista <impasible> a las voces del que padece injusticia,
1429/ <y ello> ni por amor ni por soborno: la ley maldice tal
cosa; pues el juicio es de Dios y del Rey tan sólo,
1433/ y él no es más que lugarteniente de Dios y el Rey, para juzgar a las gentes según ley y derecho.
1437/ Lo hicieron <simple> portador de un mensaje escrito: no le
dieron poder para aumentar <en él> ni disminuír nada.

1441   Para sí non entienda
        levar si non las bozes;
        su salario atienda
        d' aquél que l' dió las vezes,

1445   e qual obra fiziere,
        tal gualardón avrá.
        Quien esto entendiere,
        jamás non errará.

                    ·

1449   El jüez sin maliçia,
        esl' afán e enbargo;
        el jüez con cobdiçia,
        más válel' qu' obispadgo.

1453   Cobdiçia e derecho
        —esto es cosa çierta—
        non entran so un techo
        nin so una cubierta;

1457   nunca d' una camisa
        amas non se vistieron;
        jamás d' una devisa
        señores nunca fueron:

1461   quando cobdiçia viene,
        derecho luego sale;
        do éste poder tiene,
        estotro poco vale.

1465   El ofiçio del omre
        es enprestada joya,
        e la buena costumre
        es cosa propia suya.

1441/ Para sí mismo no cuente con sacar más que las voces < de
protesta> ; su salario espere a recibirlo de aquél que lo nombró
para hacer sus veces,
1445/ y según la obra que haga, tal premio recibirá. Quien entienda
esto, no se equivocará nunca.
1449/ Para el juez sin malicia, < el cargo> le supone afán y molestias; al juez codicioso le da más ingresos que un obispado.
1453/ Codicia y derecho —esto es cosa cierta— no caben bajo un
mismo techo ni bajo una misma cobertura;
1457/ nunca se vistieron ambas con camisa del mismo género; nunca
jamás fueron señoras que llevaran divisa de los mismos colores:
1461/ cuando la codicia entra, luego al punto sale el derecho; donde
el uno tiene poder, el otro poco vale.
1465/ El oficio y cargo del hombre es gala tomada en préstamo, y
la virtud es cosa propia suya.

1469   Quien dedos tiene, fuerça
            non faga del anillo;
            guarde Dios la cabeça:
            no l' menguará capillo.

1473   Lo que es suyo pierde
            omre por su maldat,
            e lo ageno puede
            ganar por su bondat.

                        ••

1477   Perders' ha un conçejo
            por tres cosas priado:
            saber el buen consejo
            quien non es escuchado,

1481   e las armas traer
            los que las non defienden,
            e el algo aver
            los que lo non despienden.

1485   E fallo tres dolençias
            —non pueden guareçer,
            nin ha tales espeçias
            que las puedan vençer:

1489   el pobre perezoso
            —non pued' aver consejo—,
            malqueria d' enbidioso
            e dolençia de viejo:

1493   si de los pies guareçe,
            duélel' luego la mano;
            del baço adoleçe
            quand' el fígado sano;

1469/ Quien tiene dedos, no haga mucho caso del anillo; guarde
Dios la cabeza: no faltará gorro para ella.
1473/ Por su propia maldad echa uno a perder lo que es suyo, y
por su bondad puede ganar lo que es de otros.
1477/ Un conçejo o sociedad de gentes ha de perderse rápidamente
por tres motivos: que tenga buenos consejos que dar uno a quien
no se le escucha,
1481/ que tengan a su cargo las armas los que no saben defenderlas
y que tengan la hacienda los que no la gastan.
1485/ Y tres dolencias encuentro —no pueden tener cura, ni hay
tales específicos que puedan acabar con ellas:
1489/ el pobre que es perezoso (ése no puede tomar decisión ninguna), la mala voluntad del envidioso y la enfermedad del viejo:
1493/ si se cura de los pies, enseguida le duele la mano; del bazo
enferma cuando el hígado está sano;

1497 e malqueria que vien'
 de çelo non se puede
 partir si aquel bien
 el que lo ha no l' pierde.

  •

1501 A los omres el çelo
 mata e la cobdiçia;
 pocos ha so el çielo
 sanos desta dolençia.

1505 Ha çelo uno d' otro
 el alto e el sinple;
 e el que tiene quatro
 tanto de lo que l' cunple,

1509 quantoquier' que más largo
 algo ha su vezino,
 tiene todo su algo
 por nada, el meçquino.

1513 Tu bien gran mal le faz',
 no l' teniendo tú tuerto;
 por bevir tú en paz,
 se tiene él por muerto.

1517 ¿Qué más venga quesiste
 aver del enbidioso,
 más que estar él triste
 quand' tú estás gozoso?

  •

1521 Tres son los que más biven
 cuitados, segunt cuido,
 e de los que más deven
 dolerse tod' el mundo:

1497/ y así también la mala voluntad que viene de envidia o celos
no puede desaparecer mientras aquel bien <que la causa> no lo
pierda el que lo tiene.
1501/ A los hombres los mata la envidia y la codicia; pocos hay
bajo el cielo sanos de tal dolencia.
1505/ Envidia tienen uno de otro tanto el alto como el simple; y el
que tiene cuatro veces más de lo que le basta,
1509/ por poco más larga hacienda que su vecino tenga, toda su
hacienda la tiene por nada, el mísero de él.
1513/ Tu bien le hace gran mal, sin hacerle tú perjuicio alguno;
por el hecho de que tú vivas en paz, se tiene él por muerto.
1517/ Qué más venganza pudiste querer tomarte del envidioso, sino
que él esté triste cuando tú estás alegre.
1521/ Tres <clases de hombres> son los que más desgraciados viven, según pienso, y de los que más debe compadecerse todo el
mundo:

1525   fidalgo que mester *314*
          ha al omre villano
          e con mengua meter
          se viene en su mano

1529   (fidalgo de natura, *315*
          usado de franqueza,
          e tráxol' la ventura
          a manos de vileza);

1533   e justo que, mandado *316*
          de señor tortiçiero,
          ha de fazer forçado;
          e el otro terçero,

1537   sabio que ha por premia *317*
          de servir señor neçio:
          toda otra lazeria
          ant' ésta es gran viçio.

1541   Éstos biven lazrados *318*
          de alma e de cuerpo;
          amargos e cuitados
          biven todo su tienpo;

1545   son de noch' e de día *319*
          cuitados, malandantes,
          faziendo toda vía
          revés de sus talantes:

1549   el derecho amando, *350*
          fazen por fuerça tuerto,
          e yerran, cobdiçiando
          obrar del seso çierto.

                    ••

1525/ el hidalgo que tiene necesidad de hombre de baja condición y con mengua suya se viene a meter en sus manos
1529/ (hidalgo de nacimiento, acostumbrado a la liberalidad, y lo
trajo la suerte a manos de vileza);
1533/ y el justo que, mandado por un señor injusto, ha de obrar
a la fuerza; y el tercero que queda,
1537/ el sabio que tiene por carga servir a señor necio: cualquier
otra pena al lado de ésta es gran placer.
1541/ Estos viven trabajados de alma y de cuerpo; amargos y pesa-
rosos pasan toda su vida;
1545/ están de noche y de día afligidos, desventurados, obrando
continuamente al revés de sus inclinaciones:
1549/ amando la derechura, tienen por fuerza que actuar torcida-
mente, y caen en errores, deseando obrar según un buen sentido
verdadero.

1553   Omre bien venturado _351_
        nunca naçió jamás
        si non el que cuidado
        non ha de valer más:

1557   omre rafez, astroso, _352_
        tal que non ha vergüença,
        éste bive viçioso:
        que non le faze fuerça

1561   de que nunca más vala, _353_
        nin es menoscabado
        por vestir capa mala;
        robando del mercado

1565   dos panes, se govierna _354_
        e de fruta que furta,
        e en cada taverna
        beve fasta que s' farta.

                 •

1569   Éste solo en mundo _355_
        bive sabrosa vida.
        E otr' ý ha segundo,
        d' otra mayor medida:

1573   el torpe bienandante, _356_
        que con su gran torpeza
        no l' passa por talante
        que pued' aver pobreza;

1577   faziéndos' lo que l' plaze, _357_
        non entiende el mundo
        nin los canbios que faze
        la rueda a menudo;

1553/ Hombre bienaventurado nunca jamás nació, salvo el que no
se preocupa de valer más de lo que vale:
1557/ hombre rastrero, desastrado, pero tal que no se avergüenza
de ello, ése vive deleitosamente: que no le importa mucho
1561/ de valer nunca más de lo que vale, ni se siente humillado
por vestir una mala capa; con robar del mercado
1565/ un par de panes y con la fruta que hurta, se va arreglando,
y en cada taberna bebe hasta hartarse.
1569/ Ese es el único en el mundo que vive una dulce vida. Y hay
también otro segundo, de mayor categoría:
1573/ el estúpido feliz y próspero, que en su profunda necedad, no
se le pasa por el pensamiento que pueda caer en pobreza;
1577/ mientras las cosas van sucediéndole a su gusto, no entiende
el mundo ni las mudanzas que a menudo hace la rueda;

1581   cuida que estará
            sienpre d' una color,
            e que non baxará
            él d' aquella valor,

1585   comm' el pez en el río,
            viçioso e riyendo:
            non sabe el sandío
            la red que l' van teçiendo.

                        •

1589   Mas buen omr' entendudo,
            sabio, por bien que l' vaya,
            no l' pued' fazer el mundo
            bien con que plazer aya,

1593   reçelando del mundo
            e de sus canbiamientos
            e de cómm' a menudo
            se canbian los sus vientos;

1597   sabe que la riqueza
            pobreza es su çima,
            e que so la alteza
            yaze muy fonda sima;

1601   ca el mundo conoçe
            e que su buena obra
            much' aína falleçe
            e se passa com' sonbra.

1605   Quant' esma el estado
            mayor de su medida,
            ha omre más cuidado,
            temiendo la caída:

1581/ piensa que estará siempre del mismo color y que no ha de
bajar él nunca de aquel grado de prosperidad,
1585/ disfrutando y riendo siempre, como el pez en el río: no sabe
el tonto de él la red que le están tejiendo.
1589/ Pero al buen hombre inteligente, sabedor, por bien que le
vayan las cosas, no le puede hacer el mundo bien ninguno del que
reciba placer,
1593/ receloso como está del mundo y de sus transformaciones y de
cómo sus vientos a menudo se cambian;
1597/ sabe que, en cuanto a la riqueza, la pobreza es su fin, y que
bajo la altura se esconde muy hondo abismo;
1601/ pues conoce el mundo y <sabe> que sus prosperidades muy
de prisa decaen y pasan como sombra.
1605/ Cuanto más sospecha que su situación es más alta que la
medida que le corresponde, tanta más preocupación tiene uno, temiendo la caída:

1609   quanto más cae d'alto,   *365*
          tanto peor se fiere;
          quanto bien ha más, tanto
          más teme si s' perdiere;

1613   el que por llano anda   *366*
          non tien' que deçender,
          e el que non tien' nada
          non reçela perder.

                        ●

1617   Esfuerço en dos cosas   *367*
          non pued' omre tomar
          —tanto son de dubdosas—,
          el mundo e la mar:

1621   su bien non es seguro   *368*
          —tan çiertos son sus canbios—
          nin es su plazer puro
          con sus malos resabios;

1625   tórnas' sin detenençia   *369*
          la mar mansa muy brava,
          e el mundo espreçia
          oy al que yer loava.

1629   Por end' el gran estado   *370*
          a omr', en el' saber,
          fázel bevir cuitado
          e tristeza aver.

                        ●

1633   El omre que es omre   *371*
          sienpre bive cuitado;
          si rico o si pobre,
          nunca l' mengua cuidado:

1609/ cuanto de más alto cae, tanto peor se hiere; cuantos más
bienes tiene, tanto más teme que se pierdan;
1613/ el que anda por suelo llano no tiene que andar bajando, y
el que no tiene nada no se preocupa de perder.
1617/ Dos cosas hay en que no puede uno poner mucho interés
—a tal punto son dudosas—, el mundo y el mar:
1621/ sus bienes no están seguros —tan ciertos son sus cambios—
ni sus placeres son sin mezcla, con los malos regustos que los acom-
pañan;
1625/ sin punto de reposo, se vuelve muy brava la mar mansa, y
el mundo desprecia hoy al que ayer alababa.
1629/ Por eso la situación elevada le hace a uno, al darse cuenta
de ello, vivir afligido y padecer tristeza.
1633/ El hombre que es hombre siempre vive angustiado: sea rico
o sea pobre, nunca le faltan preocupaciones:

1637 el afán el fidalgo 372
     sufre en sus cuidados,
     e el villano, largo
     afán en sus costados.

1641 Omre pobre, preçiado 373
     non es más que el muerto;
     e rico, guerreado
     es, non teniendo tuerto.

1645 Del omre bivo dizen 374
     la gente sus maldades,
     e desque muere, fazen
     cuenta de sus bondades:

1649 quando pro no l' terná, 375
     lóanlo bien la gente;
     de lo que l' non verná
     bien, danle largamente;

1653 en quant' es bivo, callan 376
     con çelo todos quánto
     bien ha en él, e fallan,
     desque muere, dos tanto;

1657 que, mientra bivo fuere, 377
     sienpre l' creçen çelosos,
     e menguan desque muere,
     e náçenle mintrosos.

       ••

1661 Quien en sus mañas quiere 378
     seer endereçado
     e guardado quisiere
     seer bien de pecado,

1637/ el hombre de bien en sus preocupaciones padece sus afanes, y el hombre bajo grandes afanes sufre sobre su hombros.
1641/ Al hombre pobre no se le aprecia más que a un muerto; y siendo rico, padece guerra, sin ser culpable de injusticia.
1645/ Del hombre, mientras vive, sus maldades cuenta la gente, y en cuanto muere, se ponen a echar cuentas de sus bondades:
1649/ cuando de nada ha de valerle, lo llena la gente de alabanzas; de lo que no le vendrá beneficio alguno, le dan generosamente;
1653/ en tanto que está vivo, todos se callan, con la envidia, cuántos bienes hay en él, y en cuanto muere, encuentran doble de los que hay;
1657/ que, mientras esté vivo, le salen envidiosos a cada paso, y luego que muere desaparecen, y le surgen aduladores mentirosos.
1661/ Quien quiere en su comportamiento mantenerse derecho y quien quiera bien guardarse de pecado,

1665   jamás nunca fará
        enascondidamente
        cosa que l' pesará
        que lo sepa la gente.

1669   Poridat qui quier' la
        encobrir d' enemigo,
        non la escobrirá
        tanpoco al amigo;

1673   ca pued' ocasionar,
        fiando del amigo,
        que se puede tornar
        con saña enemigo,

1677   porqu' a poca contienda
        se canbian los talantes,
        e sabrá su fazienda
        omre que querrié antes

1681   morir que barruntado
        oviesse el su fecho,
        e rependirs'·ha quando
        non le tenga provecho.

        ●

1685   Sin esto, que ha él
        otro amigo suyo,
        e él, fiando dél,
        escobrirl' ha lo tuyo,

1689   e el amor del tuyo
        non t' aprovechará,
        pues el amigo suyo
        tu fazienda sabrá;

1665/ nunca jamás hará a escondidas nada que haya de pesarle que
lo sepa la gente.
1669/ El secreto, quien quiere tenerlo oculto de su enemigo, tampoco a su amigo se lo revelará;
1673/ pues puede dar lugar, al fiar de su amigo, que éste se vuelva
enemigo por causa de algún enojo
1677/ (porque a pocos embates se cambian las disposiciones), y así
sabrá sus asuntos un hombre que antes querría él
1681/ morir que no que tuviese la menor noticia de sus actividades,
y habrá de arrepentirse cuando no le sirva de nada.
1685/ Y aparte de eso, que aquél tiene otro amigo suyo, y, fiándose
de éste, le revelará tu secreto,
1689/ conque el amor de tu amigo no te valdrá de nada, puesto que
su amigo conocerá tus asuntos;

1693   ca, puesto que no t' venga
            daño por el primero,
            non sé qué pro te tenga,
            pues lo sabe terçero:

1697   enxenplo es çertero,
            que lo que saben tres,
            ya es pleito plaçero,
            sábelo toda res.

            ●

1701   Son las buenas costumres
            ligeras de nomrar,
            mas son pocos los omres
            que las saben obrar.

1705   Sería muy buen omre
            quien sopiesse obrar
            tanta buena costumre
            qu' ý sabría nomrar

1709   tod' omr'; e non son pora
            dezir e non fazer;
            e si tomo agora
            en las contar plazer,

1713   pesar tomo después,
            porque las sé nomrar
            tan bien que cunple, pues
            non las puedo obrar:

1717   de más es gran denuesto
            e fealdat e mengua:
            «Su coraçón angosto,
            e larga la su lengua».

1693/ que, aun en el supuesto de que por el primero no te venga
daño, no sé yo qué adelantas, puesto que hay un tercero que
lo sabe:
1697/ verdad dice el refrán, que lo que saben tres, ya es negocio
público, lo sabe todo el mundo.
1701/ Son las virtudes fáciles de nombrar, pero pocos son los hombres que las saben poner por obra.
1705/ Muy buen hombre sería quien supiese practicar tantas virtudes
como nombrar sabría
1709/ cualquier hombre; y <sin embargo ellas> no son para decir y
no hacer; y si de momento saco placer de enumerarlas,
1713/ luego siento pesadumbre, porque, sabiéndolas nombrar todo lo
bien que es preciso, no soy capaz de practicarlas:
1717/ por demás es ello gran denigración y fealdad y falta: <de mí
puede decirse> «Su corazón escaso, y generosa su lengua».

1721   Entrégom' en nomrarlas, *393*
          commo si las sopiesse
          obrar, e en contarlas,
          commo si las fiziesse:

1725   sin obrarlas dezirlas   *394*
          si a mí pro non tien',
          algunos en oírlas
          aprendrán algún bien.

1729   Non dezir nin fazer   *395*
          non es cosa loada:
          quanto quier, de plazer
          más val' algo que nada.

                    ●

1733   Non tengas en vil omre, *396*
          por pequeño que l' veas,
          nin escrivas tu nomre
          en carta que non leas.

1737   De lo que tú querrás   *397*
          fazer al enemigo,
          desso te guardarás
          más que dél — te castigo:

1741   ca, por l' enpeeçer,   *398*
          te pornás en mal quanto
          non te podrá naçer
          del enemigo tanto.

1745   Todo el tu cuidar,   *399*
          primer' e medïano,
          sea en bien guardar
          a tí luégo de mano;

1721/ <En fin>, me decido por nombrarlas, como si las supiese poner por obra, y en enumerarlas, como si las practicase:
1725/ si el decirlas sin practicarlas es cosa que a mí no me trae
provecho, algunos habrá que de oírlas aprenderán algo bueno.
1729/ El no decir ni hacer no es cosa para alabarla: por poco que
ello sea, más vale algo de placer que nada.
1733/ A nadie tengas por despreciable, por pequeño que lo veas, y
no traces tu firma en papel que no hayas leído.
1737/ Del mal que quieras tú hacerle a tu enemigo, de ese mal ha-
brás de guardarte más que del enemigo mismo — bien te lo advierto:
1741/ pues, por el afán de perjudicarle, te meterás tú en tanto daño
que no podía venirte otro tan grande de tu enemigo.
1745/ Toda atención que pongas, al empezar y al mediar la obra, sea
guardarte enseguida a ti mismo lo primero;

1749   e desque ya pusieres   *400*
            bien en salvo lo tuyo,
            entonçe, si quisieres,
            cuida en daño suyo.

1753   Fasta bien puesto aya   *401*
            en salvo el su regno,
            el rey cuerdo non vaya
            guerrear el ageno.

                        •

1757   Lo qu' aína quisieres   *402*
            fazer, faz de vagar;
            ca, si prissa te dieres,
            convién'te d' enbargar

1761   en endreçar errança   *403*
            que naçrá del quexarte,
            e será la tardança
            más, por apressurarte.

1765   Quien rebato semró,   *404*
            cogió rependimiento;
            quien sossiego obró,
            acabó su talento;

1769   nunca omre perdió   *405*
            cosa por la sufriença;
            e quien prissa se dió,
            reçibió rependiença.

                        •

1773   De peligro e mengua   *406*
            si quieres seer quito,
            guárdate de tu lengua,
            e más de tu escribto.

1749/ y una vez que ya hayas puesto bien a salvo lo tuyo, entonces,
si quieres, atiende a hacerle daño a él.
1753/ Hasta que haya puesto su reino bien a salvo, no vaya el rey
cuerdo a hacerle guerra al ajeno.
1757/ Lo que quieras hacer pronto, hazlo con calma; pues, si te
metes prisa, lo que te toca es tener que detenerte
1761/ a corregir el error que ha de surgir de andar con apuro, y mayor será la tardanza por apresurarte.
1765/ Quien sembró prisa, cosechó arrepentimiento; quien obró con
sosiego, cumplió sus intenciones;
1769/ nunca perdió nadie nada por contenerse; y quien se dió prisa,
recibió pesadumbre.
1773/ Si quieres estar libre de peligro y de pérdida, guárdate de tu
lengua, y más aún de tu escrito.

1777   D' una fabla conquista
               pued' naçer e d'ý muerte,
               e d' una sola vista
               creçe gran amor fuerte;

1781   pero lo que fablares,
               si escribto non es,
               si ý tu pro fallares,
               negarlo has después.

1785   Negar lo que se dize,
               a vezes ha logar;
               mas si escribto yaze,
               non se puede negar.

1789   La palabra a poca
               sazón es olvidada;
               el escritura finca
               pora sienpre guardada;

1793   e la razón que puesta
               non yaze en escrito
               tal es commo saeta
               que non llega al fito:

1797   los unos d' una guisa
               dizen, los otros d' otra;
               nunca de su pesquisa
               aviene çierta obra;

1801   de los qu' ý estovieron
               pocos s' acordarán
               de cómmo lo oyeron,
               e non conçertarán.

●

1777/ De una conversación puede salir una conquista y de ahí venir muerte, y de verse una sola vez surge un grande y fuerte amor;
1781/ sin embargo, lo que hables, si no queda escrito, en caso de que en ello veas conveniencia tuya, después has de negarlo.
1785/ A veces hay lugar a negar lo que se dice; pero si está escrito, no se puede negar.
1789/ La palabra a poco tiempo que pase se olvida; la escritura queda guardada para siempre;
1793/ y la razón que no está puesta por escrito es tal como flecha que no llega al blanco:
1797/ los unos lo cuentan de una manera, los otros de otra; nunca de la investigación que de ella se haga resulta efecto cierto;
1801/ de los que allí estaban pocos se acordarán de cómo fué lo que oyeron, y no se pondrán de acuerdo.

1805   Siquier brava, quier mansa,
            la palabra es tal
            commo sonbra que passa
            e non dexa señal;

1809   non ha lança que false
            todas las armaduras
            nin que tanto trespasse,
            commo las escribturas:

1813   que la saeta lança
            fasta un çierto fito,
            e la letra alcança
            de Burgos a Aigibto;

1817   e la saeta fiere
            al bivo que se siente,
            e la letra conquiere
            en vida e en muerte;

1821   la saeta non llaga
            si non es al presente:
            la escribtura llega
            al d' allend' mar absente;

1825   de saeta defiende
            a omre un escudo:
            de la letra no l' puede
            defender tod' el mundo.

            ••

1829   A cada plazer ponen
            los sabios un signado
            tienpo; dessende vienen
            toda vía menguando:

1805/ Sea violenta, sea dulce, la palabra es tal como sombra que
pasa y no deja señal;
1809/ no hay lanza que burle toda clase de corazas ni que traspase
tanto como lo hace la escritura:
1813/ que la saeta se dispara hasta un blanco determinado, y la
letra alcanza desde Burgos a Egipto;
1817/ y la saeta hiere al ser vivo capaz de sensación, y la letra conquista así en vida como en muerte;
1821/ la saeta no llaga más que al que está presente: la escritura
llega hasta el que está ausente al otro lado del mar;
1825/ de una saeta le defiende a uno un escudo: de la letra ni el
mundo entero puede defenderlo.
1829/ A cada placr le señalan los sabios un tiempo de duración determinado; a partir de ahí, van disminuyendo continuamente:

1833   plazer de nuevo paño,
                quanto un mes; después
                toda vía a daño
                va, fasta roto es;

1837   un año casa nueva,
                en quanto la llanilla
                es blanca, fasta llueva
                e torne amarilla.

1841   Demás, que es natura
                del omre enojarse
                de lo que mucho tura
                e con ello quexarse:

1845   por tal de mudar cosa
                nueva de cada día,
                por poco la fermosa
                por fea canbiaría.

                      •

1849   Plazer que toma omre
                con quien lo non entiende
                'medio plazer' ha nomre,
                e turar nunca puede:

1853   pues la cosa non sabe
                que con ella me plaze,
                que tur' o que s' acabe,
                dello fuerça non faze;

1857   mas la que entendiere
                que della he plazer,
                fará quanto pudiere
                por l' acreçer fazer.

1833/ el placer de la ropa nueva, algo así como un mes; desde ese punto, de continuo va estropeándose, hasta que queda rota;
1837/ un año <el placer de> la casa nueva, en tanto que el revoco de las paredes está blanco, hasta que llueva y se ponga amarillo.
1841/ Aparte de eso, que es condición natural del hombre aburrirse con lo que dura mucho y sentirse agobiado de ello:
1845/ con tal de mudar cada día lo viejo por lo nuevo, a la menor estaría dispuesto a cambiar la hermosa por la fea.
1849/ El placer que disfruta uno con quien no se da cuenta de ello merece el nombre de 'medio placer', y nunca puede durar:
1853/ como la cosa no sabe que con ella siento gusto, no se le da mucho de que dure <el placer> o que se acabe;
1857/ en cambio, aquélla que entienda que de ella siento placer, hará todo lo que pueda por hacerlo acrecentarse.

1861   Por aquesto falleçe
             el plazer corporal
             sienpre, e el que creçe
             es el espritüal.

1865   Tristeza yo non siento
             que más me faz' quemar
             que plazer que so çierto
             que s' ha de atemar.

1869   Turable plazer puedo
             dezir del buen amigo:
             lo que me diz' entiendo,
             e él lo que l' yo digo;

1873   muy gran plazer en que
             me entiende me faze,
             e más porque sé que
             de mi plazer le plaze;

1877   deprendo toda vía
             dél buen entendimiento;
             él de mí, cada día
             nuevo departimiento.

                        •

1881   El Sabio, que de glosas
             çient afazer nos cueda,
             dize que de las cosas
             que son d' una moneda

1885   en mundo non avía
             —nin sobre fierro oro—
             tan granda mejoría
             comm' omre sobre otro:

1861/ Por eso siempre el placer corporal decae y disminuye, y el que
crece es el espiritual.
1865/ No conozco yo tristeza que más me haga consumirme que <la
de> un placer que estoy cierto que se ha de terminar.
1869/ Placer duradero puedo llamar al del buen amigo: entiendo lo
que me dice y él lo que yo le digo;
1873/ muy gran placer me da con el hecho de que me entiende, y
más aún porque sé que se siente con mi placer placer;
1877/ de continuo estoy aprendiendo de él buena inteligencia; él de
mí, cada día nuevos modos de trato y conversación.
1881/ El Sabio, cuyas palabras es nuestra intención parafrasear en
cien glosas, dice que de entre todas las cosas que son de una misma
categoría
1885/ no había en el mundo ninguna —ni aunque fuera el oro respecto al hierro— <entre las que hubiera> tanta diferencia de valía
como de un hombre respecto a otro:

1889   «Ca el mejor cavallo
        del mundo non val' çiento,
        e un omre» diz' «fallo
        que val' d' otros un cuento».

1893   Onça de mejoría
        de lo espritüal
        conprar non se podría
        con quant' el mundo val'.

1897   Todos los corporales
        de sin entendimiento
        —mayormente metales,
        que non han sentimiento—,

1901   todas sus mejorías
        pueden poco montar,
        e en muy pocos días
        se pueden escontar.

1905   Las cosas de sin lengua
        e sin entendimiento,
        su plazer va a mengua
        e a falleçimiento,

1909   desque a desdezir
        su apostura venga;
        que non saben dezir
        cosa que la mantenga.

1913   Por esso el plazer
        del omre creçer deve
        por dezir e fazer
        cosa que lo renueve.

●

1889/ «Pues el mejor caballo del mundo no vale por ciento, y un hombre» dice «veo que vale por un millón de otros».
1893/ Una onza de ventaja de valía espiritual no podría comprarse con todo el dinero que el mundo valga.
1897/ Todos los elementos corporales carentes de entendimiento —cuanto más los metales, que ni siquiera tienen sensación—,
1901/ todas sus diferencias de valor a poco pueden montar, y en muy pocos días pueden anularse.
1905/ Las cosas que son sin lengua y sin entendimiento, el placer que dan viene a menguar y a desaparecer,
1909/ desde el punto que la hermosura de su composición da en desfigurarse; que ellas no saben decir nada para mantenerla.
1913/ Por eso el placer del hombre debe acrecentarse por el procedimiento de decir y hacer algo que lo renueve.

1917   El omre de metales   442
            dos es cofaçionado,
            metales desiguales,
            un' vil e otr' onrrado,

1921   el uno terrenal   443
            —en él bestia semeja—,
            otro çelestrïal
            —con ángel l' apareja—:

1925   en que come e beve   444
            semeja animalla:
            assí muere e bive
            commo bestia, sin falla;

1929   e 'nel entendimiento   445
            commo el ángel es:
            non ha departimiento,
            si en cuerpo non fuess'.

                    •

1933   Quien peso d' un dinero   446
            ha más d' entendimiento,
            por aquello señero
            val' un omre por çiento;

1937   ca d' aquel cabo tiene   447
            todo su bien el omre:
            d' aquella part' le viene
            toda buena costumre,

1941   mesura e franqueza   448
            e bien seso saber,
            cordura e sinpleza
            e las cosas caber;

1917/ De dos metales está fabricado el hombre, metales de desigual
valor, uno bajo y otro noble,
1921/ el uno terrenal —en él se asemeja a la bestia—, otro celestial
—éste lo iguala con el ángel—:
1925/ en el hecho de que come y bebe se parece a un animal: así
es que muere y vive, sin duda alguna, como las bestias;
1929/ y en el entendimiento es como el ángel: no hay diferencia alguna entre ambos, si no fuera que está en un cuerpo.
1933/ Con que tenga el peso de un adarme de ventaja de inteligencia,
por eso solo destacadamente vale un hombre por ciento;
1937/ pues es por esa parte por donde tiene el hombre todo su bien;
de ese lado le viene toda virtud,
1941/ moderación y generosidad y entender con buen sentido, cordura
y sencillez y ser capaz de comprender las cosas;

1945   del otro cabo naçe
            toda la mala maña,
            e por allí le creçe
            la cobdiçia e saña;

1949   d' allí le vien' maliçia
            e la mala verdat,
            forniçio e dolençia,
            toda enfermedat,

1953   e engaños e arte
            e mala entinçión,
            que nunca dás' a parte
            'nel mal a condiçión.

1957   Por ende non falleçe
            plazer que conpañía
            d' omres siemre, e creçe
            e va a mejoría:

1961   plaz' a omre con ellos
            e a ellos con él;
            entiende él a ellos,
            ellos tan bien a él.

                    ●●

1965   Por aquesto conpaña
            d'amigo entendudo,
            alegría tamaña
            non pued' aver en mundo.

1969   Pero amigo claro,
            liso e verdadero,
            es de fallar muy caro,
            non se vend' a dinero:

1945/ del otro lado nacen todas las malas cualidades, y por allí le
surge la codicia y la ira;
1949/ de allí le viene la malicia y la falsedad, fornicación y dolencia,
toda clase de enfermedades,
1953/ y engaños y artimañas y la mala intención, que nunca se entrega
bajo condición ni límite a participación en el mal.
1957/ Por tanto, no decae placer que siembre la compañía de hombres, sino que crece y va para mejor:
1961/ tiene uno placer con ellos y ellos con uno; él los entiende a
ellos, igualmente ellos a él.
1965/ Por eso es que como la compañía de un amigo inteligente no
puede haber en el mundo alegría tan grande.
1969/ Ahora bien, un amigo claro, llano y verdadero, es cosa muy
cara de encontrar, no se vende por dinero:

1973   comm' es grav' de topar
            en conplissión egual,
            de fallar es su par
            buen amigo leal.

1977   Amigo de la buena
            andança, quando creçe,
            luego assí se torna
            quando ella falleçe.

                         •

1981   Amigo que t' loar'
            de bien que non fezieste,
            non deves dél fiar:
            que mal que non obreste

1985   afeártelo ha
            enpués tí —cierto seas.
            Qui por costumre ha
            de lisonjar, no l' creas:

1989   por lisonjarte quien
            te dixier' d' otro mal,
            a otros atán bien
            dirá de tí ál tal.

1993   El omre lisonjero
            miente a cada uno;
            ca amor verdadero
            non lo ha con ninguno;

1997   anda joyas faziendo
            del mal déste a éste:
            mal del uno diziendo
            faz' al otro presente.

1973/ así como es difícil dar con <uno que sea> igual en las facciones, parecido de difícil es encontrar un buen amigo leal.
1977/ El amigo de los tiempos de prosperidad, cuando ella está cre-
ciendo, lo mismo se da la vuelta enseguida cuando va decayendo.
1981/ Amigo que te alabe por algo bueno que no hiciste, no debes
fiarte de él: que lo malo que no hayas hecho
1985/ te lo ha de reprochar a tus espaldas — estate seguro. Al que
tiene por costumbre adular no le creas nada:
1989/ quien por adularte te hable mal de otro, igualmente a otros
les dirá de ti otra cosa por el estilo.
1993/ El hombre lisonjero le va mintiendo a cada cual; pues amor
de veras no lo tiene con ninguno;
1997/ le anda haciendo gracias del mal del uno al otro: hablando
mal de uno le hace a otro regalo.

2001   Tal omre nunca cojas   463
          jamás en tu conpaña,
          que con las sus lisonjas
          a los omres engaña.

                    •

2005   Quien buena ermandat   464
          aprenderla quisiesse
          e buena amizdat
          usar sabor oviesse,

2009   sienpre meter devía   465
          mientes en las tigeras,
          e dellas aprendría
          muchas buenas maneras;

2013   que quando meto mientes,   466
          cosas tan derecheras
          non fallo en las gentes
          commo son las tiseras:

2017   parten al que las parte,   467
          e non por se vengar,
          sinon con gran talante
          que han de se llegar;

2021   commo en río quedo   468
          el que s' metió entrellas
          entró, e el su dedo
          metió entre dos muelas.

2025   Quien mal reçibe dellas,   469
          él mesmo se lo busca,
          que de su grado dellas
          non buscarién mal nunca;

2001/ Semejante hombre no lo admitas jamás en tu compañía, que con sus lisonjas va engañando a los hombres.
2005/ Quien quisiera aprender lo que es buena hermandad y a la buena amistad tuviera gusto en acostumbrarse,
2009/ debería siempre fijarse en las tijeras, y muchas virtudes aprendería de ellas;
2013/ que cuando paro atención, no encuentro entre las personas cosa de tan derecho proceder como son las tijeras:
2017/ dividen al que las divide, y no por vengarse, sino con el gran deseo que tienen de juntarse;
2021/ el que entre ellas se metió, entró como en río manso, y he aquí que metió el dedo entre dos muelas de molino.
2025/ Quien de ellas recibe mal, él mismo se lo busca, que por su propia voluntad no tratarían de hacer mal nunca;

2029   desque d' entrellas sal',
            con tanto son pagadas,
            que nunca fazen mal
            en quanto son juntadas:

2033   yazen boca con boca
            e manos sobre manos;
            tan semejados nunca
            non vi yo dos ermanos;

2037   tan gran amor ovieron
            leal e verdadero
            que amas se çiñeron
            con un solo çintero.

2041   Por tal d' estar en uno
            sienpre amas a dos
            e fazer de dos uno,
            fazen de uno dos.

            ••
2045   Non ha mejor riqueza
            que buena ermandat
            nin tan mala pobreza
            commo la soledat.

2049   La soledat aduze
            mal pensamiento fuerte;
            por end' el Sabio dize
            «O conpaña o muerte».

2053   Pero atal podría
            seer que soledat
            más que ella valdría
            —ésta es la verdad;

2029/ en cuanto sale de entre ellas <el intruso>, con eso ya quedan
contentas, que nunca hacen mal mientras se las deja juntas:
2033/ acostadas se están boca con boca y mano sobre mano; nunca
vi dos hermanos tan bien emparejados;
2037/ tan gran amor se tuvieron, leal y verdadero, que ambas se ci-
ñeron con una sola cinta.
2041/ Con tal de estar ambas siempre juntas y hacer de dos uno, hacen de uno dos.
2045/ No hay riqueza mejor que una buena hermandad ni tan mala
pobreza como la soledad.
2049/ La soledad trae consigo negros y malos pensamientos; por eso
el Sabio dice «O compañía o muerte».
2053/ Sin embargo, tal podría ser <la compañía> que la soledad va-
liera más que ella — ésa es la verdad;

2057   ca conpaña <de omre—   *478*
            de quant' en mundo es
            non mayor pesadunbre>
            fallo <seer avés>.

2061   Non digo por pariente   *479*
            o por amigo <viejo>,
            que conpaña de éste
            la he por bien <sobejo>:

2065   sabe mi voluntat,   *480*
            <non he con él çoçobra>;
            non tengo poridat
            que a él non <escubra>.

2069   Mas omre que pesado   *481*
            es, e en todo fecho
            quiere tal gasajado
            qu' en ancho en estrecho,

2073   yo al tal nin por ruego   *482*
            no l' querría fablar,
            quanto más tras mi fuego
            escuchar su parlar.

                    •

2077   Mal es la soledat,   *483*
            mas peor es conpaña
            de omre sin verdat
            que a omre engaña.

2081   Peor conpaña déstas,   *484*
            omre torpe pesado:
            querrié traer a cuestas
            albarda más de grado.

2057/ pues, de cuanto hay en el mundo, veo que apenas hay mayor
pesadumbre que la compañía de los hombres.
2061/ No lo digo por pariente o por amigo viejo, que la compañía
de éste la tengo por extremado bien:
2065/ sabe mi voluntad, no tengo inquietud con él, no tengo secreto
que a él no se lo descubra.
2069/ Pero el hombre que es pesado y que en todo trato y momento
reclama las mismas atenciones en la estrechura que en la abundancia,
2073/ yo a semejante hombre ni por favor querría hablarle, cuanto
menos escuchar su charla ante el fuego de mi hogar.
2077/ Cosa mala es la soledad, pero peor es la compañía de un
hombre sin verdad que lo engaña a uno.
2081/ Y peor que esas compañías, la de un hombre necio y pesado:
con más gusto preferiría traer una albarda a cuestas.

2085   Muévol' yo pleitesía
        por tal que m' dexe: «Asse»
        dígol' (que non querría
        que por mí s' estorvasse):

2089   «Idvos en ora buena
        librar vuestra fazienda:
        quiçá que pro alguna
        vos verná a la tienda»;

2093   él diz «Por bien non tenga
        Dios que solo finquedes,
        fasta conpaña venga
        otra con quien fabledes»;

2097   él cuida que plazer
        me faze su conpaña:
        yo querrié más yazer
        solo en la montaña,

2101   yazer en la montaña
        a peligro de sierpes,
        e non entre conpaña
        d' omres pesados torpes;

2105   él cuida que en irse
        serié desmesurado,
        e yo temo caerse
        connusco el sobrado;

2109   ca de los sus enojos
        estó ya tan cargado
        que fascas en mis ojos
        só más que él pesado.

                    •

2085/ Le hago yo ceremonias con tal de que me deje: «Asse» le digo
(esto es, que no querría que se molestase por mi culpa):
2089/ «Váyase usted con toda confianza a resolver sus asuntos: a lo
mejor se le presenta en la tienda alguna ocasión provechosa»;
2093/ dice él «No lo permita Dios que se quede usted solo, hasta que
venga otra compañía con la que pueda hablar»;
2097/ él se cree que su compañía me da placer: yo preferiría estar
tendido solo en la montaña,
2101/ tirado en la montaña expuesto a las serpientes, y no entre compañía de hombres pesados necios;
2105/ él piensa que si se fuera sería descortés, y yo temo que se
caiga el sobrado encima de nosotros;
2109/ pues de sus fastidios estoy ya tan cargado que casi a mi parecer soy yo más pesado que él.

2113 E medio mal sería
      si él callar quisiesse:
      yo dél cuenta faría
      commo si poste fuesse,

2117 non dexaría nunca
      lo que quisiess' cuidar;
      mas él razones busca
      pora nunca quedar:

2121 no l' cunple dezir quantas
      vanidades<pes>cuda,
      mas fázeme preguntas
      neçias a que l' recuda;

2125 e querrié seer mudo
      ante que l' responder,
      e querrié seer sordo
      ante que l' entender.

2129 Çierto, es par de muerte
      la soledat, mas tal
      conpañón commo éste
      —estar solo más val'.

                    •

2133 E uno non es ido,
      catad otro dó llega:
      la mengua<del fu>ído
      el otro<faz' entrega;>

2137 quando uno se parte,
      pienso perder querella:
      viene por otra parte
      quien desfaze su fuella.

2113/ Y todavía sería medio mal si quisiera estarse callado: yo haría de él el mismo caso que si fuese un poste,
2117/ no dejaría por un momento de atender a lo que quisiera; pero él busca temas de conversación para no parar un instante:
2121/ no le basta con decir todas las vaciedades que se le ocurren, sino que me hace preguntas necias a las que tenga que contestarle;
2125/ y mejor querría yo ser mudo antes que responderle, y mejor ser sordo antes que escucharle.
2129/ Cierto que es semejante a la muerte la soledad, pero, con un acompañante como ése, más vale estar solo.
2133/ Y apenas uno se ha marchado, miren por dónde llega otro: lo que el saliente dejó a medias el entrante lo completa;
2137/ cuando se aleja el uno, pienso que va a acabar mi queja; viene por otra parte otro que borra su huella.

2141   Oí <cóm'> me <demanda>
        alegre a la puerta:
        non sab' si <en la fonda>
        yaze la muger muerta;

2145   él quiere buen senblante
        en todos de plazer,
        cosa sin catar ante
        de lo qu' ý pued' seer.

2149   Non basta el primero
        nin el día segundo,
        mas quier' en el terçero
        que se l' ría el mundo.

2153   Çierto es —non falleçe—
        proverbio toda vía:
        «El huésped' e el peçe
        fieden al terçer día».

                        •

2157   Demás de su enpacho,
        qu' enojado me dexa,
        d' otra cosa le tacho
        con que doblo mi quexa:

2161   que los de mi conpaña
        passarién con quequiera:
        por mostrarle fazaña,
        dóles yanta entera;

2165   ca en casa regida
        con la sazón convien'
        governarse la vida,
        oral mal, oras bien,

2141/ Oigan cómo pregunta por mí alegre a la puerta: no sabe
<siquiera> si en los aposentos tengo a la mujer de cuerpo presente;
2145/ él quiere encontrar en todos buena cara y gesto agradable, sin
mirar antes nada de lo que puede pasar allí.
2149/ No basta con el primer día ni con el segundo, sino que al tercero quiere que todo sean para él risas.
2153/ Cierto es el dicho en todos los casos, y no falla: «El huésped
y el pez al tercer día hieden».
2157/ Aparte del estorbo que me causa, que me deja aburrido, otra
cosa le reprocho con que mi molestia se redobla:
2161/ que es que la gente de mi casa se arreglaría con cualquier
cosa: por hacerle a él los honores, les doy comida de servicio completo;
2165/ que en una casa administrada conviene que el tren de vida se
regule según los tiempos, unas veces mal, otras bien,

2169   e siervo que mendrugo
               comerié de çenteno,
               por su causa madrugo
               a conprarle pan bueno;

2173   con la poca farina,
               dinero otro tal,
               descubrióse aína
               el suelo del cabdal.

2177   Si vendí mi ganado
               por mengua de çevada,
               él, de rezién llegado,
               non cuida desto nada:

2181   quiere que su cavallo
               buen aparejo falle;
               yo con vergüença callo,
               passeando la calle

2185   por ver algunt vezino
               si m' quier' dar de la paja
               a troque d' algunt vino,
               çelando la baraja;

2189   ca la muger si <esma>
               que <a la > busca <salgo>,
               çierto era que <çisma>
               me fincava en pago.

●●●

2193   Si mal es estar solo,
               peor tal conpañía.
               E bien cunplido ¿dólo?;
               ¿fallar quién lo podría?

2169/ y he aquí que a un siervo que comería si no un mendrugo de
çenteno por causa del huésped madrugo a comprarle pan bueno;
2173/ con la poca harina que había, y dinero otro que tal, pronto
quedó al descubierto el fondo de la bolsa.
2177/ Si tuve que vender mi ganado por falta de cebada, él, recién
llegado como está, no se preocupa para nada de eso:
2181/ él quiere que su caballo encuentre todo bien a punto; yo me
callo avergonzado, yendo a pasear la calle
2185/ a ver si algún vecino quiere darme paja a trueque de algo de
vino, ocultando el cambalache;
2189/ pues si la mujer se huele que así salgo a la busca, era seguro
que por pago me quedaba bronca en casa.
2193/ Si malo es estar solo, peor tal compañía. Y bien completo
¿dónde lo hay?; ¿quién podría encontrarlo?

2197   Non ha del todo cosa
          mala nin toda buena.
          Más que suya fermosa
          querrié fea agena

2201   omre, que non cobdiçia
          si non lo que non tiene,
          e luego lo despreçia
          desque a mano l' viene.

2205   Suma de la razón,
          non ha en mundo cosa
          que non aya sazón,
          quier fea, quier fermosa;

2209   pero, lo que es los omres,
          todos en general
          loan de las costumbres
          sienpre lo comunal.

                    ●●

2213   Mal es mucho fablar,
          mas peor seer mudo;
          ca non fué por' callar
          la lengua, segunt cuido.

2217   Pero la mejoría
          del callar non podemos
          negar, mas toda vía
          convien' que la contemos:

2221   porque la miatad ende
          quant' oyér'mos fablemos,
          una lengua por ende,
          dos orejas avemos.

2197/ No hay cosa del todo mala ni toda buena. Más que la suya hermosa querría la fea ajena
2201/ uno, que no desea sino lo que no tiene, y enseguida lo desprecia en cuanto le viene a las manos.
2205/ Resumen del discurso: no hay cosa en el mundo que no tenga
su tiempo propio, sea fea, sea hermosa;
2209/ pero, en lo que a los hombres toca, todos en general alaban
siempre en las cualidades y comportamientos lo que es medio y común.
2213/ Malo es hablar mucho, pero peor estar mudo; que no se hizo
la lengua para callar, a lo que pienso.
2217/ Sin embargo, las ventajas del callar no podemos negarlas, sino
que es bien que las enumeremos sin cesar:
2221/ para que hablemos la mitad de todo lo que oigamos, por eso
tenemos una lengua y dos orejas.

2225   Quien mucho quier' fablar
        sin gran sabiduría,
        çierto en se callar
        mejor barataría.

                    ·

2229   El Sabio, que loar
        el callar bien quería
        e 'l fablar afear,
        esta razón dezía:

2233   «Si fuesse el fablar
        de plata figurado,
        figurarié 'l callar
        de oro apurado.

2237   De bienes del callar,
        la paz uno de çiento;
        de males del fablar
        el menor es el riebto»;

2241   e dizié más, a buelta
        de mucha mejoría
        qu' el callar ha, que ésta
        sobrel fablar avía:

2245   sus orejas fazían
        pro solament' a él;
        de su lengua avían
        los otros pro, non él:

2249   «Conteçe al qu' escucha
        a mí, quando yo fablo,
        qu' él del bien s' aprovecha,
        e riébtame lo malo»;

2225/ Quien mucho quiere hablar sin gran sabiduría, seguro que no
callarse haría mejor negocio.
2229/ El Sabio, que bien quería alabar el callar y el hablar denigrarlo
decía estas razones:
2233/ «Si el hablar se representara como plata, se representaría el
callar como oro acrisolado.
2237/ De los bienes del callar la paz es uno entre ciento; de los
males del hablar el menor es la censura <a que se expone>»;
2241/ y decía también, junto con muchas ventajas que el callar tiene,
que tenía la siguiente sobre el hablar:
2245/ que sus orejas le traían provecho solamente a él; de su lengua
sacaban provecho los otros, que él no:
2249/ «Sucede con el que me escucha a mí cuando estoy hablando que
él se aprovecha de lo bueno y me censura lo malo»;

2253 el Sabio por aquesta
    razón callar quería,
    porque su fabla presta
    sól' al que la oía;

2257 e querié castigarse
    en otro él callando,
    más que se castigasse
    otro en él fablando.

       •

2261 Las bestias han afán
    e mal por non fablar,
    e los omres lo han
    lo más por non callar.

2265 El callar tienpo pierde,
    e no l' pierd' el fablar;
    por end' omre non puede
    perder por el callar:

2269 el que calló razón
    que l' cunpliera fablar,
    no l' menguará sazón,
    nin perdió por callar;

2273 mas quien fabló razón
    que deviera callar
    perdió ý ya sazón
    que non podrá cobrar.

2277 Lo que oy se callare
    pued' se lo cras fablar,
    mas lo que oy s' fablare
    ya non se pued' callar:

2253/ por esta razón el Sabio prefería callar, porque su habla le bene-
ficia sólo al que la oía;
2257/ y quería mejor sacar él enseñanza de otro, estándose callado,
que no que otro sacase enseñanza de él si hablaba.
2261/ Las bestias pasan afanes y males por no hablar, y los hombres
los pasan las más veces por no callar.
2265/ El callar se permite dejar pasar el momento, y no se lo permite el hablar; por eso no puede uno por callar perder nada;
2269/ el que calló palabras que le correspondía pronunciar, no le
faltará ocasión y nada ha perdido por callarse;
2273/ pero quien pronunció palabras que hubiera debido callar perdió con ello ya una ocasión que no podrá recobrar.
2277/ Lo que hoy se calle se puede decir mañana, pero lo que hoy se
diga no se puede ya callar:

2281   lo dicho dicho es;
        lo que dicho non has,
        dezirlo has después;
        si oy non, será cras.

                    •

2285   Fabla qu' ý non podemos
        ningún mal afeyar
        es la que espendemos
        en loar el callar.

2289   Pero, porque sepamos
        que non ha mal sin bien
        e bien e mal digamos
        a cab' ellos, si tien',

2293   pues atant' denostado
        el fablar ya avemos,
        seméjame guisado
        d' oy más que lo loemos;

2297   e, pues tanto avemos
        loado el callar,
        sus males contaremos,
        loando el fablar.

2301   Pues otro non lo loa,
        razón es que se loe;
        pues otro non l' aproa,
        que s' él mesmo aproe.

                    •

2305   Con el fablar dixiemos
        mucho bien del callar;
        callando non podemos
        dezir bien del fablar.

2281/ lo dicho dicho está; lo que no has dicho, lo dirás después;
si hoy no, mañana será.
2285/ Un habla que no podemos en ella censurar ningún vicio es la
que gastamos en alabar el callar.
2289/ Sin embargo, para que sepamos que no hay mal sin bien y
digamos el bien y el mal el uno con el otro, si cabe,
2293/ una vez que ya hemos criticado tanto el hablar, me parece razonable que de aquí en adelante lo alabemos;
2297/ y, ya que tanto hemos alabado el callar, contaremos sus males,
alabando el hablar.
2301/ Puesto que otro no lo alaba, es justo que se alabe; puesto que
otro no lo aprueba, que se apruebe él mismo.
2305/ Con el hablar dijimos mucho bien del callar; callando no podemos decir bien del hablar.

2309   Por ende es derecho
         que sus bienes contemos;
         ca bienes ha él fecho
         por que no l' olvidemos.

2313   Porque tod' omre vea
         que en el mundo cosa
         non ha del todo fea
         nin del todo fermosa,

2317   e el callar jamás
         del todo no l' loemos,
         si non fablás'mos, más
         que bestias non baldriemos;

2321   si los sabios callaran,
         el saber se perdiera;
         si ellos non fablaran,
         deçiplo non oviera.

2325   El fablar estrañamos
         por seer él muy noble
         e que pocos fallamos
         que l' sepan commo cunple;

2329   mas el que sabe bien
         fablar, non ha tal cosa:
         quien diz' lo que convien'
         e lo de más escusa

2333   por bien fablar onrrado
         será en toda plaça;
         por él será nomrado
         e ganará andança.

·

2309/ Por tanto, es justo que enumeremos sus bienes; pues tales bienes ha hecho él como para que no lo olvidemos.
2313/ Para que todo hombre vea que no hay cosa en el mundo ni del
todo fea ni del todo hermosa,
2317/ y nunca el callar lleguemos a alabar del todo, <piénsese que>
si no hablásemos, no valdríamos más que animales;
2321/ si los sabios callaran, el saber se perdería; si no hablaran ellos,
no habría discípulo.
2325/ El hablar lo rechazamos por ser él cosa muy noble y que hallamos pocos que lo sepan usar como es debido;
2329/ pero cuando uno sabe hablar bien, no hay cosa comparable:
quien dice lo que corresponde y lo demás lo elude,
2333/ por hablar bien recibirá honores en todas las plazas públicas;
por ello tendrá renombre y ganará prosperidad.

2337   Por razonarse bien
             es el omre amado
             e sin salario tien'
             los omres a mandado.

2341   Cosa de menos costa
             que tamaña pro tenga
             non ha commo respuesta
             buena, corta o luenga,

2345   nin tan fuerte gigante
             commo la lengua tierna
             e que assí quebrante
             a la saña la pierna.

2349   Ablanda la palabra
             buena la dura cosa,
             e la veluntad agra
             faz' dulçe e sabrosa.

                  •

2353   Si término oviesse
             el fablar devisado
             (que dezir non podiesse
             si non lo aguisado),

2357   en mundo non avría
             cosa tant' preçïada;
             la su gran mejoría
             non podrié ser contada;

2361   mas porque ha poder
             de mal se razonar,
             por end' el su perder
             es más qu' el su ganar;

2337/ Por discurrir bien se le ama al hombre y, sin pagarles salario, tiene a los hombres a su mandar.
2341/ Cosa de menos coste y que tenga tanta cuenta, no hay otra como la buena respuesta, sea corta o larga,
2345/ ni gigante tan fuerte como la lengua tierna y que pueda de tal modo quebrar las fuerzas de la ira.
2349/ La buena palabra ablanda la cosa dura, y torna dulce y agradable la voluntad áspera y agria.
2353/ Si el hablar tuviese unos límites bien marcados, de modo que no pudiese decir más que lo oportuno,
2357/ no habría en el mundo cosa tan preciada; sus grandes ventajas no podrían contarse;
2361/ pero, como tiene la posibilidad de explicar mal su pensamiento, por eso es que sus pérdidas son más que sus ganancias;

2365   que los torpes mil tanto
            son que los que entienden,
            e non saben en quánto
            peligro caer pueden.

2369   Por el fablar por ende
            es el callar loado,
            mas pora el qu' entiende
            mucho es denostado;

2373   ca el qu' aperçebir
            se sabe en su fabla,
            sus bienes escrevir
            —non los cabría tabla.

                        •

2377   Buenos nomres sabemos
            al fablar apellar
            quantos males podemos
            afeyar al callar:

2381   el fablar es clareza,
            el callar escureza;
            el fablar es franqueza
            e 'l callar escasseza,

2385   el fablar ligereza
            e el callar pereza,
            e el fablar riqueza
            e el callar pobreza,

2389   el callar torpedat
            e el fablar saber;
            e callar çeguedat,
            fablar vista aver.

2365/ que los brutos son mil veces más que los inteligentes, y no
saben en todos los peligros que pueden caer.
2369/ Así es que por medio del habla se alaba el silencio; pero, en
lo que toca al inteligente, merece mucha censura;
2373/ pues el que en su habla sabe mantenerse alerta, no habría tabla
de contabilidad en que cupiera la cuenta de sus beneficios.
2377/ Al hablar sabemos denominarlo por tantos buenos nombres cuantos son los males que al callar podemos reprocharle:
2381/ el hablar es claridad, el callar oscuridad; el hablar es generosidad y el callar avaricia,
2385/ el hablar prontitud y el callar lentitud, y el hablar riqueza y
el callar pobreza,
2389/ el callar necedad y el hablar sabiduría; y callar ceguera, hablar
tener visión.

2393   Cuerpo es el callar
e el fablar su alma;
omre es el fablar
e el callar su cama;

2397   el callar es dormir,
el fablar despertar;
el callar es premir,
el fablar levantar;

2401   el callar es tardada
e el fablar aína;
el fablar es espada
e 'l callar su vaína.

•

2405   Talega es callar,
e el algo que yaze
en ella es fablar,
que provecho non faze

2409   en quanto ençerrado
en ella estovier':
non será más onrrado
por ello cuyo fuer'.

2413   El callar es ninguno,
que non mereçe nomre;
el fablar es alguno:
por él es omre omre.

2417   Figura el fablar
al callar e a sí;
non sabe el callar
de otre nin de sí;

2393/ Cuerpo es el callar y el hablar su alma; hombre es el hablar y
el callar su cama;
2397/ el callar es dormir, el hablar despertar; el callar es reprimir
y rebajar, el hablar liberar y levantar;
2401/ el callar es tardanza y el hablar enseguida; el hablar es espada
y el callar su vaina.
2405/ Una bolsa es callar, y el dinero que hay en ella es hablar, que
no aprovecha para nada
2409/ en tanto que en ella esté encerrado: no recibirá por ello más
honores aquél de quien él sea.
2413/ El callar no es nadie, que no merece nombre; el hablar es alguien: por él es hombre uno.
2417/ El hablar representa al callar y a sí mismo; no sabe el callar
ni de otra cosa ni de sí mismo;

2421   el fablar sabe bien
                el callar razonar,
                que malguisado tien'
                de s' lo gualardonar.

                           ••

2425   Tal en toda costumre,
                si bien parares mientes,
                fallarás en tod' omre
                qué loes, qué denuestes.

2429   Segunt quál raíz tien',
                el árbol assí creçe:
                quál es omre o quién,
                en sus obras pareçe;

2433   qual talante oviere,
                tal rostro mostrará,
                e com' sesudo fuere,
                tal palabra dirá;

2437   qual ventura oviere,
                tal señor servirá;
                que, qual señor sirviere,
                tal gualardón avrá.

                           ••

2441   Sin tacha son falladas
                dos costumres señeras;
                amas son egualadas,
                que non han conpañeras:

2445   la una es saber,
                la otra bien fazer;
                quequier déstas aver
                es conplido plazer.

2421/ el hablar bien sabe discurrir sobre el callar, el cual mal avío
tiene de poder pagárselo.
2425/ Así en toda cualidad o comportamiento, si te fijas atentamente,
en cualquier hombre encontrarás qué alabar, qué censurar.
2429/ Según como sea la raíz que tiene, así es como crece el árbol:
cómo es o quién es uno, es cosa que en sus obras se manifiesta;
2433/ según como sea el genio y humor que tenga, así será la cara
que muestre, y según tenga de buen sentido, así serán las palabras
que diga;
2437/ según sea la fortuna que le toque, así será el señor al que
sirva; que, según el señor al que sirve sea, tal será la paga que
reciba.
2441/ Dos virtudes se encuentran que destacan como las únicas sin
tacha; ambas son iguales en dignidad, que no tienen otras de su
clase:
2445/ la una es saber, la otra hacer bien; tener cualquiera de ellas
es placer cumplido.

2449   De todo quanto faze
el omre se repiende;
con lo que oy le plaze,
cras toma pesar dende:

2453   plazer de la sçiençia
es conplido plazer;
obra sin rependençia
es la del bien fazer;

2457   quant' omre más aprende,
tanto más plazer tien',
e nunca se repiende
omre de fazer bien.

●●

2461   Omre que cuerdo fuere
sienpre s' reçelará
del gran bien que oviere;
mucho no l' fiará:

2465   ca el gran bien se puede
perder sin culpa d' omre,
e 'l saber no l' defiende
del sino de ser pobre.

2469   Pero el bien que dello
fizier' le fincará,
e por' sienpre aquello
guardado estará;

2473   e fíuzia non ponga
jamás en otro algo,
por mucho que lo tenga
bien parado e largo,

2449/ De todo lo que hace se arrepiente el hombre; con lo que hoy
se deleita, mañana siente pesar por ello:
2453/ el placer de la sabiduría es placer cumplido; obra sin arrepentimiento es la de hacer bien;
2457/ cuanto más aprende uno, tanto más placer recibe; y nunca de
hacer bien se arrepiente uno.
2461/ El hombre que sea cuerdo siempre desconfiará del gran bien
de que goce; no fiará de él mucho:
2465/ pues el gran bien puede perderse sin culpa de uno, y el saber
no le defiende de la suerte de ser pobre.
2469/ Pero el bien que con ello haga quedará con él, y eso es cosa
que por siempre estará guardada;
2473/ y no ponga confianza jamás en otra hacienda, por mucho que
la tenga abastecida y abundante,

2477   por razón que en mundo
                han las cosas çoçobras,
                e faz' much' a menudo
                cosas contrarias d' otras:

2481   toda vía, por quanto
                la rueda se trastorna,
                el follado çapato
                faz' egual de corona;

2485   cánbiase comm' el mar
                de ábrego a çierço;
                non pued' omre tomar
                en cosa dél esfuerço;

2489   non deve fiar sól'
                un punto de su obra:
                vezes lo pon' al sol
                e vezes a la sonbra.

•

2493   Sol claro plazentero
                la nuve faz' escuro:
                de un día entero
                non es omre seguro.

2497   De la sierra al val,
                de la nuv' al abismo,
                segunt lo ponen val',
                com' letra de guarismo:

2501   letra mesma que val'
                en este logar quatro,
                vale, quando dél sal',
                quarenta en estotro;

2477/ habida cuenta que en el mundo sufren trastornos las situacio-
nes, y muy a menudo hace cosas contrarias de las que hace otras
veces:
2481/ de continuo <sucede que,> por poco que la rueda gire, iguala
el zapato pisoteado con la corona;
2485/ se cambia como el mar del viento ábrego al cierzo; en cosa alguna de él puede uno poner empeño;
2489/ no debe ni por un momento fiar de sus acciones: a veces lo pone
al sol y a veces a la sombra.
2493/ Al sol claro y placentero la nube lo oscurece: ni de un día entero está uno seguro.
2497/ De la sierra al valle, de las nubes al abismo, según lo ponen
a uno, así vale, como cifra de un número:
2501/ la misma cifra que vale en este lugar cuatro, vale, cuando sale
de él, cuarenta en este otro;

2505   el omre más non val'
              nin monta: su persona
              dí' bien es e dí' ál,
              com' la 'spera s' trastorna,

2509   e omre que biltado
              es en su deçendida,
              esse mesmo onrrado
              es end' en la sobida.

•

2513   Por esso a menudo
              el omre entendido
              a los canbios del mundo
              esté bien perçebido.

2517   Non temen apellido
              omres aperçebidos:
              más val' un perçebido
              que muchos engeridos.

2521   Omre cuerdo non ría
              quand' entronpeçar' otre,
              nin tome alegría
              de su pesar: pues omre

2525   seguro non ha tal
              qu' a él non acaesca;
              nin s' alegre del mal
              que a otre contesca,

2529   e aver alegría
              sin pesar nunca cuide,
              commo sin noche día
              jamás aver non puede.

•

2505/ no vale más que eso ni a más asciende el hombre: su persona
un día está bien y otro día mal, tal como la esfera gira,
2509/ y un hombre que en el descenso de la esfera se ve rebajado,
ese mismo luego en su ascenso se ve lleno de honores.
2513/ Por eso, en cada momento estése el hombre inteligente bien
prevenido a los canbios del mundo.
2517/ No temen llamada a las armas los hombres prevenidos; un prevenido vale más que muchos acorazados.
2521/ No ría el hombre cuerdo cuando tropiece otro, ni saque alegría
de su pesar: pues uno
2525/ no tiene seguridad de que no vaya a sucederle a él lo mismo;
ni se alegre del mal que a otro le sobrevenga,
2529/ y no piense nunca que va a tener alegría sin dolor, lo mismo
que sin noche jamás puede haber día.

2533   La merçed de Dios sola
es la fïuzia çierta;
otra ninguna ¿dóla
en mundo, que non mienta?

2537   De lo que a Dios plaze
nos pesar non tomemos:
bien es quanto él faze,
e nos no l' entendemos.

2541   Al omre más le dió
e de mejor mercado
de lo qu' él entendió
que l' era más forçado;

2545   de lo que más provecha,
d' aquello más avemos:
por end' del agua mucha
e del aire tenemos;

2549   sin fuego omre vida
un punto non avría,
e sin fierro guarida
jamás non fallaría

2553   (sin fuego e sin reja
del pan nunca comriemos;
lo nuestro sin çerraja
e llav' non guardariemos):

2557   pues mil tanto del fierro
que del oro fallamos,
porque salvos de yerro
unos d' otros seamos.

••

2533/ Sólo la gracia de Dios es <base de> confianza cierta; otra ninguna ¿dónde la hay en el mundo que no sea engañosa?
2537/ De lo que a Dios le place no recibamos pesar nosotros: bien está cuanto El hace, y nosotros no lo entendemos.
2541/ Al hombre le dió más cantidad y a más barato coste de aquello que El comprendió que le era más necesario;
2545/ de lo que más provechoso es, de eso tenemos más: por eso poseemos mucha cantidad de agua y mucha de aire;
2549/ sin fuego no habría hombre que se mantuviera en vida por un momento, y sin hierro jamás encontraría manera de salvarse
2553/ (sin fuego y sin reja de arado nunca comeríamos pan; sin cerradura y llave no podríamos guardar lo nuestro):
2557/ pues bien, mil veces más cantidad encontramos de hierro que de oro, a fin de que a salvo estemos los unos del mal que puedan hacer los otros.

2561   Del mundo mal dezimos,
     e en él otro mal
     non ha si non nos mismos,
     nin vestiglos nin ál.

2565   El mundo non tien' ojo,
     nin entiende fazer
     a un omre enojo
     e a otro plazer.

2569   Razónal' cada uno
     segunt la su fazienda,
     e non ha con ninguno
     amistad nin contienda:

2573   ni s' paga ni s' ensaña
     nin ama nin desama,
     nin ha ninguna maña,
     nin responde nin llama.

2577   Él uno toda vía
     es quand' es denostado
     atal commo el día
     que es mucho loado.

2581   El viçioso razónal'
     bien, tién'lo por amigo;
     el cuitado baldónal',
     tién'lo por enemigo;

2585   non le fallan ningunt
     canbio los sabidores:
     los canbios son segunt
     son los reçebidores;

2561/ Hablamos mal del mundo, y en él no hay otro mal sino nosotros mismos, ni fantasmas o monstruos ni nada más.
2565/ El mundo no tiene ojos, ni tiene intención de causarle a un
hombre molestias y a otro placer.
2569/ Cada uno cuenta de él según como van sus asuntos, y él con
ninguno tiene ni amistad ni guerra:
2573/ ni se complace en nada ni con nada se enoja, ni siente amor
ni desamor, ni tiene cualidad moral alguna, ni responde ni llama.
2577/ El es uno mismo continuamente, cuando se le insulta lo mismo
que el día que se le alaba mucho.
2581/ El gozoso cuenta bien de él, lo tiene por amigo; el desdichado
lo denigra, lo considera enemigo;
2585/ los entendidos no encuentran en él cambio alguno: los cambios
son según son los que reciben sus efectos;

2589 la espera del çielo
    non los faz', que no s' meçe
    más por amor, nin çelo
    de cosa no l' recreçe.

       •

2593 So 'l çielo toda vía
    ençerrados yazemos:
    fázenos noch' e día,
    e nos ál non sabemos.

2597 A esta lueñ' trïera
    'mundo' posimos nomre:
    si verdat o mentira,
    dél más non sabe omre,

2601 e ningunt sabidor
    no l' sopo nomre çierto,
    si non que contador
    es de su meçimiento:

2605 peones que camino
    uno anda, en quanto
    tienpo el otro vino,
    gran jornada dos tanto,

2609 él el tienpo lo cuenta,
    qu' el del un' meçimiento
    a él dos tanto monta
    qu' el del otro, por çierto.

       •

2613 Él sienpre uno es;
    mas todos los naçidos,
    commo faz e envés,
    assí son departidos:

2589/ no es la esfera del cielo la que produce esos cambios, que ella
no se mueve más de prisa por amor, ni envidia le entra de cosa
alguna.
2593/ Bajo el cielo de continuo nos hallamos encerrados: él nos hace
noche y nos hace día, y nosotros no sabemos más cosa.
2597/ A esta distante trilladera le pusimos por nombre 'mundo': si es
verdad o si es mentira, uno no sabe nada más de él,
2601/ y ningún sabio le supo dar un nombre cierto, sino que se limita
a ser computador de su movimiento:
2605/ <observando dos> caminantes, de los que el uno anda de camino, en el tiempo que el otro ha llegado <a un punto determinado>
una jornada doble de larga,
2609/ él el tiempo lo cuenta, <a saber,> que el movimiento o velocidad
del uno monta para él a dos veces lo que el del otro, sin duda alguna.
2613/ El es siempre uno mismo, pero todos los nacidos están en
<mutua> oposición, como cara y cruz de una moneda:

2617   lo que a éste tien'
     pro, tien' a éste daño,
     e do ést' el su bien,
     toma ést' ý agravio.

2621   E torpe non es él
     nin ha entendimiento;
     mal e bien dizen dél
     sin su mereçimiento.

2625   El día con que plaze
     al que va entregar
     su debda, pesar faze
     al que ha de pagar;

2629   e 'l día uno es
     mesmo: non se canbió
     quand' dél éste revés
     destotro reçibió.

2633   E el mundo es en
     un egual todo tienpo,
     e el omre tan bien
     uno es en su cuerpo:

2637   su talente se canbia
     de alegre a triste;
     éste mucho s' agravia
     de lo que plaz' a éste.

2641   A los querellos dél
     o pagados tan bien
     mal nin bien non faz' él:
     de sí mesmos les vien'.

••

2617/ lo que a éste le tiene cuenta, a éste otro le causa daño, y
donde éste encuentra su beneficio, allí éste otro recibe ofensa.
2621/ Y el mundo de por sí ni es necio ni tiene inteligencia; mal y
bien hablan de él sin que él lo merezca.
2625/ La fecha con se alegra el que va a reintegrar <a su capital>
la deuda, le produce dolor al que tiene que pagarla;
2629/ y ese día es uno y el mismo: no sufrió cambio cuando éste
recibió de él lo contrario que éste otro.
2633/ Y el mundo está en un igual estado en todo tiempo, y así también el hombre es en su cuerpo uno y el mismo:
2637/ es su humor el que cambia de alegre a triste; éste se ofende
mucho con lo que a éste le agrada.
2641/ A los quejosos de él o lo mismo a los contentos él no les hace
ni mal ni bien: de sí mismos les viene.

2645   El omre mesmo busca
su mal con su maliçia,
non se fartando nunca
con çelo o cobdiçia.

2649   Com' el omre tal cosa
en mundo peligrosa
non ha, ni tan dañosa
nin tan malefiçiosa.

2653   Las bestias, desque s' fartan,
con tanto son pagadas;
por fazer mal non catan,
e están sossegadas:

2657   quand' el omre famriento
está, roba e mata,
e males más de çiento
faze de que se farta;

2661   ca non se tien' por farto
si non con famre d' otro
nin por rico en quanto
otro non pierde cobro:

2665   no l' plaz' con quanto gana,
si tanto non falleçe
al otr', o en que sana,
si otro non pereçe;

2669   fartar nunca se puede
con mil quintales d' oro,
si el otro non pierde
el oro e el moro.

•

2645/ El hombre mismo se busca su mal con su mala condición, al no
satisfacerse nunca, por envidia o por codicia.
2649/ No hay en el mundo cosa tal como el hombre de peligrosa, ni
tan dañina ni tan malhechora.
2653/ Las bestias, desde el momento que se hartan, con solo eso se
quedan ya contentas; no andan mirando cómo hacer mal, y se están
tranquilas:
2657/ el hombre, cuando está hambriento, roba y mata, y más de
cien maldades hace una vez que se harta;
2661/ pues no se da por harto más que con el hambre de otro ni por
rico en tanto que otro no pierda su ganancia:
2665/ no se alegra con todo lo que gana si otro tanto no le falta al
otro, ni con el hecho de estar sano, si no hay otro que perece;
2669/ ni con mil quintales de oro puede nunca hartarse, si el otro no
pierde el oro y el moro.

2673   Las bestias e las aves
        una d' otra non temen,
        nin han menester llaves
        con miedo qué les tomen.

2677   Al mulo su cubierta,
        quando fuer' desçinchada,
        si omre non la furta,
        ý estará guardada;

2681   de noch' en el establo
        quier' folgado estar,
        quando el omre malo
        entonçe va furtar.

2685   Omre la su arqueta
        de çerrar olvidando,
        quanto en ella meta,
        todo l' será furtado;

2689   a los sus omres tenga
        ojo, e bien los cuente,
        sin que de fuera venga
        otro que ge lo furte.

2693   Por esto armaduras
        el omr' ha menester
        e de so çerraduras
        el su algo meter,

2697   porque de las maliçias
        de los malos se guarde
        e de las sus cobdiçias
        malas seguro ande.

●●●

2673/ Las bestias y las aves no tienen miedo una de otra, ni les hacen
falta llaves por el miedo de qué pueden cogerles.
2677/ Para el mulo su albarda, una vez que se la descinchen, si un
hombre no la hurta, allí se estará guardada;
2681/ él de noche lo que quiere es estar a gusto en su establo, en
tanto que el hombre malo va a esas horas a robar.
2685/ En olvidando un hombre de cerrar su cofre, cuanto en él meta,
todo se lo robarán;
2689/ ya puede tener ojo con sus hombres y recontarlos bien, eso sin
contar con que venga de fuera otro que se lo hurte.
2693/ Por eso tiene el hombre necesidad de armamentos y de meter
su hacienda bajo cerraduras,
2697/ para guardarse de las maldades de los malos y para andar seguro de sus malas codicias.

2701   Non vi yo mejor pieça
        de paño figurado
        nin bïato por fuerça,
        nin vi mejor mezclado,

2705   nin az de dientes blancos
        entre beços bermejos,
        que con los fuertes flacos
        e con mançebos viejos

2709   mantener avenidos
        en onrra e en paz:
        sus fechos son conplidos
        del rey que esto faz';

2713   con el bueno trebeja
        e al malo enpoxa;
        defiende la oveja
        e la cabrilla coxa

2717   del lobo e del zebro;
        ¿por qué alongaremos?:
        al noble rey don Pedro
        estas mañas veemos:

2721   toda la suma dellas
        en él es muy entera;
        sus mañas son estrellas
        e él es la espera

2725   del çielo, que sostiene
        a derecho la tierra.
        A los buenos mantiene,
        a los malos atierra;

2701/ No vi yo nunca mejor pieza de tela entretejida de diseños ni
terciopelo listado por fuerza de doble trama ni vi mejor género de
mezcla,
2705/ ni sarta de dientes blancos entre labios colorados, <que parez-
can mejor> que débiles con fuertes y con jóvenes viejos
2709/ mantener avenidos en respeto y en paz: bien cabal es la obra
del rey que esto consigue;
2713/ con el bueno se afana y al malo lo rechaza; defiende a la oveja
y a la cabrilla coja
2717/ del lobo y del cabrón montés; ¿para qué alargarnos?: en el noble rey don Pedro ésas son las costumbres y virtudes que vemos:
2721/ todo el conjunto de ellas está en él bien completo; sus virtudes
son estrellas y él es la esfera
2725/ del cielo, que sostiene en equilibrio la tierra. A los buenos los
sostiene, a los malos los derriba;

2729   si él solo del mundo
        fuesse la mano diestra,
        de mil reyes —bien cuido—
        no s' farié la siniestra.

                        •

2733   Es meatad muy fea
        poder con desmesura;
        nunca Dios quier' que sea
        luenga tal vestidura,

2737   que si muy luenga fuesse,
        muchas acortaría,
        e el que la vistiesse
        muchos despojaría.

2741   El poder con mesura
        es cosa muy apuesta,
        comm' en rostro blancura
        con bermejura buelta,

2745   mesura, que levanta
        sinpleza e cordura,
        e poder, que quebranta
        sobervia e locura.

2749   Dos son mantenimiento
        mundanal: una, ley,
        que es ordenamiento,
        e la otra, el rey,

2753   que l' puso Dios por guarda
        que ninguno non vaya
        contra lo que Dios manda
        (si non, en pena caya),

2729/ si él solo fuese la mano derecha del mundo, con <otros> mil
reyes —estoy seguro— no se podría hacer la izquierda.
2733/ Es una mitad muy fea la de poder con desenfreno; no quiera
nunca Dios que sea larga semejante vestidura,
2737/ que si fuese muy larga, muchas <otras> acortaría, y el que la
vistiera desnudaría a muchos.
2741/ El poder con templanza es cosa muy hermosa, como en una cara
la blancura revuelta con la grana,
2745/ la templanza, que enaltece a la sencillez y a la cordura, y el
poder, que quebranta a la soberbia y a la demencia.
2749/ Dos cosas hay que son sostén del mundo: una, la Ley, que es
ordenamiento, y la otra, el Rey,
2753/ a quien puso Dios como guardián de que nadie vaya contra
lo que Dios manda (y si no, que incurra en castigo),

2757   por guardar que las gentes
            de fazer mal se <teman,>
            e que los omres fuertes
            a los flacos non coman.

                          ••

2761   Dé Dios vida al rey
            nuestro mantenedor,
            que guarda desta grey
            es e defendedor;

2765   las gentes de su tierra
            todas a su serviçio
            traya; aparte guerra
            della e mal bolliçio;

2769   e la merçed qu' el noble
            su padre prometió
            la terná, commo cunple,
            a Santob el judió.

2757/ para vigilar que las gentes por temor se guarden de hacer mal,
y que los hombres fuertes no se coman a los débiles.
2761/ Dios le dé vida al Rey, sustentador nuestro, que es guarda y
defensor de este rebaño;
2765/ que traiga a las gentes de su tierra sometidas todas a su servicio; que aparte de ella guerra y malas revueltas;
2769/ y la merced que su noble padre había prometido se la mantendrá, como es debido, a Santob el judío.

<OTRAS RIMAS>

<II>

<RESPUESTA DE LAS CANAS>

1   Las mis canas teñílas,
non por' aborreçer
las nin, por desdezirlas,
mançebo pareçer,

5   mas con miedo sobejo
d' omres, que buscarían
en mí seso de viejo,
e non lo fallarían.

<III>

<LOA DE LA PLUMA>

1   Tod' omre de verdat
e bueno es debdor
de contar la bondat
de su buen servidor,

1/ Si me teñí las canas, no fué para renegar de ellas ni, disimulándo-
las, parecer joven,
5/ sino con temor harto grande de los hombres que habían de buscar en mí juicio de viejo, y que no lo encontrarían.
1/ Todo hombre amante de la verdad y bueno está obligado a refe-
rir las buenas cualidades de su buen servidor,

5   quand' serviesse por preçio
       o por buen gualardón,
       mayormente serviçio
       que lo sierbe en don.

9   Por end' un serviçial
       de que mucho me preçio,
       quiero —tant' es leal—
       contar el su bolliçio;

13   ca debdor só forçado
       del gran bien conoçer
       que m' ha adelantado
       sin ge lo mereçer.

17   Non podrié enmentar
       nin sabrié en un año
       su serbiçio contar
       quál es e quán estraño:

21   sierbe, boca callando,
       sin fazer grandes nuevas,
       serbiçio muy granado,
       e sin ningunas biervas;

25   cosa maravillosa
       e milagro muy fuerte:
       sin yo le dezir cosa,
       faze él mi talente;

29   con él seer yo mudo
       non me podrié noçir,
       que faz' quanto yo cuido,
       sin ge lo yo dezir.

5/ aun en caso de que le sirviera por paga o por buena recompensa,
cuanto más < si se trata de > un servicio que presta gratuitamente.
9/ Por tanto, de un criado mío que tengo en mucha estima quiero
—a tal punto es leal— contar las actividades;
13/ pues en obligada deuda estoy con él de reconocer el mucho bien
que me ha hecho por adelantado, sin hacerle yo méritos para ello.
17/ No podría yo expresar ni sabría contar en un año cómo es su servicio y qué asombroso:
21/ cumple él, con la boca muda, sin hacer grandes extremos, un
servicio muy notable, y sin charla ni palabra alguna;
25/ cosa maravillosa y milagro muy grande: sin decirle yo nada, él
cumple mi deseo;
29/ con él no me podría perjudicar el que me quedara mudo, que hace
todo lo que pienso sin necesidad de que se lo diga.

33   Non dezir e fazer
        es serviçio loado
        con que tome plazer
        todo señor granado;

37   ca quanto omre creçe
        en dezir, tanto mengua
        de fazer; que falleçe
        la mano por la lengua.

41   Callando e pensando
        sienpre en mi serbiçio,
        non ge lo yo nomrando,
        faze quanto cobdiçio.

45   Desso cosa mal año
        el que ninguna caçe:
        non quier' capa nin sayo
        nin çapatos que calçe:

49   tal qual salió del vientre
        de su madre, tal anda
        en mi serviçio sienpre,
        e cosa non demanda,

53   e ningún gualardón
        non quier' por su trabajo,
        mas quier' serbir en don
        e sin ningún destajo;

57   nin quier' ningún manjar
        comer, si non la boca
        un poquillo mojar
        en gota d' agua poca;

33/ No hablar y obrar es servicio digno de alabanza con que puede
recibir placer cualquier amo distinguido;
37/ pues todo lo que uno se alarga en decir, otro tanto se acorta en
hacer; que mengua y decae la mano por culpa de la lengua.
41/ Callando y maquinando siempre en servicio mío, sin indicárselo
yo, hace cuanto apetezco.
45/ En pago de eso, maldito sea el año que él atrape cosa ninguna:
no quiere capa ni vestimenta ni zapatos para calzar:
49/ tal como salió del vientre de su madre, así anda siempre en mi
servicio, y no pide cosa alguna,
53/ ni premio ninguno quiere por su trabajo, sino que quiere servir
de balde y sin ninguna recompensa;
57/ ni quiere comer de manjar alguno, si no es mojar un poquito la
boca en una breve gota de agua;

61   e luego que lo gosta,
            seméjal' que tien' carga:
            espárzelo, e gota
            jamás dello non traga.

65   Non ha ojos, e vee
            quant' en coraçón tengo;
            sin orejas lo oe,
            e tal lo faze luego.

69   Si me pesa o plaze,
            si fea o fermosa,
            atal mesmo la faze
            qual yo quiero la cosa.

73   Non quier' ningún enbargo
            de omre reçebir;
            de su afán es largo
            pora buenos serbir:

77   vezino de Castilla,
            por él su entençión
            sabrá el de Sevilla
            e la su condiçión.

81   Callo yo e él calla,
            e amos nos fablamos;
            e callando, él falla
            lo que amos buscamos.

61/ y enseguida que lo prueba, parece que le diera cargo de conciencia: lo derrama todo, y jamás traga una gota de ello.
65/ No tiene ojos, y ve todo lo que tengo en el corazón; sin orejas
lo oye, y así lo hace enseguida.
69/ Que me disguste o que me agrade, que sea fea o sea hermosa,
tal justamente como yo quiero hace la cosa de que se trate.
73/ No quiere soportar estorbo ni molestia de nadie; es generoso de
su esfuerzo para servir a los buenos:
77/ vecino que sea uno de Castilla, gracias a él el de Sevilla conocerá
su idea y su modo de ser.
81/ Callado estoy y él está callado, y ambos nos hablamos; y callando,
él encuentra lo que los dos buscamos.

<IV>

<ESCARNIO DEL ESCRITO DE TIJERA>

1   Un astroso cuidava
         que por mostrar que era
         sotil yo l' enbiava
         escripto de tisera:

5   el neçio non sabía
         que lo fiz' por <refierta,>
         porque yo non quería
         perder en él la tinta;

9   ca, por non le deñar,
         fiz' vazía la llena,
         e no l' quise donar
         la carta sana buena.

13   Commo el que tomava
         meollos d' avellanas
         pora sí, e donava
         al otro caxcas vanas,

17   yo del papel saqué
         la razón qu' ý dezía:
         con ella me finqué,
         e díl' carta vazía.

1/ Un desgraciado creía que era por demostrar lo ingenioso que era
yo por lo que le enviaba un escrito hecho a tijera:
5/ el necio de él no sabía que lo hice en son de mofa, porque no
quería yo desperdiciar con él la tinta;
9/ pues, por no demostrarle aprecio, hice vacío lo lleno, y no le
quise regalar el papel bueno y entero.
13/ Como aquél que cogía para él los meollos de las avellanas y le
daba al otro las cáscaras vacías,
17/ así yo saqué del papel las razones que contenía: con ellas me que-
dé, y a él le di papel vacío.

\<V>

1   En sueños una fermosa
        besava una vegada,
        estando mucho medrosa
        de los de \<la> su posada.

5   Fallé \<ý> boca sabrosa,
        saliva mucho tenprada.
        Non vi tanto dulçe cosa
        más agra a la dexada.

\<VI>

1   Las gentes han acordado
        \<de> despagarse del NON;
        mas de cosa tan pagado
        non só yo commo del NON,

5   del día que preguntado
        ov' a mi señor si NON
        avía otro amado
        sinon yo, e dixo «NON».

1/ En sueños estaba yo una vez besando a una hermosa, mientras
estaba ella medrosa de la gente de su casa.
5/ Allí encontré boca sabrosa y saliva muy templada. Nunca vi cosa
tan dulce que más amarga fuera de dejar.
1/ Las gentes se han puesto de acuerdo en disgustarse con el NO; pero
no hay cosa de que esté yo tan contento como del NO,
5/ desde el día que le hube preguntado a mi señora si NO tenía otro
amado sino yo, y dijo «NO».

Comentarios a los Proverbios Morales y otras Rimas
del rabí Don Sem Tob de Carrión

Al prefacio del comentador. Líneas 1-85.

De los cuatro manuscritos, sólo el M (Biblioteca Nacional de Madrid, MS 9216, folios 61-81) conserva este prefacio. Como se ve por lo que en él se dice (líneas 69-71), constituía la introducción a una serie de glosas o aclaraciones al texto de los versos, las cuales no nos han llegado, ni siquiera en ese manuscrito. Lo más probable es que el original del que éste se copió las conservara todavía y que el copista, después de transcrito el prefacio, desistiera de transcribir las glosas. Es en todo caso descabellada la idea que algunos de los primeros estudiosos de Sem Tob tenían de que las glosas del comentador pudieran estar en verso y entremezcladas con los del autor. El error nacía de no haber entendido cómo la propia obra de Sem Tob es también, como él mismo dice (versos 6-7), glosas de un libro de Sabiduría. En cuanto al autor de este prefacio, con sus curiosas ideas sobre la ciencia y la poesía, nada sabemos de él, sino que, desde luego, se desprende de su texto que era también judío y hasta (véanse sobre todo ll. 46-49) dado a la propagación de la Ley entre los gentiles.

Ll. 2-3. No encuentro nada que corresponda a esta cita en el *Libro de los Proverbios.* Unicamente al final del *Eclesiastés* (12, 12) se lee algo en ese sentido: «No hay fin de hacer muchos libros; y el mucho estudio es fatiga de la carne» (trad. de C. de Valera).

11-12. El texto del MS. está incompleto y poco legible. Lo restituyo provisionalmente como se indica.

12-15. Como se ve, el autor no sólo mantiene la atribución a Salomón de los *Proverbios*, el *Cantar* y el *Eclesiastés*, sino también la del libro de *Sabiduría*, cuyo original sólo aparece en griego y que debió de escribirse por el siglo I a. J. en las comunidades judías de Alejandría.

37. En el MS. se lee *tanger mañera*. Probablemente ha habido salto de alguna palabra; pero el sentido bien atestiguado de *mañera*, 'estéril' y el resto del texto dejan completar la frase aceptablemente.

49. No he dado tampoco con un lugar de *Isaías* que cuadre literalmente con la cita: cfr. 56, 6-7: «Y a los hijos de los extranjeros que sigan a Jehová para servirle y que amen el nombre de Jehová para ser siervos ... yo los llevaré a mi santo monte ... Mi casa será llamada casa de oración para todos los pueblos». Cfr. también, para la extensión universal de la Ley, 61,9, y todo el cap. 2 (paralelo al 4 de *Miqueas)*.

70. La forma del nombre *Santob* es la misma que aparece en el título del códice M, así como al final de las rimas (v. 2772) y en el éxplicit del mismo, en tanto que la forma enteramente castellanizada *Santo* es la que dan M y E en el v. 3 y la que usa E en el título y en el v. 2772.

84-85. El texto del cód. M dice en realidad «E dize asy el prologo de sus rrymas es veynte e tres coplas fasta...»; y G. Llubera completaba así: «...rrymas—E es...». Pero si se cuenta como prólogo toda la parte anterior a «Quiero dezir del mundo» son muchas más de 23 coplas. Como, por otra parte, debajo del v. 136 el cód. E anota «acaba el prologo y comiença el tratado» y desde aquí hasta el «Quiero dezir» son 23 justas, he preferido suponer que una parte de los copistas, como el de E, habían tomado la 'Confesión' como prólogo, mientras que otros, como el autor de las glosas de M, que acaso ni siquiera tenían en sus ejemplares la 'Confesión', contaban como prólogo el de las 23 coplas, que como tal imprimo. En la 1.ª ed. había pensado leer en este prefacio «el prólogo de sus rimas e ventitrés coplas», suponiendo así que el comentador empezaba por glosar la 'Confesión' y el 'Prólogo' juntamente.

A los Proverbios Morales o Glosas de la Sabiduría.

Ninguno de los cuatro manuscritos ofrece propiamente un título del poema: en el M leemos simplemente, como hemos visto, delante del prefacio del comentador, «Libro del Rab Don Santob»; el encabezamiento del códice E reza «Comiençan los versos del Rabi don Santo al rrey don Pedro»; de los códices C y N faltan las primeras hojas. El título, ya consagrado por los editores, de «Proverbios Morales» se debe a la cita del Marqués de Santillana en la *Carta e Prohemio* de sus obras (véase, p. ej., en la *Revue Hispanique* LV 41), donde dice, antes de citar los versos 205-08: «Concurrio en estos tienpos un Iudio que se llamo Rabi Santo: escriuio muy buenas cosas, e entre las otras Prouerbios Morales, en verdat de asaz comendables sentençias». Como se ve, es más que dudoso que la designación haga referencia a un título, sino más bien a un género poético, tanto más teniendo en cuenta que el propio Marqués tituló «Proverbios Morales» una de sus obras. El segundo título que añadimos aquí para la principal composición de don Sem Tob está sacado de los propios versos de su dedicatoria, 6-7: «de glosas...de la Sofia sacado» o «de *Filsofim* sacado». De ser cierta nuestra interpretación de los vv. 1881-82, podría pensarse incluso en algo como «Libro de las cien glosas de la Sabiduría».

1-28. La dedicatoria al rey don Pedro la transmiten los manuscritos M y E. De ella se deduce fácilmente que, habiendo entrado a reinar Pedro I, con unos quince años de edad, en 1350, y estando evidentemente reciente la muerte de su padre Alfonso XI (vv. 9-21), esta dedicatoria se escribió en los años inmediatamente siguientes, 1351 o 52. Pero esta deducción no sirve para el cuerpo del poema: el propio manuscrito E, junto con el N, han conservado hacia el final (vv. 2717-19) vestigios de que originariamente estaba dirigido al rey Alfonso; en cambio, el más viejo de los manuscritos, C, del que no conservamos las primeras hojas, presenta ya arreglados esos versos del final para referirlos a don Pedro. Se ve pues que el poema debió de componerse en los últimos años de Alfonso XI; que tal vez antes de presentarlo al rey se produjo su muerte y la sucesión del hijo, y que fué entonces cuando añadió don Sem Tob (acaso por substitución de otra) esta dedicatoria, olvidándose al principio de modificar consecuentemente los vv. 2717-19, arreglados en una copia posterior, de la que deriva el manuscrito C.

2. «Sermón» en el sentido más bien latino (cfr. los *Sermones* o *Sátiras* de Horacio) de 'discurso en lenguaje conversacional o familiar', por oposición al lenguaje poético elevado. Por lo demás, en ello se insiste seguramente en el «comunalmente» del v. 5.

3. Sobre la forma del nombre, v. nota al Prefacio, l. 70.

7. El sermón pues está construido (descontando —claro está— los prólogos) como una serie de glosas o desarrollos de pasajes o sentencias de un libro sapiencial, tal vez originalmente escrito en griego y leído por Sem Tob en una traducción árabe o hebrea, que al principio pensé que podía estar aquí mencionado con el título griego de *Sofia* (así se llamaba también a veces al libro de la *Sabiduría* de Salomón, redactado también en griego; aunque con él, por cierto, las presentes glosas sólo tienen escasos puntos de contacto): en efecto, siendo las lecciones que dan los manuscritos («de la filosofía» M, «de filosofía» E) métricamente imposibles, aparte de sumamente insatisfactorias para el sentido, me ha parecido que lo de «filosofía" era una alteración de los copistas, bien explicable por la extrañeza de la forma del título, y así he restituido la lección *Filsofim*, aun cuando ese libro que Sem Tob glosa y al que ese título aludiría no he logrado hasta el presente identificarlo con certeza: el libro de carácter gnómico más influyente en la Edad Media, a lo largo de casi mil años, y que es, de los que conozco, el que más puntos comunes tiene con sentencias que aparecen en estas glosas, es el del nestoriano sirio Honain ben Ishâk el Ibâdi (809-73), llamado *Mussre Haphilosophim*, esto es, *Apophthegmata Philosophorum*, con un título además del que el de *Filsofim* bien podría ser una abreviación; parece que el propio Honain, traductor además de otras muchas obras griegas, las más tratados de medicina, pero también algunos diálogos de Platón, redactó el libro en dos versiones, una siriaca, en su lengua materna, y otra árabe. De él proceden, como traducciones en castellano, el *Libro de los Buenos Proverbios* y los *Bocados de Oro*, publicados, de los ejemplares de la Biblioteca del Escorial, por H. Knust en la *Bibl. des Litt. Vereins*, n.° 141, pp. 66-414. En Honain está incluso el original del epigrama de las canas, que aquí separamos de los «Proverbios» entre las «Otras rimas», como ya vió, entre otros muchos puntos paralelos entre Sem Tob y Honain u otros autores gnómicos menos cercanos, L. Stein *Untersuchungen über die Proverbios Morales von Santob de Carrion mit besonderem Hinweis auf die Quellen und Pa-*

rallelen, Berlín 1900, 110 páginas. Sin embargo, no debe de ser el de Honain el libro que Sem Tob glosaba con sus versos (tal vez desarrollándolo justamente en cien glosas, si fuera más cierta mi lectura de los vv. 1881-82): entre otras cosas, los *Mussre Haphilosophim* son una colección de anécdotas y dichos de una serie de sabios de la Antigüedad (Pitágoras, Prothegas, es decir, acaso Protágoras, Sócrates, etc.) de nombres y figuras más o menos transformados en la tradición, en tanto que el original de Sem Tob debe de presentar la sola figura de «el Sabio», que se menciona en varios lugares de los «Proverbios» (953-61-79, 1341, 1881-91, 2051, 2229-41-45-53-60), acompañada ocasionalmente (954) de la de «el deçiplo»; aunque alguna vez parecen citarse en plural «los sabios» (1830) (la referencia a «los sabidores» en 2586 —«sabidor» en 2601—, que son más bien, diríamos, los científicos, no tiene que ver con esto); y por supuesto, lo que ha debido de hacer Sem Tob en los más de los pasajes es trasladar sin más, por cuenta propia y en primera persona, lo que estuviera en boca de «el Sabio» en el original. Por otra parte, ya en nuestro prólogo hacemos notar que la actitud general del pensamiento, relativamente sostenida a lo largo de los «Proverbios», y las partes más lúcidas y originales, las que se mantienen fieles a esa tónica de relatividad y contradicción, apenas pueden atribuirse al texto que Sem Tob glose, sino a las glosas mismas.

9-16. V. nota a 1-28.

17-20. El uso de la rosa y el perfume destilado de ella para hablar de la relación del padre con el hijo no lo recuerdo de poesías antiguas o medievales. En cambio, es bien conocido cómo en los *Sonetos* de Shakespeare aparece exactamente del mismo modo, en la invitación al amigo a que tenga un hijo: V 9-14 y VI 1-4.

23-28. El rey Alfonso tenía una deuda con el rabí, que aquí exhorta al nuevo rey a que se la satisfaga. La naturaleza de esa deuda no está del todo clara; pero, aunque al final (2769-72) se alude nuevamente a ella como «merçèd» que el padre «prometió» y que debe «tener» o cumplir el hijo, con lo cual podría tratarse simplemente de una dádiva o donativo (cfr. también en v. 180, «donadíos del rey»), de una gracia o pensión real prometida por don Alfonso por algunos merecimientos del judío (o acaso sin más por la primera dedicación de su libro: cfr. nota a 1-28), la cual, al quedar prometida y no cumplirse, la considera Sem Tob una «debda» que el nuevo rey debe pagar, me parece sin embargo más probable que se trate de una deuda propiamente dicha: esto es, un empréstito que las arcas del rey don Alfonso habían recibido, como era costumbre bien notoria, del capital particular del judío, cuyo pago reclama aquí respetuosamente al heredero (como acaso ya antes a su padre, con el primer envío del poema), sin que sea demasiado extraño que a ese pago debido se le llame en el v. 2769 una merced, sobre todo si era un pago concertado con intereses. Más extraño suena en este supuesto el hecho de que el rabí no parezca ser ningún negociante próspero a cuyo capital pudieran acudir las arcas reales ni siquiera tener, al menos ahora, ningún oficio lucrativo (137-39: «trabajo me mengua d' onde pueda aver pro»), y aunque el amigo pesado que le visita en los vv. 2085-2112 tiene una tienda (2091-92), de él mismo no se dice tal cosa, y la segunda visita (vv. 2133-92) viene a una casa harto modesta, de cuyo dueño los únicos tráficos son algún cambalache con los vecinos y a escondidas de la mujer, para salir del apuro del momento (2183-92); ello —claro está— en la medida que las referencias en primera persona de los citados pasajes deban de algún modo aplicarse a la figura real de Sem Tob. Lo cierto es, en todo caso, que el rabino tenía alguna especie de trato financiero con los reyes, y esto debe de ser sobre todo lo que le ligaba con el poder real y le obligaba al principio y al fin de su poema y en un par de pasajes por el centro a recaer en algunas fórmulas de adulación que no dejan, por ser escuetas y formales, de ser de lamentar. En cuanto a la suerte que su demanda pudiera correr bajo Pedro I, es bien conocida la actitud de amistad y protección a los judíos que este rey guardó constantemente, al menos hasta 1360, año de la ejecución de su famoso tesorero Samuel Leví.

29-136. Lo que aquí distinguimos como Confesión o Prólogo Primero responde a un esquema de composición que nos es conocido por otros poemas morales de la Edad Media (véase, por ejemplo, la confesión de sus pecados que el Canciller López de Ayala desarrolla al comienzo del *Rimado de Palacio*): se trata de que, reconociéndose el acto de escribir un libro (y más si es de sabiduría) como algo desmesurado y ofensivo contra la humildad debida, el escritor se siente obligado a poner por delante el reconocimiento de su bajeza y falta de méritos: el rabí parece haberlo hecho de dos veces: aquí, en este primer prólogo, en cuanto pecador; y luego, al final de Prólogo Segundo (vv. 185-228), en cuanto judío; si de lo primero sólo la inconmensurable largueza del perdón de Dios le salva, de lo segundo le exime la separación entre el autor y su obra. Lo cual no quita para que alternen con las declaraciones de humildad otras de exaltación de sí mismo: aquí en la primera parte de este Prólogo (vv. 29-72), porque el mundo rebaja justamente a los honrados y más «llenos», y después, en el Segundo (vv. 145-58, 177-84). Así, ya desde esta introducción personal la actitud contradictoria de la conciencia que informa el poema entero nos aparece: la lucidez de la visión obliga, con la condenación del mundo, a la de sí mismo, ya personalmente, ya por la vileza de la propia condición social; pero al mismo tiempo, esa visión, en cuanto se mira y siente a sí misma, se arriesga a convertirse en una fuente de exaltación. Sin embargo, para esta Confesión (o por lo menos para los vv. 81-136, donde en efecto se presenta como haciendo una cita de sí mismo) el rabí utilizó su canto en hebreo, *Widduy* o *Confesión*, que llegó a figurar en la liturgia sefardí (v. el § II.c. 25 de mi Introducción), y con el que algunas frases de éstas guardan estrecha semejanza.

Por lo demás, este Prólogo Primero lo he reconstruido aquí afanosamente a partir de varios restos, adulterados y en desorden, que los manuscritos nos conservan: 29-32 los tiene sólo C en los folios de añadidos que al final trae, seguidos inmediatamente de 57-90; en cambio, 33-54 sólo aparecen, más o menos completos, en M y E, añadidos, junto con otros fragmentos y poesías, detrás de la parte del Prólogo Primero que ambos conservan (73-136) a continuación de la Dedicatoria (y además, como se indica en el texto, he tenido que completar, a título de ejemplo, varias de las coplas de 41-52, que M ha transmitido sin duda incompletas). Se ve pues, que, habiéndose perdido o deteriorado mucho la primera hoja de un códice más viejo (sin contar la Dedicatoria, que pudo añadirse posteriormente), las reliquias de ese comienzo las han agrupado los copistas, junto con otros fragmentos o poesías semtobianas, los unos como apéndice al final de todo el libro, los otros detrás de la parte conservada del Prólogo Primero.

En su hoja de añadidos el códice C contiene, después de la poesía que aquí editamos con el n.° III y antes de los vv. 2229-32 y 2237-40 (que mantenemos, siguiendo a M, en su lugar), a los que ya siguen estos 29-32, 57-90, unos fragmentos de versos, aparentemente en portugués, que G. Llubera leía así:

> Señor, a merçe vosa   Gradeçer non me trebo
> Que por muyto que...rosa,   non dyria o que debo
> Merçe sen fyn, con rrymas,   Ja moro (¿o chamorro?) esto...

Dicho editor los publicó como formando parte de la dedicatoria, lo cual parece sumamente improbable (que a un rey de Castilla se le dedique en portugués un poema en castellano), aunque ello no quita que se pueda mantener la atribución a Sem Tob; cabría sugerir que fueran parte de una poesía perdida dirigida a la Reina Madre (de Pedro I), María de Portugal, de gran influencia en los primeros años del reinado del monarca adolescente (se le atribuía con buen fundamento el asesinato, en 1351, de Leonor, la amante del difunto rey Alfonso y madre de los Trastámaras); y nótese que el «Señor» del primer verso (en realidad, el manuscrito escribe seguido «señora») puede ser en la morfología de Sem Tob de género femenino (cfr. v. 1136 y el n.° VI de las «Otras Rimas»).

De todos modos, como se ve, aun con esta reordenación, me veo obligado a suponer que se han perdido todavía algunos versos al comienzo, antes del 29 y después de la dedicatoria. Siguiendo el cómputo que resulta de la presente edición, si se supusieran perdidas 7 coplas (que pudieran representar el contenido de la primera hoja, enteramente perdida, de un manuscrito más viejo), el número de versos del poema, incluida la dedicatoria, sería de 2800 justamente, esto es, 700 coplas, no siendo del todo de rechazar la idea (dadas las costumbres de la composición medieval y de la poesía hebrea «decadente», recordando la influencia general del 7 y en especial para los judíos) de que el autor hubiera pretendido ajustar la extensión de sus «Glosas» a ese número.

En fin, la ilación del sentido en todo este Primer Prólogo así reconstruido puede ponerse de relieve con el siguiente esquema, supliendo entre corchetes lo correspondiente al comienzo perdido: «[Aunque me encuentro en vil condición y soy en verdad una nada, puede que, con la gracia de Dios, alcance vida decente y alguna gloria,] para que toda la ciudad se admire de cómo Dios hace algo de nada. Y en cambio, el que desprecia al bajo y humillado no sabe que la norma del mundo es levantar a los hombres viles y a los honrados rebajarlos y darles guerra, tal como en el agua flotan las cosas ligeras y se van al fondo las preciosas o la balanza deja bajar el platillo lleno y el vacío lo levanta. Pues lo que pasa es que el hombre cuerdo no es capaz de gozar con sus bienes, recordando sus males. Yo, por ejemplo, estaba atormentado por mis pecados, hasta que pensé que nunca la obra de un hombre podría compararse con la grandeza del perdón de Dios».

33-52. La manera en que el manuscrito M trasmite estas coplas (E sólo conserva 33-44, arregladas según sus hábitos) es la siguiente: «E non sabe la persona / torpe que non se baldona / por las priesas del mundo / que nos da amenudo // non sabe que la manera / del mundo esta era / tener syenpre viçiosos / alos onbres astrosos // e ser del guerreados / los omne onrrados / alça los ojos acata / veras en la mar alta // e sobre las sus cuestas / anda las cosas muertas / e yaçen çafondadas /enel piedras presçiadas». Me he visto pues obligado a conjeturar el estado original del texto, restituyendo el orden normal de rimas *a-b-a-b* (que es el que tiene E en las coplas que conserva) en lugar del *a-a-b-b* que presenta M, y completando la mitad de dos coplas. El trastorno y pérdida parcial del texto me lo explico (como expongo en el aparato de la edición crítica) suponiendo que el ejemplar del que M deriva tenía, cuando se sacaron copias de él, su primera hoja ya mutilada, y además tal vez rota por la mitad de arriba a abajo, lo cual daría cuenta del desorden de los versos en M, si en aquel ejemplar se escribía a dos versos por línea o en línea seguida y el copista había recompuesto mal las dos mitades. Para el v. 34 me decido por una lección «que nó s' da a menudo», que es la M casi sin alteración, pero que exige un uso de *darse* (cfr. v. 1955) como 'entregarse' y de *a menudo* como 'al menudeo', del que no estoy todavía cierto. En la primera ed. escribía «qu' esdeña al menudo», alejándome más del MS., pero con una interpretación más fácil (cfr. v. 209).

35-36. Para la interpretación son probablemente de comparar los vv. 1192-96.

44. Podría leerse «de él seer guerreados», esto es, «que los hombres honrados sean rechazados y combatidos por el mundo»; pero mejor, «del seer guerreados», o sea «rebajados y flacos por el hecho de padecer guerra y conflicto», donde se incluye el conflicto consigo mismo, en el sentido de los vv. 57-60, y en el último verso del proverbio de Antonio Machado: «yo vivo en paz con los hombres / y en guerra con mis entrañas» (*Camp.* XL, 23).

57-72. La oposición entre la clara conciencia de las cosas y la satisfacción moral se formula aquí como antítesis irreducible; sólo la «locura» o inconsciencia permite la satisfacción. Pues la «justicia» o virtud, aun del hombre llamando virtuoso, es un «punto», e.e. una inextensión o irrealidad, frente a la maldad, que es una «rueda» o círculo, e.e. real, extensa. Se verá hacia el final del poema (2561 ss.) que el mundo en sí, e.e. sin el hombre, no es ni malo ni bueno; pero el hombre (2645 ss.) se define como esencialmente malo. Lo cual no impide a don Sem Tob, en aparente contradicción flagrante, recomendar el «hacer bien» junto con el «saber» (2441-60), como las dos únicas «costumbres» que se eximen de la duda general sobre las virtudes que los Proverbios desarrollan.

73-136. Sin embargo, el «conorte» o consuelo le viene al poeta únicamente de la consideración de que, así como sus virtudes no son nada (v. nota anterior), así sus maldades no pueden menos de ser insignificantes, y condenadas al olvido (v. 92) o perdón en el ánimo de Dios. Se verá a lo largo de los Proverbios cómo Dios representa para Sem Tob algo así como la superación de la contradicción de las realidades esencial a la constitución del mundo. Ello no quita para que en este final del Prólogo Primero el judío, sin renegar de su Ley y sus creencias, trate de aproximarse, por los términos («pecados», «repindir», «fazer oración», «pedir merçed», manifestación de lo pasado») y por las actitudes del pecador, al esquema de la Penitencia establecido entre los cristianos.

113-116. Los códices M y E no conservan aquí esta copla; la he reconstruído, para insertarla, como el sentido parece pedir, en este punto, a base de los restos que, junto con una repetición de 110 y 112 («E enel çielo estrellas E sabe cuenta dellas Non escoreçen dellas vna Sy non el sol e la luna»), ofrece M más adelante en la serie de sus versos, detrás del 56 de nuestra edición.

136. Tras este verso es donde los códices M y E han acumulado (cfr. nota a 29-136) con diverso orden y selección algunos restos de coplas procedentes probablemente de las hojas perdidas al comienzo en la tradición anterior del texto, junto con algunas otras pequeñas composiciones, sin duda extrañas a los Proverbios, y que aquí publicamos aparte, pensando que también en los manuscritos más antiguos podían figurar al final, detrás de los Proverbios, habiéndose luego perdido igualmente esas hojas últimas de algún o algunos manuscritos anteriores a los nuestros: a saber: en M, la mayor parte de los vv. 33-56, parte de 113-16, y el poema n.º II de los que agrupamos en «Otras rimas»; en E, el poema n.º V, los vv. 33-40 y 53-56, los poemas n.º IV y II; bajo cuyo último verso añade este códice las palabras «Acaba el prólogo y comiença el tratado»: en efecto, parece que lo que nosotros tenemos por Prólogo Segundo el copista lo tomó por parte ya del cuerpo de las Glosas, en tanto que, como hemos visto (cfr. nota a las líneas 84-85), el autor del Prefacio tal vez consideraba prólogo las 23 coplas que siguen.

137-228. Para el sentido de este Prólogo Segundo en comparación con el Primero, véase nota a 29-136. Por lo demás, he aquí un esquema del movimiento de estos versos, que parece reflejar bien una oscilación de los sentimientos del poeta entre la humillación, el ansia de revancha y exaltación, el orgullo por el propio arte y la consideración de que la miseria del autor no tiene que ver con la gloria y gracia de la «razón» y la poesía: «Mi mala situación económica me hace usar mi lengua y mi saber: me someteré así a la ley de las cosas, y si al principio me pesa, al fin me complaceré con ello. Pues todo en el mundo cambia, y así también éste que tan poco vale alcanzará el valor más alto. Cambiaré pués yo también de actitud, y quizá con ello cambie mi suerte: hasta aquí pensaba que era mejor callar que hablar, pero no me ha ido bien con esa norma; y por retraimiento no he conseguido las ventajas que otros que no valen más han conseguido. [Hablaré pués,] y no se desprecie mi discurso porque proceda de persona vil y de un judío, porque, como muchos ejemplos muestran, de cosas muy viles pueden salir productos muy preciosos; y no se me estime en poco por mi timidez, que el hombre a quien por tener vergüenza se le desprecia, si encuentra su momento, discurrirá mejor y con más gracia que los que lo despreciaban».

141-44. Antes de otros muchos paralelos hebreos, árabes, etc., que pueden verse en Stein (op. cit. en nota al v. 7), es de recordar el de Terencio Andria II 1, 5-6: Quando non potest / id fieri quod uis, id uelis quod possiet. Pero lo más interesante de la formulación semtobiana está en el reconocimiento de la plasticidad de la voluntad personal, que si de primeras parece oponerse a la Ley del mundo, se descubre con el tiempo que encuentra su placer en coincidir con Ella (cfr. nota a 1141-46).

145-48. En la necesidad del cambio perpétuo del mundo, que está representada en el giro de la «rueda del çielo» se insiste varias veces (cfr. 1593-96, 2472-92), y en la necesidad por tanto para el hombre de mudar de «costumres» (cfr. 393-96, 621-32).

149-53. El «esp͟ito lasso», así como la imagen del «pandero canso» (los MSS escribe «manso», pero se trata seguramente de una trivial eliminación de ʼa palabra canso sentida como inusitada; pudiera también pensarse en *casso*, con el sentido de 'roto'), revelan bien que la decisión de don Sem Tob de ponerse a hablar y ganar notoriedad con sus razones es tardía en su vida; cfr. a este propósito su versión del epigrama de las canas (n.º II de nuestra edición).

157-72. Faltan estos versos en el códice E, y sólo se conservan en el M, que además los ofrece en un orden trastocado (161-64 después de 168), que aquí hemos tratado de corregir, según el sentido parece exigir claramente.

163-64. El refrán que sirve al poeta de apoyo para romper su silencio se justifica parcialmente por el hecho de que muchos de los agüeros por aves (valga la redundancia etimológica) se sacan de sus cantos o graznidos, aunque lo cierto es en otros muchos casos es la simple aparición del pájaro o su posición en el cielo lo que determina el augurio.

169-72. Estos versos aparecen citados en hebreo (v. la cita reproducida en la ed. de G. Llubera, pág. 2, n. 2) por el cabalista español del siglo XV Abraham Saba en su *Seror ha-Mor*, un comentario al Pentateuco; el cual los atribuye al «Rab don Shem Tob ha-Payyaṭ» (esto es, «el poeta»). De la aplicación de este epíteto dedujeron varios estudiosos (L. Stein, F. Baer, entre otros) argumento para apoyar la identificación de don Sem Tob con el poeta hebreo Shem Tob ibn Arduṭiel ben Isaac.

La disputa contradictoria de los bienes del hablar y del callar se desarrolla en los vv. 2213-424.

178-80. Sobre el posible sentido de estos «donadíos», donativos o concesiones del Rey a otros judíos cfr. la nota 23-28.

182. Aunque no la hallo atestiguada, interpreto la locución «a pro» con el sentido de la clásica «a dicha», esto es, «por ventura, acaso». Por lo demás, los vv. 181-84 faltan en M y los transmite sólo E, cuyo texto (v. nuestro prólogo) es siempre sospechoso de refundición.

193. El «garrote» del texto lo identifico con el vocablo del latín medieval *gabar(r)otus*, suponiendo que se trate de una embarcación semejante a la que los vascos llaman hoy gabarra.

Desde este verso comienza el texto conservado del manuscrito N.

199. «Bozero» o «vocero» debe de designar un empleado subalterno del Juzgado, encargado de presentar en juicio los testigos y otros elementos de prueba. Por aproximación, traduzco con 'abogado'.

205-08. Estos son los versos que cita en su Proemio (cfr. nota al título de los Proverbios Morales) el Marqués de Santillana como ejemplo de la poesía del rabino.

Es notable en este pasaje (185-212) la aceptación sin disputa de la vileza de la condición de judío, de modo que sólo la independencia de la poesía respecto a su origen puede salvar los versos, no a la persona, de la vileza; aunque no tan sorprendente: se trata de la constatación de una realidad «natural», quiero decir perteneciente al ordenamiento social vigente.

211-12. «Lo que fago» se refiere sin duda a la propia composición de este sermón o glosas en castellano.

229. El subtítulo «Comienza el tratado» lo saco de la anotación del códice E detrás del v. 136 (cfr. nota a este verso). También el autor anónimo del Prefacio parece reconocer aquí el fin de los prólogos y comienzo del cuerpo de las glosas (cfr. nota al Prefacio, líneas 84-85). En fin, el manuscrito N, en vez de «Quiero», escribe «Sy quiero»: ese *sy* me parece haberlo identificado con bastante certeza como proviniendo de una transcripción mal entendida de la palabra hebrea *siaʰ*, e.e. 'sermón' o más bien lat. *sermo*

(cfr. nota al v. 2), que en un anterior manuscrito en caracteres hebraicos (como nuestro códice C) habría señalado el comienzo del
cuerpo del Sermón o Glosas.

231-32. Nótese cuán afortunadamente, por el encuentro de las palabras «dubdo» y «çerteras», se expresa que la formulación «çertera»
o acertada acerca del mundo es justamente la de su naturaleza dudosa
o contradictoria. En efecto, los Proverbios en general, pero sobre
todo esta primera parte (aproximadamente hasta el v. 696), se desti-
nan a esa formulación de la contradicción o duda, en especial acerca
de las calificaciones o juicios morales que en el mundo suelen aplicarse.

249-52. Hay un proverbio hebreo, que, según lo reproduce L. Stein,
dice algo como esto: «Un ojo de aguja no es demasiado estrecho
para dos amigos,' y el espacio del mundo no demasiado ancho para
dos enemigos».

253-56. Estos versos los ofrecen después del 268 los códices N y E
(en M, que en todo este pasaje ha sufrido un gran desorden de sus
hojas, falta toda la parte de 261-80, donde probablemente también
estaban); los he traspuesto aquí, donde la continuidad del sentido
lo exige, y siendo además bien explicable paleográficamente la alteración del orden en los manuscritos, según explico, como para otros
casos semejantes, en mi edición crítica del texto.

261-308. Se usan sucesivamente, en dos pasajes paralelos (261-80,
281-308), los ejemplos del sol y del viento para mostrar el carácter
relativo, y dependiente de las circunstancias, de los efectos de «una
misma» cosa: el sol y el viento, que en sí son siempre «esso mesmo»
(273 y 297), esto es, carentes de calificación ni por un lado ni por
otro, se escinden al choque con las circunstancias (y ante la apreciación humana) en parejas de efectos contrarios o contradictorios.

282. El texto del verso es sumamente dudoso: leo finalmente «ya
apello [i.e. lo mismo que apeldo, 'me voy'] ya viengo [o vengo]» con
el sentido de «voy y vengo» (donde habría implícito un juego de palabras: «el viento me lleva de un lado para otro» y «paso de una
conclusión a la 'contraria'»). Había también pensado en «ya a pelo
y viengo», esto es, «allí me presento a pelo para mi propósito», «me
pongo a observar, como ejemplo oportuno, los efectos contrarios del
viento».

307-08. Las eras se alegran con el viento en cuanto conveniente
para la faena de limpiar o aventar.

Desde el v. 308 comienza el texto conservado en su orden del manuscrito C, escrito en caracteres hebraicos, el más antiguo y de texto
más digno de confianza de los cuatro que tenemos.

310. «Tenerm' a un' estaca» está dicho sin duda por metáfora
de la bestia que se ata para pacer a una estaca que puede luego irse
cambiando de sitio o bien atar el animal a otra nueva.

312-28. Los opuestos morales y estéticos al mismo tiempo («derecho / tuerto» en 321-22, «fermosa / fea» en 327-28) se denuncian
como relativos, aunque sea, en el caso de lo «derecho», por la aparente falacia de tomar la palabra al mismo tiempo en sentido físico
y moral. Para el «fermosa / fea», recuérdese la formulación más
precisa que cantan las brujas de Macbeth (I 1, 11), «Fair is foul and
foul is fair».

320-22. El arco como ejemplo de la lógica de contradicción no
puede menos de recordar el fr. 51 de Heraclito: «No entiendo cómo
lo que difiere de sí mismo consigo mismo concuerda: harmonía de con-
tratensión como la del arco y la lira».

329-32. La sentencia resume la primera exposición (vv. 237-328) de la relatividad.

333-48. A modo de corolario de la anterior exposición de lo relativo y contradictorio de todo juicio, se enuncia aquí la vanidad de la pretensión humana de que las acciones puedan estar guiadas por un juicio o norma: por el contrario, los resultados indiferentemente favorables al necio o al sabio, al diligente o al perezoso, parecen hechos para demostrar que nadie «faz' cosa por su entendimiento».

Muy interesante para tratar de entender la posición de Dios y el mundo, como exteriores a las oposiciones morales, es la comparación entre el comienzo, donde es del mundo de quien se dice que «faz' bien a menudo al torpe e al sabio mal» (337-39), y el final (341-48), en que es Dios el que «salva», «faz'» y «usa a aquesto». Parece como si la misma exterioridad, en cuanto concebida como inerte o mecánica, se llamara mundo, y en cuanto se le atribuye, humanamente interpretada, inteligencia o intenciones, Dios.

349-68. La consideración que precede se completa con la anulación de la oposición entre «locura» y «cordura», entre saber y necedad, en cuanto impertinentes al bien o provecho del sujeto. Lo cual no empecerá para que en 1253 y ss. se exalte el saber sobre todos los bienes.

356. Nótese el significativo uso del verbo *apersonar*, sin duda con el valor de 'acrecentar la personalidad social', 'elevar en rango o dignidad'.

365-68. La ilación de esta apostilla piadosa con lo anterior se comprende así: el saber pués en sí mismo no vale nada ni es malo ni bueno, y sólo el saber con temor de Dios (cfr. sobre el uso de este nombre nota a 333-48), esto es, sometido a la duda que domina todos los juicios interiores al mundo, puede escapar de esa relatividad, del mismo modo —se añade a modo de comparación— que el dinero no aprovecha al que lo tiene sino en cuanto se lo da a los otros.

369-80. Segunda consideración de la vanidad de los juicios morales: el bien sólo es bien para mí en tanto que es mío, sino de otro; esto es: el bien parece requerir para ser tal su disfrute subjetivo, pero sólo mantiene su verdad objetiva en cuanto ese disfrute es imposible. Por tanto —se concluye en 377-80— no hay verdadero bien ni mal.

381-88. Se intercalan dos coplas para exceptuar prudentemente de la incertidumbre moral de todo el servicio de Dios (cfr. nota a 333-48) y el del buen rey (entiendo, en efecto, la oración de relativo de 387-88 como determinante, sin coma tras «rey», de modo que se trate sólo del rey que con su orden supera la contradicción entre las gentes, del que cfr. los vv. 2701-60). Aunque justificable internamente al fin y al cabo (en cuanto que Dios y su figuración histórica, el buen rey, representan la exterioridad a la contradicción universal), ello no quita para que la intercalación (como algunas otras que notaremos) se nos aparezca promovida por la motivación externa del temor del autor a presentar sin esas excepciones una teoría de duda y relatividad morales.

389-96. Como explícitamente se indica, al resumir aquí toda la anterior exposición (229-388), se da en estas coplas el pie para el desarrollo de la consecuencia práctica (lo mejor para el hombre es mudar de actitud moral, como el mundo muda: cfr. 621-24) que va a ocupar en general la sección siguiente (397-696).

397. *Costumbre* es el término ordinario en Sem Tob (también a veces *mañas*, como en 1237), para decir más o menos lo que lat. *mos*

(en plural, fr. *moeurs*), la cualidad moral o la conducta moralmente cualificada, para lo que en español actual no tenemos vocablo adecuado, sino sólo la pareja subordinada 'virtud/vicio'.

397-444. El pasaje desarrolla una teoría del límite, que a primera vista no parece compaginarse claramente con la teoría general de la contradicción moral que en esta primera parte de los Proverbios se está exponiendo. El enlace puede percibirse como sigue: Como hemos visto, cualquier cambio de circunstancias convierte lo malo en bueno y lo bueno en malo: en efecto, el mundo (y su moral) están obligados a una construcción en oposiciones cualitativas y por tanto al establecimiento de un límite preciso: la cuestión de aproximación es impertinente, puesto que lo que rige es la ley de o sí o no (397-424, 427-36), así como el Tiempo está organizado por un límite preciso, puntual, entre lo que ya ha pasado y lo que no (425-26, 437-44); ahora bien, en esa construcción de oposiciones, nunca puede un término presentarse sin su contrario, y pretender atenerse a uno solo de ellos es siempre un error; lo único que cabe es mudar continuamente de actitud moral, y esperar el acierto, no en el propio entendimiento, sino en la ventura que Dios nos dé (445-696).

397-400. Cfr. también 793-94.

405-12. Es inevitable que el hombre («loco») padezca la superstición de dolerse rabiosamente por la pérdida del tren que ha estado a punto de alcanzar o del premio de lotería que ha recaído en un número inmediato al suyo; pues se revela en ella el conflicto entre la confianza en el más o menos y la condena a la ley del sí o no que rige el mundo (cfr. nota a 397-444). Lo cual no impide a Sem Tob denunciar esa superstición despiadadamente.

421. Oportunamente se concreta en forma de la ley de posesión por el Sujeto (el ser o no ser «suyo») la comentada ley de la oposición cualitativa. Es en cierto modo por relación al límite puntual, inextenso, que es el Sujeto moral mismo, como las antítesis morales (o jurídicas) se establecen.

425-26. Tenemos tal vez en esta luminosa paradoja la formulación más impresiva de toda la teoría del límite: se niega aquí la ordenación del recuerdo, y por ende la propia extensión lineal del Tiempo, en cuanto que prácticamente (cfr. 437-44), esto es, según la Ley real del mundo, lo único que cuenta es que ello sea mío (para el Mí puntual de que v. nota a 421) o no lo sea.

427-36. Sólo aparentemente pués se apartan estos versos de la presente disquisición sobre el Tiempo: pues lo que tocan es, por medio de la «saeta» (cfr. la «flecha» de las *Coplas* de Manrique, v. 288), la cuestión misma de la muerte, esto es, del límite o definición del sér del Sujeto (cfr. nota a 421).

440. «Oy mil años» es de interpretación dudosa: podemos entender «como de aquí a mil años podremos alcanzarlo (el día de ayer)» o bien «como podríamos (hoy) alcanzar el día de hoy hace mil años». De una u otra manera está clara la intención de repetir y llevar hacia el límite lo que en 425-26 se había formulado (cfr. nota).

441-44. Así como ningún punto del pasado puede alcanzarse andando (porque la línea del Tiempo es una ilusión), así lo que no ha llegado no puede perderse (porque no se pierde lo que no se tiene y que no es en verdad nada), y son vanos los movimientos o afanes por asegurarlo.

445-552. Nueva consideración de la ilusión de las antítesis morales, de creer que pueda haber algo simplemente bueno ni verdaderamente malo (cfr. 378-80): por el contrario, cada término de una antítesis no puede presentarse sino con su contrario, y aun sólo por su contrario se le conoce (541-44). De aquí, una observación particular (459-78): el bien más deseable, que sería el ocio o «folgura», sólo se da con el trabajo, por medio del «lazrar» (esta necesidad se desarrolla luego en los vv. 697-800); y una consecuencia,· por así decir, metódica (479-524): dado que los presupuestos morales de los hombres son sin fundamento, no puede de ellos deducirse una regla juiciosa de conducta, sino que se está abandonado al azar, y el provecho depende de la capacidad para aventurarse (sobre esto se volverá en 665-96).

449-52 y 461-64. Nótese la insistencia (con «ante», «primero» y «antes») en la aparente ordenación temporal de los dos miembros de la antítesis; que el bien sea literalmente «comprado» con el mal, esto es, que quede reducido a la condición económica de paga o compensación.

460. Después de este verso todos los manuscritos ofrecen los vv. 553-664. He reordenado el pasaje según parece exigir la continuidad del sentido, y pensando que en una copia antigua pudo haberse descolocado un par de hojas que contuviera 28 estrofas. González Llubera en su edición insertaba aquí los vv. 525-552, suponiendo una hoja perdida en el «arquetipo»; pero la separación, difícilmente aceptable, de 460 y 461 no se remedia con ello, y por otra parte es más bien plausible que los vv. 525-52 vengan a cerrar todo el pasaje (cfr. nota a 445-552) volviendo sobre la necesaria concomitancia de los opuestos con una nueva acumulación de ejemplos.

468. Tras este verso los manuscritos tienen la copla 489-92, cuya inserción en este lugar parece de todo punto inoportuna, y que por tanto hemos traspuesto cinco coplas más abajo (tal vez el contenido de una página en algún códice antecedente de los nuestros), donde parece tener su sitio adecuado.

473. Me he atrevido a corregir con el término raro *eria* (vecino de *erial* y del *ería* que aparece en Berceo y el Arcipreste de Hita; derivado tal vez de *arida*, aunque en su *Diccionario* Corominas se declara contra esa etimología para esta familia de palabras), donde los manuscritos, sin duda erróneamente, repiten el *feria* del v. 471.

477-80. Hay una transición brusca entre los dos primeros versos, que rematan el pensamiento de los anteriores (en el sentido de «no hay ocio ·verdadero, sino trabajo con su paga»), y los dos últimos, que con una interrogación retórica abren la cuestión siguiente: «no hay juicio ni cálculo que pueda regir o asegurar la marcha de los negocios: tanto da aventurarse al azar»; con una ilación implícita: «así como es vano querer evitar la actividad para disfrutar del puro ocio y la pereza, así también retraerse por prudencia de la actividad y la aventura, pensando que ello sea más juicioso y seguro».·

485-88. Adviértase que la asimilación por el mundo de esta idea misma de que el riesgo es prenda del beneficio y la ganancia se compra con la «locura» viene a convertirse en el fundamento de la justificación del Capital, cuya puesta en peligro constituye su forma de trabajo y legitima su derecho a producir ganancias.

489-92. Para el trastrueque de esta copla, véase nota a 468. Sobre la relación entre «cordura» y «pereza», cfr. nota a 477-80; en cuanto a la segunda parte, se trae a modo de paralelo, con la relación «vergüenza»/«torpeza», recuérdese que para la identificación por el mundo entre el retraimiento y la falta de inteligencia, el rabino ha referido su propia experiencia en el prólogo (vv. 181-84 y 221-24).

493-524. El pasaje es interesante para la actitud dudosa y contra-

dictoria que el poeta tiene que adoptar ante la duda misma: pues de
un lado, hemos visto (229-332) que, cuando se trata de la verdad,
la actitud de duda y contradicción es lo único que honradamente le
cabe; pero ahora, cuando se trata de «pro» o beneficio, no le queda
más remedio sino recomendar el no quedarse en la duda o vacilación,
y, ya que no puede uno lanzarse al mismo tiempo por las dos vías
de una antítesis, saber lanzarse prestamente por una cualquiera a
la ventura.

501-04. Pero nótese que la necesidad de romper con la duda y
cortar por lo sano, como hoy se dice, se fundamenta en que el mundo,
siendo esencialmente cambiante y contradictorio, no tiene una norma
que pueda descubrirse, y es por tanto vano pararse a pensar cuál es
el buen camino, cuando en realidad no hay camino bueno ni malo
alguno.

505-08. Una de las atenuaciones que el respeto humano impone al
poeta de vez en cuando, en el temor de que la desnuda exposición
de sus negaciones pueda también usarse torpemente para conclu-
siones prácticas positivas (en este caso, la regla de «usar mal
seso manifiesto»).

509-10. La igualdad del riesgo de «menguar» o de «sobrar», de
quedarse corto o de pasar la raya, se enuncia más explícitamente
en los vv. 679-80.

513-24. La condena a la oposición irreductible entre·el beneficio y
el «brío» o exigencias (que son también las exigencias de la inteligencia y de la duda) se expresan adecuadamente con esta serie de
imágenes concretas y aun groseras.

519-20. Se alude al refrán castellano, que corre con diversas formas, por ejemplo, la anticuada «No se cogen truchas a bragas en-
jutas» o la más moderna «Para coger la trucha hay que mojarse el
culo».

525-52. El pasaje (cfr. nota a 445-52 y a 460) remata con esta formulación de una serie de ejemplos de concomitancia de contrarios
agrupados en parejas verso a verso (cuyo paralelismo sin embargo
se rompe sabiamente en 535-38 y en 541-48), según un esquema estilístico que es (como en las frases de Heraclito) la forma propia de
la lógica de la contradicción, y del que encontramos otro ejemplo de
desarrollo largo hacia el final del poema, vv. 2381-424.

525 y 527. Las antítesis «noche/día» y «caliente/frío» figuran también entre los ejemplos de las *synapseis* heraclitanas (frs. 67 y 126).

535-36. Sobre el sentido de la excepción de Dios de la ley de contradicción del mundo, cfr. nota a 333-48 y a 381-88.

541-44. Una sentencia semejante se encuentra en los *Apotegmas*
de Honain (v. nota al v. 7). Pero no se trata sólo de que, en el
terreno moral o estético, sólo por contraste se conozcan, e.e. se ex-
perimenten, las cualidades, sino que en el plano lógico mismo, cada
término sólo tiene sentido por antítesis con su opuesto (cfr. Heraclito, fr. 111 Diels).

553-664. La exposición de la lógica contradictoria se vuelve en
este pasaje a su aplicación a las «costumres» o cualidades morales,
que estaba ya anunciada en los vv. 397-400: no hay pués actitud
moral, virtud o norma de conducta que pueda mantenerse como
válida para todos y en cualquier caso (ni siquiera la generosidad, a
la que se dedica un excurso: 561-96), y no cabe más que cambiar,
como el mundo cambia, de cualidades y conducta. Para el enlace
con lo anterior, cfr. nota a 397-444.

591-96. La enumeración de parejas de «costumres» contrapuestas que resultan tan mala la una como la otra (553-60 y 597-600) se interrumpe al mencionar la «franqueza» o generosidad: no puede aquí el rabino menos de notar que ésta sí que sería una virtud verdadera incomparable con las demás (pues en efecto, el desprendimiento del propio dinero no es sino el reflejo del desprendimiento de sí mismo, lo cual, reconocido el carácter esencialmente «malo» de mí [cfr. 801-04], parece la formulación de la virtud por excelencia), pero ello para reflexionar en cómo esta única virtud posible es de una naturaleza paradójica, que la hace destruirse a sí misma: pues, así como dando del propio caudal el caudal del que dar se pierde, y con él la virtud misma de dar, así —podríamos glosar— con el desprendimiento de sí mismo se pierde el «sí mismo» o Sujeto del desprendimiento y, desaparecido el lugar de la virtud, la virtud desaparece.

589-96. Otro de los lugares (cfr. 381-88) que parecen intercalados para eximir al Rey (o a Dios mismo) de la Ley de la mutua destrucción de los contrarios que domina el mundo. Y nótese aquí que, para que el Rey esté asegurado de venir a caer en pobreza a pesar de todas las dádivas, es preciso pensar el caudal del Rey como sin límites; queda así en cierto modo prefigurada con esta excepción la imagen del Estado moderno, productor él mismo del Dinero y con el Dinero identificado. En cuanto a la recomendación para los hombres comunes de atenerse a la alternancia del dar y del guardar (595), cfr. la sección siguiente, y en especial el v. 642, «vez dexa e vez ten», y el 627, «oy largo, cras escasso».

601-44. El pasaje desarrolla (cfr. nota a 397-444) la penúltima consecuencia, práctica, que se desprende de la lógica de la contradicción expuesta en esta primera parte del poema: dada la vanidad de creer en que haya verdaderas virtudes ni bienes, lo único que queda es ser cambiante como el mundo es y relativo como él: mudar de «costumbre» con el tiempo (621-24, 663-64) y según los próximos a los que la conducta moral haga relación (637-40, 661-62); con dos pequeñas digresiones, sobre el perdón (633-36) y sobre el bien del bueno y el mal del malo (653-60), y el desarrollo pintoresco del ejemplo del vado (605-16).

601-02. «Siquier»: «aunque sólo sea por eso»: ya hemos visto que la motivación última de esta recomendación del cambio de moral es lógica (la falsedad de la oposición 'bueno/malo' que en 643-44 se formula nuevamente: «no hay mal en que no haya bien»); pero de todos modos, la motivación práctica que aquí se desarrolla («guardarse de los arteros», «se guardar de daño» en 622, evitar el ser «entrado» en 620) no es sino el reflejo de la lógica: los intereses personales de cada uno están, en efecto, en oposición inconciliable, y si quiere atender a su propio interés, uno no puede hacer más que escurrirse, si le es posible, de los otros, evitar que le «entren», y para ello la única táctica es la disimulación de su persona (la táctica —diríamos— del camaleón), perdiendo la fijeza de su actitud moral y desconcertando la cualificación moral a que los otros quieren someterle. Así uno sólo se salvaría —paradójicamente— dejando de ser el que es.

609-16. Para el gusto por estos breves desarrollos dramáticos, cfr. 777-792, 2085-96 y 2141-92; los cuales son, por otra parte, costumbre estilística propia del género, si incluimos los Proverbios en el género del Sermo o sátira romana (compárense los desarrollos dramáticos, por ejemplo, en las de Horacio).

620. Sobre el sentido del «entrado», véase nota a 601-02.

625-32 y 663-64. Sobre el estilema de la enumeración de parejas de contrarios verso a verso, cfr. nota a 525-52. Aquí sin embargo se produce sabiamente la inconcinidad, al pasar en 629-32 a una serie con un término por verso.

633-36. La mención de la alternancia 'perdón/venganza' ocasiona la intercalación de esta breve advertencia: el perdón y la paciencia están bien cuando no están impuestos por la necesidad; propiamente la advertencia tendría que completarse en sentido inverso: bien está la venganza cuando se puede perdonar y contestar al insulto cuando se puede soportar en silencio. En todo caso, de lo que se trata es de introducir la contradicción entre la acción del Sujeto y su propia necesidad, anular así la necesidad moral constitutiva de la Persona (véase nota a 601-02). Que semejante recomendación sea o no practicable no es cosa que deba desanimar a la irónica moral de don Sem Tob.

639-40 y 643-44. Nótese la anulación del sentido de la oposición ética fundamental 'mal/bien' en estos dos pares de versos. Por lo demás, para el verso 644, recuérdese el precedente del refrán castellano, siempre tan frecuentado, «No hay mal que por bien no venga» (donde, por cierto, seguimos, en virtud de la fosilización de la fórmula, usando la preposición *por* como en castellano antiguo, como mera variante de *pora*, y con el sentido que hoy se reserva para *para*).

642. La pareja «dexa» y «ten», no sólo con el sentido de «da» y «guarda» (cfr. al final de la nota a 589-96), sino con el más general (y de acuerdo con el «pagado e sañudo» de su misma frase) de «renuncia» (a tus pretensiones, a tu venganza) y «retén», esto es, aférrate a ellas, insiste en ellas.

645-48. Véase aquí claramente cómo la recomendación práctica trata de compaginarse con la exigencia lógica: la oposición 'mal/bien' que la lógica ha anulado (cfr. nota a 639-40) se contrapone a su vez con la recomendación 'más o menos', 'lo menos posible y lo más posible', que son (en cuanto 'algo más/algo menos' es el opuesto de la exigencia de oposición absoluta 'sí o no') la formulación por excelencia de la sumisión a la práctica. El tono irónico que de tal formulación resulta no hace falta encarecerlo.

Por otra parte, esta ironía en el uso de los términos 'bueno' y 'malo' queda todavía más patente en la formulación del v. 647 «a malos e a buenos» (para unos y para otros sirve indiferentemente la recomendación moral). Cfr. una ironía semejante en el proverbio de don Antonio Machado: «Que se divida el trabajo: / los malos unten la flecha, / los buenos tiendan el arco».

649-52. La irónica confusión de la antítesis 'el bueno/el malo' continúa con esta fórmula, en la que resulta que la honra o respeto no puede atribuirse, como la Moral vigente pretende, a ningún mérito, sino a todo el mundo: al bueno porque es bueno y al malo porque es malo.

653-60. La vaciedad de la calificación de 'bueno' y 'malo' (cfr. las dos notas anteriores) se revela aquí graciosamente, en cuanto esa calificación (de carácter moral permanente) se escinde del bien y mal de las acciones o efectos prácticos sobre uno: el bueno que no (me) hace bien y el malo que no (me) hace mal son todo lo malo que puede ser un bueno y todo lo bueno que puede ser un malo; y en ese punto evidentemente se anula para mí su diferencia.—De todos modos, esa escisión se encuentra ya sutilmente expresada en uno de los *Apophthegmata* de Honain (II 1, 10), puesto en boca de

Sócrates: «Mejor que la bondad es que uno la manifieste; peor que la maldad es que uno la manifieste».

665. Delante de este verso se leen en los códices los vv. 461-552, de las razones de cuya trasposición véase nota a 460.

El enlace con lo anterior de este último pasaje (665-96) de la primera sección del libro puede tal vez esquematizarse del siguiente modo: Dado pues lo cambiante y contradictorio del mundo, lo más sano para uno es no tomar una actitud fija, sino mudar de moral continuamente. Pero además, aun cuando cupiera pensar que a uno le corresponde un punto y medida determinado, ateniéndose al cual acertaría, el mal «seso» de los hombres es tal que por su propio entendimiento no acertarían con ese punto: acierta con él aquél a quien Dios (que es el entendimiento exterior a las contradicciones del mundo) le «da ventura»; sólo después del acierto viene la ridícula creencia de que se ha debido al propio «seso».

666. La locución «saben el seso» (i.e., lat. *sensum sapiunt*) no deja de ser notable: lo mejor parece entender «seso» como acusativo interno: 'tienen sabor y sabiduría de buen sentido'.

667-68. Merece la pena parar mientes en esta estadística de la cordura que el rabino hace con su gracia acostumbrada: el mundo normal separa con el nombre de locos a una exigua minoría; pues bien, aceptando esa cuenta, yo diré que los cuerdos son una minoría más o menos igual de exigua. Con lo cual ya se ve que la mayoría no son nada, y siendo en el mundo normal una oposición privativa la de 'cuerdo/loco', lo que se hace con ello es neutralizar esa oposición. En cierto modo es más eficaz esta manera que la simple inversión que practicaban los estoicos (v. p. ej. en Horacio *Sermones* II 3) haciendo que todas las gentes normales sean locos y el Sabio, a quien las gentes normales encerrarían con los locos, el único cuerdo.

669-80. Para la indiferencia del pasar la raya o quedarse corto, cfr. nota a 509-10; y sobre la teoría del límite preciso, que subyace a las presentes consideraciones sobre el acierto, nota a 397-444.

681-88. La observación de que las cosas se hacen según Dios entiende y no por el propio entendimiento la hemos encontrado ya, con repetición casi exacta de dos versos, en 345-48. Se hace lo que place a Dios, en cuanto que El se identifica en cierto modo con el azar o «ventura» misma que rige la guerra de los contrarios constitutiva del mundo; para lo cual véase nota a 333-48.

689-96. Una vez que el acierto se produce por «ventura» y no por «seso», es también inevitable que el Sujeto del acierto piense que se ha producido por cordura suya, demostrando con ello mismo su locura. Que Dios a su vez (en el sentido de la palabra que hemos tratado de aclarar en notas anteriores) desde fuera se ría y haga burla de él no es sino manifestación de la ironía fundamental de la situación toda. Pero no deja de ser curioso el contraste que resulta entre la faz tradicional del Señor de la Biblia y de los católicos y la de este Dios que se toma a burla y risa las contradicciones de los hombres.

697 y siguientes. Desde aquí comienza la sección central del libro, que dura aproximadamente (con el intermedio de la reflexión metódica en 1701-32) hasta el v. 2424: una vez que en la primera sección el poema ha expuesto de diversos modos la lógica de contradicción que rige el mundo y la consiguiente imposibilidad de la regla moral y de que haya ninguna verdadera virtud ni vicio (esto vuelve a resumirse, al cerrarse la sección, en los vv. 2425-28), en esta parte central

se dedica el poema sin embargo a hablar de diversos vicios y virtudes y hasta de vez en cuando a tomar la forma de prédica o
consejo; de este modo el poema se convierte él mismo en un ejemplo
de la contradicción consigo mismo que rige el mundo entero de los
hombres. Con todo y con eso, esta condescendencia con el lenguaje
ético habitual es más o menos resignada en los varios pasajes de
esta sección, y aun en ella no faltan las irrupciones de la duda y
la ironía de que el poema se alimenta, así como tampoco las flagrantes contradicciones de unas sentencias con otras, de unos consejos con otros; las cuales trataremos de poner de relieve en los
momentos oportunos.

697-800. De esta sección de moral aparentemente positiva el primer pasaje está dedicado, como es justo (recuérdese que nuestro
primer poema moral, los *Trabajos y Días*, arranca también de aquí),
a la recomendación de la actividad y del trabajo. Es decir, que,
dándose cuenta el poeta de que la torpe lógica vulgar puede de las
anteriores consideraciones de la contradicción y la incertidumbre del
mundo sacar la conclusión práctica de recomendar la inactividad y el
«no hacer nada», como si ello fuera posible, se apresura él a presentar la vanidad de semejante pretensión, aunque sea a costa de
afirmar que el «seso çierto» es pasar trabajos; pero nótense los tres
tipos de razones que emplea para ello: 1.º) la propia condición social
de uno le obliga a ello (697-704 y 743-46); 2.º) más aún, es ley «natural» el moverse para la propia subsistencia de uno como uno mismo (721-40); 3.º) en fin, el propio ocio o «folgura», en cuanto pretende
lo imposible, mantenerse perpetuo y sin alternancia con el trabajo,
se demuestra tan odioso como el trabajo mismo (761-800).

700. «Siquier»: por lo menos, por fuerza de la razón social (mani-
festada en el «riebto» reproche o crítica de los prójimos), que es al
fin la manifestación humana de la ley «natural» (v. nota anterior) que
domina a todos los seres.

705-09. Este par de coplas son uno de los ejemplos más graciosos
de la ironía de los Proverbios: trabaje uno —se dice en la primera—
c o m o   s i el ganar o perder dependiera de lo que él hace (cosa
que hemos visto que es falsa: en 693-96 Dios se burla del hombre
que cree que puede «alongar daño nin provecho traer»); y en la
segunda se remata: si luego ve que el trabajar no sirve de nada,
acuérdese entonces de que el ganar y el perder en verdad no dependen de lo que él haga.

713. El «guareçer» o «guarida», esto es, el mantenimiento o subsistencia de uno, en el sentido más amplio, se desarrolla más abajo
(721-24, 737-40) como la exigencia de uno que condiciona su sumisión
al movimiento y al trabajo.

717-20. Con los términos «gualardón» y «destajo», opuestos a «don»,
se representa bien el carácter económico de la actividad, como trabajo con su paga y para su paga (la propia subsistencia), ley económica del trato entre los hombres que aquí justamente aparece gene-
ralizada como ley «natural» o Ley de Dios. Dios, en efecto, no puede
querer que nada sea «en don» o gratuito.

721-28. La generalización de la ley económica a toda «cosa naçida» se pone sobre todo de relieve cuando el movimiento de las estrellas mismas aparece en el v. 727 como un «lazrar», como un trabajo
y penalidad.

731-32. Las estrellas se mueven para «fazer a Dios serviçio» en el
sentido de que, siendo 'Dios' el nombre de la ley de contradicción

que lo rige todo (en este caso, la contradicción entre el moverse y el subsistir), ese movimiento es una sumisión a dicha ley.

734-35. Es en cambio notable que el movimiento del hombre sea «para mejorarse a sí mismo»; pero piénsese en cómo la sumisión a la ley económica del mundo y la «guarida» o subsistencia de uno son dos intereses que coinciden en uno mismo.

737. Nótese la violenta contradicción: Dios le da al hombre entendimiento para buscar su subsistencia no obstante el hecho de que el hombre no hace nada «por su entendimiento» (687-88). Queda así el entendimiento (ilusorio) del hombre reducido a la condición de mero implemento del mecanismo de obediencia a la ley de moverse para subsistir.

755-56. A tal punto la vida de uno se identifica con su subsistencia (que sólo por el movimiento se consigue), que el hombre que no se mueve (¡si ello fuera posible!) es igual que un muerto; y su desvaloración social es el reflejo de su propia disolución como ente subsistente.

765-68. Pongamos de relieve esta notoria contradicción, tan instructiva, entre dos pasajes del poema: si aquí el cuerpo «folgado» u ocioso (pues el ocio es el bien por excelencia del «cuerpo») hace sufrir de trabajos al corazón, y en definitiva estas congojas vuelven a arrastrarlo a la actividad «errada», justamente al revés en los vv. 893-96 las «almas grandas», esto es, la ambición desmedida del alma (pues el bien del «alma» es la adquisición y aumento de la propiedad), hacen «lazrar» a los cuerpos en alcanzar lo que ellas quieren. Aquí, por así decir, el alma se queja del ocio contra el cuerpo: allí el cuerpo se quejará del alma por el trabajo.

769-92. El pasaje desarrolla una inesperada consecuencia subsidiaria del demasiado ocio: si de un lado el ocioso se aburre él mismo (765-68), del otro lado aburre a los demás. Es decir, que si el trabajo encierra a cada uno en sí mismo y lo priva de la compañía, el ocio demasiado, que hace que uno esté demasiado disponible para cualquiera, acaba por privarlo del beneficio de eso, que es de lo que más tiene «mester» o necesidad, de la compañía (para la necesidad de la compañía, cfr. v. 2052). En efecto, así como no es posible ni trabajo sólo ni sólo ocio, así también ni compañía ni soledad. Pero nótese que entre ambas antítesis la correlación término a término es entre el trabajo y la soledad por un lado, el ocio y la compañía por el otro.

777-92. Para la forma de breve escena dramática que la comparación de la lluvia toma, véase nota a 609-16.

779. El verbo uviar, anticuado ya enseguida después de la época de Sem Tob, es el latín obuiare.

793-94. La sentencia del μηδὲν ἄγαν o nequid nimis, una de las más famosas de los Siete Sabios de Grecia, atribuida generalmente a Quilón, aparece con diversas variantes por toda la literatura (p. ej., Homero Od. VII 310, XV 71, aunque la formulación en un fr. de 'Focílides' es más cercana a la versión que presentan los Buenos Proverbios, 17: «La mejor cosa del mundo es la mesura»; en Hesíodo Trabajos y Días 40 aparece ya una fórmula más paradójica, «es más un medio que todo», a la que se acerca ésta de Honain II 1, 10: «Lo mejor es lo medio», evidentemente con la ambigüedad de los dos sentidos, por no hablar del tercero, que la palabra medio permite; cfr. la aurea mediocritas de Horacio Carm. II 10, 5), y el propio Sem Tob vuelve en 1201 («Conoçe tu medida e nunca errarás» y cfr. 397-98) sobre la noción de la mesura. Pero nótese que, dentro de la lógica de la guerra de contrarios que el poema expone (cfr. nota a 397-444), la recomendación del «nunca mucho», «nada demasiado», del medio y la medida, tiene un sentido más preciso: las cosas (y los hombres) están condenadas a la ley del O sí O no, en la cual literalmente no cabe la noción del intermedio ni del más o menos; cuando en la práctica pues se recomienda «Nunca mucho», lo que se está haciendo es tratar de disuadir de la ilusión de adscribirse a ninguno de los dos términos extremos (pues que en su oposición el uno viene a ser igual que el otro: «egual uno d' otro el menguar o sobrar» 509-10), y así con evitar lo mucho de cualquier cosa se está recomendando de otro modo lo mismo que cuando se recomendaba en vv. 601 ss. el continuo cambio de «costumbre»: no creer en virtud ninguna ni fijarse en ninguna actitud moral; aquí, por ejemplo, el ocio (al que sin embargo se le reconoce implícitamente la «bondad», el carácter de «espeçia fina»), en cuanto pretende ser demasiado, esto es, solo y sin trabajo, se convierte en un trabajo él mismo. O resumiendo: «Ni ocio ni trabajo» dice la lógica de las cosas, y de ahí la práctica tiene por lo menos que recomendar «Trabajo y ocio juntamente».

795. Con poca seguridad entiendo «contralla» (esto es, «contraria»: cfr. *contrallo* en E) como «antídoto», pequeña dosis de antitóxico, seguramente preventiva, por oposición a la ingestión de muchas medicinas curativas. Encuentro en el nuevo *ms.* de Cuenca (la copia de memoria del reo de la Inquisición publicada por Luisa L. Grigera), copla 154, esa forma *contralla*.

797-800. La ley que impide el exceso (cfr. nota a 793-94) se manifiesta aquí como condena a la alternancia entre los extremos, y aparece, por la comparación con la luna, como ordenamiento «natural»; sobre lo cual cfr. nota a 717-20.

801 y siguientes. Después de la fundamental condena al trabajo, se dedica una larga parte (y seguramente la más trivial) de los Proverbios a la consideración de los males que al hombre le amenazan viniendo «de sí mismo» (802); se anuncian los principales en 805-07: envidia, ira, codicia (habría que añadir «soberbia»), y se pasa al desarrollo, primero, de la codicia, que es el peor de sus males, en 809-920 (seguido de dos pequeños excursos: 921-52 y 953-80; y terminando con la alabanza del «bien hacer»: 981-1018) y todavía 1019-28, 1049-56; a la ira se vuelve a aludir tan sólo en 1041-48; a la soberbia se dedican 1057-1108; sobre la envidia se vuelve sólo, después de otros pasajes de consideraciones varias, en 1501-20, aparte de la breve nota de 901-08.

802-03. «Que se guarde de sí mismo más que de un enemigo»: si bien ya hemos visto que la lógica de la contradicción se manifiesta socialmente como oposición inconciliable de intereses personales (v. nota a 601-02) y sobre esta necesidad de la guerra entre los bienes de los hombres se vuelve al final del poema (2617-20 y 2645-700), la manifestación de esa lógica no se detiene ahí, sino que ha de hacer que cada uno sea el peor enemigo de sí mismo. Los vicios considerados típicamente egoístas van pues a denunciarse por lo contradictorio justamente de su pretensión egoísta, en cuanto son males, no para otros, sino para el mismo en quien se manifiestan. Al fin y al cabo, la codicia, la envidia y los demás no son sino revelaciones de la escisión interna del Sujeto y de lo falso de su unidad, pues que dentro de él, lo mismo que en el mundo, se producen tan flagrantes contradicciones de intereses. Es, por ende, el «sí mismo» el que con estos análisis arrostra la perdición de su sentido propio.

809-16 y 837-42. El mal de la codicia pues consiste en el hecho de que no tiene límite (cfr. nota a 397-444): la codicia de riqueza se funda en la aspiración al aumento y afianzamiento del propio ser; ahora bien, todo ser está condenado a la ley del O sí O no, respecto a la cual el más o menos es impertinente; de ahí la vanidad de la codicia, que trata de alcanzar el Sí por el camino del Más, cuando el Sí es definición y el Más no tiene definición posible ni, por ende, paradero.

816. «Falta viene de sobra»: nótese una vez más el gusto por la formulación epigramática y paradójica.

817-36 y 843-56. Con alguna incertidumbre propongo la versión de los elementos de indumentaria: «peña» (lat. *pinna*) por 'forro de pluma' (cfr. J. Ruiz 666, 1277, 1404), «tavardo» por 'gabán', «calças» por 'botas altas'.—Nótese, por lo demás, la disposición paralela de dos ejemplos concretos (compárense las dos visitas cargantes en 2085-128 y 2133-92).

857-920. Después de los ejemplos concretos, tres consideraciones sucesivas a propóito de la codicia (857-72, 873-92, 893-908) y un a modo de resumen general de la cuestión (909-20).

875-72. He aquí el sentido de la primera consideración: cabe en el mundo una de dos: o buscar y no encontrar o encontrar y no satisfacerse; *tertium non datur*. En efecto, cuando uno codicia una cosa, la codicia en cuanto que no es suya; pero si la hace suya, pierde ese carácter de no ser suya en virtud del cual la codiciaba, y por lo tanto lo que tiene ya no es lo que buscaba. Es otra manifestación del conflicto interno que constituye la Persona (cfr. nota a 802-03).

869-72. Visto pues (cfr. nota anterior) que no cabe «el terçero», considérese el tono irónico que cobra aquí la alabanza del disfruta de lo que tiene. Malamente podría confundirse esta ironía con el tópico conservador que, tomada aislada, parece reproducir.

873-76 y 909-12. Se trata de establecer una distinción entre lo bastante y realmente necesario para uno («lo que le cunple», «el menester») y lo que pasa de ahí, la demasía («sobras», «lo de más»). Por supuesto que ese límite de lo bastante, de la necesidad, es enteramente ilusorio, o, mejor dicho, de trazado puramente arbitrario; lo que se alaba pues con términos necesariamente vagos («poco» en 874, «no mucho» en 912) es que se trace arbitrariamente ese límite, en la confianza de que todo el mal de la codicia está en perseguir lo demasiado o superabundante con respecto a ese límite.

877-80. Dicho límite, en efecto, sirve como eje de revolución de la relación 'señor/siervo': por debajo de él, el que tiene es dueño (y usuario) de lo que tiene; por encima, lo tenido es dueño (¡y usuario!) del que lo tiene.

885-88. Con esta oposición entre placer y miedo toda relación de posesión queda caracterizada: lo que uno posee, desde el momento que lo posee, no puede disfrutarlo (véase en nota a 857-72) pero ello no impide el miedo de perder su posesión, esto es, de que lo suyo deje otra vez de ser suyo y con el no ser suyo vuelva a serle esencialmente deseable. En realidad, el miedo de perder lo de uno, en cuanto anticipa su alienación, constituye una especie de deseo de tener lo que se tiene y la sola forma de disfrute de la posesión.

892. El tópico del heredero se desarrolla en los vv. 1181-88.

893-900. La obligación de trabajar y moverse que imponen a ıos «cuerpos» las «almas» por su grandeza o desmesura la hemos contrapuesto a la relación inversa y complementaria en nota a 765-68. Nótese además que el tema de la codicia parece aquí pasar a otra modalidad, en cuanto se trata del ansia de «se onrrar»; pero que la honra y el dinero son simplemente dos formas del Capital, equivalentes y mutuamente substitutivas, es algo en lo que no creo que haga falta insistir mucho: en todo caso, son ambos los objetos del deseo del «alma», los que «apersonan» (cfr. nota a 356), por oposición a los de los «cuerpos».

901-08. Si el vicio por excelencia del «alma granda» es la codicia, también lo es, por otro lado, el «çelo» o envidia: no habiendo sabido trazar el límite arbitrario de su «bastante» (cfr. nota a 873-76), su único criterio es el comparativo, a saber, el tamaño de la persona del «vezino». La muerte los iguala en el sentido de que ella revela que el ser de sus personas no consistía en verdad en más o menos, sino en ser ambos y cada uno lo que eran. Cfr. nota a 793-94.

909-12. Véase nota a 873-76.

913-16. «Desea sólo lo que puedas tener» es otra variante de la recomendación de fijar el límite de lo bastante para uno, de que cfr. nota a 873-76; el peligro que en caso contrario amenaza es que «te falte *todo* lo que deseas»: en efecto, como el error de la codicia consiste en buscar por medio del más el todo (esto es, el Sí: v. en nota a 793-94), está claro que, por más que consiga, siempre le falta todo.

917-20. De la copla los dos primeros versos resumen el pasaje de la codicia (809-16) y los dos segundos insisten en el tema general de toda esta sección del poema: no atenerse a ninguna «costumbre» o cualidad moral; sobre el sentido del «medio» cfr. nota a 793-94.

921-52. Este extraño pasaje parece venir a interrumpir con una cierta violencia el decurso de las consideraciones sobre los males que nacen de «sí mismo» (v. nota a 801), como si fuera un desahogo del alma del propio poeta, atormentada por la envidia de los afortunados. Él mismo lo anuncia como una «de las muchas querellas que 'nel coraçón tengo», y es algo que «perdonar non lo podría» (931-32): a saber, que, pese a todo lo dicho acerca de la vanidad de la codicia, lo cierto es que la apariencia real del mundo presenta el espectáculo del codicioso, intrigante, malvado, dispuesto a hacer a los otros cualquier «astrosía» o faena sucia con tal de sacar una mísera ganancia (926-31) y a soportar por ello todas las vilezas que el hombre honrado considera insoportables y vergonzosas (945-48), y a quien sin embargo la suerte no sólo le hace conseguir lo que busca, sino que le pone en las manos los valores y los honores que ni siquiera se atrevería a codiciar (933-44). Lo más notable del pasaje es que no se cierra con ninguna reflexión consoladora, sino que, a pesar de que el poeta debería saber la falsedad de pensar que uno pueda de verdad alcanzar lo que desea (cfr. nota a 857-72), y a pesar —más aún— de que en la primera parte del poema ha dicho (333-48) que él «no se agravia» por que el mundo o Dios repartan injustamente sus bienes al necio y al sabio, al diligente y al perezoso, aquí sin embargo la querella queda abierta, como si hubiera querido don Sem Tob mostrarse a sí mismo como ejemplo de la contradicción de todo y sugerir cómo, sea cualquiera la verdad de una filosofía, ella no sirve en todo caso, precisamente en la medida que no sea mentirosa, para consolar al filósofo ni curar la querella de su corazón, que le viene de ser, como los demás, del mundo, y ejemplo él mismo de sus contradicciones constitutivas.

923. Muy sorprendente es que, para introducir esta queja, diga el poeta que es «la menor dellas»; tanto, que la lección «menor» la conserva sólo el manuscrito C, en tanto que los otros tres escriben lo que se esperaría, a saber, «mayor»; pero se trata sin duda de un

buen ejemplo de *lectio facilior* o trivialización en la transmisión del
texto y la lección de C es la preferible, con la que resulta una expresión según el acostumbrado humor de don Sem Tob y que ligera-
mente sugiere tremendas perspectivas sobre las demás querellas que
llenan su corazón.

927-28. La tradición del texto es muy confusa en los manuscritos;
he reconstruido así la frase, suponiendo una locución «si echare a
pro» («si le trae beneficio», «si le viene bien»), con un *echar* semejante al de 'echar a broma', 'echar de menos' y locuciones similares.

941. La Ventura (la Suerte, la Fortuna) aparece aquí claramente
personificada, aunque en otras partes vemos cómo es Dios mismo, en
cuanto exterior a las contradicciones del mundo, el señor de la ventura (cfr. 685-89 y notas a 333-48, 681-88 y 689-96).

953-80. Segunda digresión a partir del tema de la codicia, y uno
de los lugares en que aparece la figura del Sabio (v. su enumeración
en nota al v. 7) que era seguramente central en el libro de *Sabiduría*
que don Sem Tob glosa. De todos modos, esta cuestión del discípulo
al Sabio y el apotegma de éste, en el sentido de los vv. 971-76, están
también en el libro de sentencias de Mubashshir ben Fatik (por
1053/54), lleno a su vez de resonancias de los *Mussre* de Honain, y que
es el que está traducido en nuestros *Bocados de Oro* del códice
del Escorial; así en *Boc.* 141 se cuenta de Pitágoras: «E alavaron
el aver antél, e dixo: '¿[Para] qué quiero el haver, que es cosa que
se guarda por escassedat e piérdese por franqueza?'»; y en *Boc.* 359:
«E dixeron a Linadas: '¿Por qué aborreçes el haver?' E dixo: '¿Por
qué quiero cosa que la [trae] la ventura, que se [guarda] con escasseza e que se pierde con la despensa?'».

957-64. Recuérdese, en oposición a esto, la necesidad de «bolleçer»
y de «lazrar» (vv. 721-44) como medio de «guareçer» o subsistencia.
Sin duda Sem Tob distinguiría entre el trabajar por la subsistencia y
el trabajar para reunir «aver» o hacienda.

965-68. Compárense los vv. 857-68 y las notas correspondientes.

969-72. Compárese 497-500 y 685-96.

981-1024. Como un corolario final del pasaje de la codicia (cfr. nota
a 801) y en contradicción («Con tod' esto») con el desprecio del
«aver», aparece esta exaltación del «bienfecho», del «hacer bien», como
una especie de redención única del Dinero; hasta el punto de que
todavía en la sección final del libro (2441-60) se vuelve a alabar el
«bien fazer», junto con el «saber», como las dos solas «costumres»
o virtudes exentas de contradicción.

985-88. En cierta contradicción con los límites que a la «franqueza» o generosidad se le oponían en 561-96, y a pesar de que el Sabio
dice en 973-76 que la hacienda se pierde por la generosidad y se
mantiene con la avaricia, se recuerda aquí que en definitiva todo
está regido por la ventura y no por el esfuerzo ni el cuidado de uno
(969-72, 497-500, 685-96); y en consecuencia, la operación de la Ley
económica del mundo aparece otra vez en su objetividad despiadada,
y el Dinero, que unas veces «está de venida» y otras «de ida», se
revela como dotado de una vida propia.

997-1000. La sentencia aparece en forma parecida en Honain.

1002. Saco la palabra insólita *condejo* (de un lat. *condiculum*) de
las varias lecciones de los manuscritos: *conde fijo* en M, *consejo*
en C, *escondrijo* en N (en E, *Ryncones*), *esconderlo* en el nuevo *ms.* de
Cuenca.

1005-16. Es uno de los dos lugares en que aparece en don Sem
Tob el aprecio por el nombre o fama póstuma (el otro es, sobre la

«mala fama», 1183-88), que no es sin duda de las cuerdas dominantes de su cantilena de burgués. De todos modos, una sentencia de forma parecida a la de 1013-16 se encuentra en Honain (I 15, 2), y el tema del «buen nomre» tenía larga tradición en castellano: véase cómo don Juan Manuel en el exemplo 16 de *El Conde Lucanor* hace que Fernán González modifique el «vierbo antigo» que decía «Murió el onbre et murió el su nonbre» en la forma «Murió el onbre, mas non murió el su nonbre», que a su vez llegó a pervivir como nuevo refrán, por ejemplo en la versión «Murió el conde, mas no su nombre», donde sin embargo el pueblo con justicia reserva al noble la sobrevivencia de la fama (cfr. M.ª Rosa Lida 'Tres notas sobre don Juan Manuel' *Romance Philology* IV 155-94), cuya idea encontramos al fin sistematizada en la *Coplas* de Jorge Manrique (405 y 412-20), en boca de la Muerte.

1019-24. En oposición al «bien fazer», que se exime de la lógica de las contradicciones (v. nota a 981-1024), para todo lo demás («en al») se recuerda y resume la doctrina del rechazo del exceso («lo de más») como origen del mal entre los hombres (cfr. nota a 793-94).

Rehago así la sintaxis del texto, sin duda deteriorado en los manuscritos, sacando en el v. 1022 un «do exe» («de donde sale») a partir de sus variantes («dexa» M, «dexar» N y E, «desear» C).

1025-056. Un pasaje misceláneo sobre virtudes y vicios, con una cierta unidad estilística en cambio, en cuanto se oponen con repetido paralelismo los males de algunos bienes aparentes («ganança/segurrança») y los bienes de aparentes males («omildança/buenandança», «loçanía/obedençia», «pobreza/riqueza»), con el inciso 1041-48 sobre la «saña» o ira (cfr. nota a 801). Nótese sobre todo que se mezclan aquí en uno las cuestiones referentes al dinero (al principio y al final) con las referentes a la honra (en el centro); sobre la equivalencia de ambas véase nota a 893-900.

1026-28. «Talegas»/«venas» sirven bien para oponer el bien social o del «alma» al bien del «cuerpo», la despreocupación: ¿que este valor, y no el de 'seguridad', le damos a «segurança», en el sentido del lat. *securus*, derivado privativo de *cura*, que es, con el de 'miedo', el nombre del enemigo del placer para los epicúreos; así en el *cura metusque* de Lucrecio.

1033-36. Para encontrarle alguna punta a la copla, uno esperaría más bien que la «omildança», en principio peyorativa (como 'rebajamiento'), se identificara paradójicamente con la «buenandança» o prosperidad. De todos modos, en el manuscrito C faltan, sin duda por salto mecánico, los vv. 1035-38.

1037-40. Aquí, en cambio, la formulación paradójica es notoria y repetida: se identifican las cualidades, normalmente contrapuestas, de 'soberbia' y 'sumisión', el 'gozo' más relajado («barraganía») y el 'aguante' o 'sufrimiento'.

1041-48. Recuérdese que la «saña» está entre los males que vienen «de sí mismo» (cfr. notas a 800 y 802-03), y está por tanto en la lógica de la contradicción de uno consigo mismo que la represión de uno mismo sea, a fin de cuentas («a la çima») su propia exaltación.

1049-56. Al aplicar a la estructura de la Sociedad la anulación de sus antítesis constitutivas («pobreza/riqueza» o «desonrrado/onrrado»), parece caer don Sem Tob en el vicio común a los moralistas (que es «conformismo» justamente porque es error) de creer que, así como de la riqueza en verdad no puede disfrutarse (véase nota a 857-72), habría por el contrario una riqueza verdadera, a saber, la pobreza, de la que sí podría uno disfrutar; lo cual es falsedad, en el sentido de infidelidad a la lógica de la contradicción, según la cual, en efecto, no cabe ni riqueza ni pobreza, sino su guerra: el rico no disfruta de su riqueza, porque la tiene, pero el pobre tampoco, porque no la tiene.

1057-80. Desarrolla el pasaje la cuestión de otro de los males «de sí mismo» (cfr. nota a 801), la «loçanía» o soberbia. La argumentación gira aquí en torno a un solo eje: el de la oposición entre 'soberbia' y 'entendimiento' o 'consciencia' («seso» en 1062, «meollo en su tiesta» en 1075-76, «si conoçiesse al mundo e a sí» en 1079-80). Con esto debe bastar, en efecto, para desautorizar toda arrogancia: pues no se olvide que el entendimiento, la inteligencia, la consciencia del mundo y de sí mismo, es la sabiduría a cuya exaltación está todo el poema dedicado como aquello que está por cima de las virtudes y por fuera de la necesaria contradicción de todas. Pues bien, consistiendo la sabiduría en la conciencia de las contradicciones del mundo, y por ende de uno mismo, es por definición evidente que cualquier creencia en un bien sin contradicción y por lo tanto cualquier seguridad o aprecio de sí mismo se excluye sin más con ella.

1058-60. La habilidosa contraposición de las honras y los méritos pone bien de relieve cómo en el mundo, en contra de la pretensión de la justicia vigente, no se pueden tener otros honores que los que no se merecen; el que cree pues que los merece presenta ya con ello la prueba de que no los merece; sería sofístico deducir de aquí el recíproco, a saber, que el que es consciente de que no los merece por ello ya los merece.

1061-72. La antítesis entre «loçanía» y «seso» y la imposibilidad de su conciliación, sobre la que véase nota a 1057-80, se para el poema a ponerla de relieve por la personificación de ambos y por la comparación con los elementos contradictorios, agua y fuego, que la muestra como antítesis «natural», o sea: necesaria.

1073-76. Compárese la sentencia del *Talmud (Megilla* 29).

1079-80. Sobre la doble forma de la consciencia, del mundo y de sí mismo, cfr. nota a 1057-80.

1081-136. En ilación con el tema de la soberbia del anterior, desarrolla este pasaje la antítesis entre el «noble» y el «villano» (1081-96 frente a 1097-108), cuyo segundo término, «villano», se amplía en la coda de los vv. 1109-20; tras lo cual la antítesis, con los nombres ahora de 'bueno' y 'malo' (también 'alto' y 'bajo'), se somete a una dialéctica más sutil: el 'no bueno' menos malo que el 'sí malo'.

En los vv. 1081-120 parece pues haberse recaído en la creencia en que haya verdaderamente buenos y malos, que en la primera parte del poema (cfr. nota a 645-48) se había irónicamente desvirtuado, y sólo los versos del final (1121-36) tornan a dejar la creencia en entredicho.

En cuanto al uso de los términos «noble» (1081) y «villano» (1097, 1110): adviértase el fatídico sino de los lenguajes morales, que para designar los términos opuestos fundamentales de las cualidades objetivas se ven con frecuencia obligados a usar los mismos que designan las clases sociales dominante y dominada (compárese con el caso en griego de καλὸς κἀγαθός, el bien nacido', 'el hombre de bien', 'el bueno', frente a πονηρός, 'el del trabajo', 'l'homme de peine', 'el malo'; el proceso complementario, cuando los nombres abstractos de las cualidades morales se aplican a designar las dos clases sociales, en el uso ciceroniano de *boni* y de *improbi)*, dejando con ello al descubierto la sumisión de la Moral a la necesidad económica del mundo en el que nace, que, sosteniéndola, se sostiene.

1082-88. Contrapóngase con el proverbio de don Antonio Machado (*Nuevas Canc.* IX 84): «Entre las brevas soy blando; / entre las rocas, de piedra. / ¡Malo!»; aunque ciertamente la exclamativa «¡Malo!» debe aquí entenderse en el sentido de «Malo para mí», con lo cual no dejarían de verse a otra luz las presentes calificaciones de don Sem Tob. Las cuales no por ello dejan de recordar peligrosamente la actitud de Augusto magnánimo: *parcere subiectis et debellare superbos* (Virg. *En.* VI 853; cfr. Hor. *Carm. Sec.* 47-48).

1086. El uso, todavía clásico, de *desconocido* con el valor de 'envanecido, descomedido' es útil, por su resonancia etimológica, para el estudio de la equiparación entre arrogancia y falta de conciencia (cfr. nota a 1057-80).

1109-16. Véase cómo el error del moralista le lleva aquí a presentar las «mañas» o conducta del «villano» como rasgos de su retrato, esto es, como medios de fijarlo en una calificación moral.

1117-20. La estructura contradictoria del arco se ha usado, como puro ejemplo de la lógica de contradicción, en la primera parte del poema, vv. 320-22.

1121-36. La dialéctica del «bueno» y el «malo» (cfr. nota a 1081-136) toma aquí un giro afortunado: aunque sea con cierta vaguedad y cautela, lo que en estos versos se sugiere es que la bondad del bueno no es de mucha cuenta (y sobre todo —1129-36— su pérdida está necesariamente compensada, y es también un bien) en comparación con la maldad del malo, la cual en cambio —habría que sobrentender— sí que es real y sin compensación. En suma, como se ve, lo que se predica es la preferencia por la negación o falta de la antítesis moral fundamental: mejor que no haya buenos, con tal de que no haya malos, que no que haya malos, cuya presencia nunca podría compensarse con la presencia de los buenos.

1129-36. Las cuatro imágenes, que pasan de lo social a lo «natural» y otra vez a lo social, reflejan bien la dinámica de la compensación («no hay mal en que no haya bien»: v. nota a 639-40), que es a su vez la manifestación de la anulación de la antítesis 'bien/mal'.

1135. Interpreto la palabra insólita *peçio* (que sólo el manuscrito C conserva: «ofeçio» M, «vjçio» N, «brio» E) a partir de la del lat. ínfimo *pecceium*, que designa la ganancia que se saca de la recogida de los restos de un barco naufragado. Aquí puede entenderse el «naufragio» de la señora en el sentido figurado, como «ruina».

1137-1236. Estos cien versos se destacan de la exposición general por el hecho de que se mantienen continuamente en modalidad de apóstrofe, es decir, dirigidos a la Segunda Persona, con la consiguiente aparición ocasional de Vocativos («Omre» en 1137, «Fi d' omre» en 1141) y de Imperativos (1201, 1211, 1222, 1233), lo cual es inusitado a lo largo del poema (apenas si encontramos la Segunda Persona en 642, 1017-20, 1513-20, 1688-96, 1733-76, 1981-2001, 2282-83, 2426-27, lugares en los que además se trata en general de la Segunda Persona convencional de las recomendaciones morales, que puede intercambiarse con la Tercera); al mismo tiempo, desarrollan estos versos, de una manera bastante inesperada en el contexto del poema, la eterna regla áurea de toda nuestra ética pragmática, en una armoniosa ordenación: a) dicha regla áurea se enuncia por dos veces, al comienzo (1139-40) y al empezar el tercer tercio (1205-06); b) en ambos casos relacionada inmediatamente con la observación de que no puede cumplirse siempre lo que uno quiere (1141-46 y 1213-16); c) al final del segundo tercio (1201-02) se inserta la norma del reconocimiento de «tu medida»; d) el final del pasaje (1229-30) da la razón última de todas estas reglas («Estás por naturaleza obligado a la convivencia»), que en cierto modo se anunciaba al comienzo del segundo tercio (1175-76), al recordar que, en todo caso, «trabajas para otro»; e) las partes intermedias entre estas reglas y sentencias son representaciones impresivas y concretas (la vileza de uno en 1147-72; la codicia y la mentira que la sirve desvanecidas en muerte y mala fama: 1177-200; cómo hacer mal, en 1217-28), y tras el final hay un apéndice (1233-36) para poner al Rey en excepción y ejemplo.

1137-38. La enunciación de la regla áurea ('Tú para los otros como los otros para ti') se condiciona en su aplicación: para el que quiere vivir en paz, y en especial sin ser molestado por las autoridades (el «merino», que aquí las representa, viene a ser como el Juez de Alzada nombrado por el Rey para una villa o comarca, y más bien Jefe de los Servicios de Justicia y Policía para esa circunscripción. V. P. G. Magro *Rev. de Fil. Esp.* I 378-80), con lo cual se pone bien al descubierto el carácter esencialmente político de dicha regla, destinada al mantenimiento de la construcción social, esto es, del compromiso entre el uno y los muchos. La regla, en efecto, con su «Cual...tal» (cfr. 1205-06), revela el fundamento del contrato, a saber: la comparación; pues, lo mismo para fundar la igualdad que para fundar la desigualdad entre los hombres, a todo régimen es común un principio: que 'yo' y 'los otros' sean comparables y aun conmensurables.

1141-46. Es así como la relación entre la regla áurea y la sumisión a la necesidad de que no sea lo que yo quiero, sino que yo quiera lo que es (véasela formulada, en Primera Persona, en 141-44) aparece clara: uno quiere «naturalmente» ser todo (pues necesariamente está informado por la fe absoluta en la Persona), pero al mismo tiempo no es todo, sino término de una antítesis con los otros que no son yo. Así el mismo Dios que le impone la voluntad le impone su contradicción, y su subsistencia como Individuo requiere su integración en Sociedad.

En su edición G. Llubera ponía interrogante (tras «quieres») a esta frase, así como a la de «Non te...dañada» (1147-50), sin duda innecesariamente.

1147-55. Las gráficas imágenes de miseria física que se usan para apoyar la sumisión social son de tradición bíblica, y más de cerca recuerdan frases semejantes del *(Pirke) Aboth* (o *Capitula Patrum* del rabí Nathan) (III 1: «De dónde viniste? — De una gota fétida») y de Salomón ben Gabirol en su *Sarta de Perlas* (Ascher *Choice*, 624: «Me pregunto de qué puede estar orgulloso el que ha pasado por el camino de la orina y de la sangre»). La «gota suzia podrida y dañada» de 1149-50 se refiere sin duda (aunque no pueda menos de recordar la identidad entre vida y putrefacción en cualquier gota de agua corrompida) a la de esperma; en efecto, el estatuto patriarcal de la Sociedad se refleja, en el extremo de su consecuencia, en la creencia de que la Persona está, ya antes del óvulo, en la esperma; y esto mismo se confirma en los vv. 1153-54, «dos vezes passaste camino muy biltado», que deben referirse al paso del padre a la madre en la eyaculación y de la madre al mundo en el parto. Hay que decir que todas estas locuras de la normalidad son bastante ajenas al espíritu general de los Proverbios de Sem Tob.

1157-60. Esta copla, que los manuscritos transmiten detrás del v. 1172, dejando evidentemente coja la frase comenzada en 1156, la he restituido al que parece su lugar, pensando que el copista de un códice más antiguo debió saltársela confundido por la repetición de las rimas en -ado y añadirla más adelante al apercibirse del olvido.

Por lo demás, la palabra «nartado», que sólo el códice E conserva (1158), la mantengo con cierta duda, pero pensando en todo caso que el «menguado» que los otros códices ofrecen es una trasposición mecánica del del v. 1156.

1161-72. Para paralelos, también en estas imágenes, con colecciones de proverbios anteriores, v. los textos citados en nota a 1147-55. Pero no puede menos de reconocerse el tétrico acierto y eficacia de la imagen (1166-72) del galope del insensato sobre la sima en que los gusanos devoran a don Lope; y por supuesto que el uso del nombre propio (cfr. 257-60) y el plural poético «rostros» (que sólo C conserva, habiendo los otros códices trivializado en «rostro») son algunos de los elementos de la eficacia. La cual continúa todavía, sobre la misma nota, en las «tocas», los «huessos» y los «lienços gruessos» de 1177-80.

1176. «Para otre» está en una cierta correlación con el «non naçiste por' bevir apartado» (1229-30) en que se da la última razón del «altruísmo»: a saber, que, de todos modos, cuando en virtud de la tendencia más aparentemente egoísta, «la cobdiçia», te dedicas a acumular riqueza, no lo haces tampoco para ti, sino también para otro, el heredero «que non t' ama» (1182).

1184. Sobre la sobrevivencia en la fama, cfr. nota a 1005-16.

1186. «Mala verdat» es una interesante locución (con el uso de malo o mal como substituto de no, que tenemos, p. ej., en casos como malcierto o mal cierto por incierto o no cierto, o también «Mala ganancia te espera», por «Ninguna ganancia» o «Pérdida») que remplaza, no sin ventaja, a «falsedat» (que se usa en 1347).

1192-96. Compárense los versos que restituimos al comienzo del Prólogo (33-36).

1201-02. La cuestión de la «medida» se ha discutido en notas a los vv. 793-94, 873-76 y 913-16. Nótese aquí su relación con la del «altruísmo» o «socialismo» que el pasaje desarrolla: la medida de uno es justamente su compatibilidad con los otros (cfr. nota a 1141-46).

1207-08. De las varias contraposiciones con que se insiste sobre la necesidad social la más interesante es ésta, en que el contrato se expresa como una relación de mutua servidumbre, cada uno esclavo de los demás y todos del uno.

1213-16. Cfr. 1141-46 y nota.

1217-28. Como la ley de la compensación o del 'Todo se paga' se ha aplicado en los vv. 1209-12 al hacer bien, aquí se aplica al hacer mal. Otra recomendación sobre el modo y condiciones de hacer mal a los otros tenemos en los vv. 1737-52.

1229-32. Cerrando el pasaje (v. nota a 1137-1236), se enuncia abiertamente la razón última de la regla áurea que en él se desarrolla: lo esencial o «natural» (véase el «non naçiste») de la condición social: de que uno tengan necesariamente que serlo muchos. Es en virtud de esta contradicción cómo el pasaje puede insertarse de algún modo en la lógica general de los Proverbios.

1233-36. La peligrosa negación, para todo 'Tú', de la «ventaja» o preeminencia (1231-32) arrastra otra de las periódicas retractaciones con que el poeta se siente obligado a hacer excepción del Rey sobre los hombres; acerca de las cuales cfr. nota a 381-88. Sin embargo, aquí la excepción se hace por vía de convertir al Rey en ejemplo por excelencia de la Ley común a las «gentes», no obstante que los vv. 1235-36 marcan bien la antítesis entre «las gentes» y «él».

1237-1476. Una nueva sección del poema se abre aquí, con una observación general sobre la responsabilidad del hombre (1237-40), a la que siguen unas observaciones sobre sus modos de expresión como modo de conocerlo (1241-52), que dan paso a la exaltación del saber y del libro (1253-1308) y su contrapartida, la maldición del necio o «torpe» (1309-36), de donde una fácil transición lleva a la cuestión de la verdad y la mentira (1337-60) y de ésta a la de la «lealtat» y el «derecho» (1361-80), que da lugar a un largo excurso sobre el oficio del juez (1381-1464), tras el cual se cierra la sección con una contraposición entre el oficio del hombre y él mismo (1465-72) y una copla de vuelta sobre el comienzo (1473-76). Adviértase que se trata aproximadamente de la sección central del poema y que a esta posición corresponde bien el tema de la exaltación de la sabiduría y la verdad.

1237-40. Aquí el hombre se pierde o se gana por sus «mañas», en contradicción con lo que se dice en la primera parte del poema de que él por sí mismo no puede producir daño ni provecho (685-96; cfr. notas a 681-88 y 705-09); con ello se pone una vez más de relieve la contradicción entre esta parte central, de moral aparentemente positiva, con la exposición de la lógica de contradicción, que hemos comentado en nota a 697. Pero esta contradicción se hace más notoria cuando la presente sección se cierra (1473-76) con la insistencia en la responsabilidad, en que uno pierde lo suyo por su maldad y puede por su bondad ganar lo ajeno; y es muy notable por otro lado que la salud y la enfermedad se reduzcan también, en 1239-40, a dependencia de la moral del hombre. Se ve pues algo del sentido que así toma esta contradicción fundamental: en verdad, todo se hace según la Ley «de Dios», esto es, la contradicción, y en verdad los términos 'bueno' y 'malo' no tienen sentido; sin embargo, esto tampoco le libera *a uno* de su responsabilidad, sencillamente porque uno, para ser el que es, necesita ser bueno o malo, tener tal o cual conducta o actitud moral («costumre»); es decir, que estando uno sometido a la Ley de contradicción, no cabe que a su vez esté él de acuerdo con ella (gozando de una falta de actitud y de moral que correspondiera a la verdadera nulidad de los términos morales), sino en contradicción con ella, obligado a ser una u otra cosa determinada, y dependiendo la permanencia de su ser —contradictoria con la contradicción— de que lo sea y se crea por tanto responsable de serlo. Cierto que así bastaría, para esa «salvación», lo mismo con ser bueno que con ser malo; pero el moralista (en este caso; pues hay otros de moral invertida, en que se recomienda ser malo, donde automáticamente la recomendación hace lo malo bueno) recomienda precisamente ser bueno, ajustándose él mismo al uso de los términos en la Moral habitual; y la razón es la de 1473-76, que siendo malo pierde «lo suyo», mientras que siendo bueno puede ganar «lo ageno»: la maldad se define como el mal camino de «salvación», en cuanto que consiste en que uno cree ciegamente en sí mismo, en tanto que la bondad participa en algo del saber, en cuanto que el «bueno» percibe su condición contradictoria (con los otros; consigo mismo): el resultado paradójico es que el bueno es el que sale ganando, en cuanto que su reconocimiento de los otros le abre el camino para salirse de sí y ganar «lo de los otros», en tanto que el malo, que en su falta de sabiduría se encierra en lo suyo y en sí mismo, queda con ello condenado a perder «lo suyo». (Cómo también la salud y la enfermedad —1239-40— dependen de las «mañas», es decir de la relativa dejación de lo suyo o reclusión en lo propio, no puede aquí sino entreverse, recordando la historia de un término como el lat. *salus*, cuyo semantema sólo secundariamente se desdobla en dos, 'salud' y 'salvación', y cómo en la visión bíblica la enfermedad es también un rasgo histórico, esto es, posterior a la expulsión del Paraíso y consecuencia de la condena).

En vista de lo cual, no extrañará que esta sección, que comienza y termina con la insistencia en la responsabilidad moral, lo que desarrolle en su interior sea casi exclusivamente una exaltación de la sabiduría, la inteligencia y la verdad.

1243-44. Nótese la íntima relación en que aparecen el «ser simple» (esto es, no doble, sin doblez, «claro» y «liso», como en 1969-70) y el «bien se razonar»; locución preciosa ésta de 'razonarse' para el propósito de las glosas de Sem Tob, en la cual 'expresión' y 'razonamiento' se confunden en uno: al tiempo equivalente de 'expresarse', 'explicarse', o 'desahogarse' y de 'dar razón y cuenta de sí mismo', 'manifestarse como razón'.

1245-52. Se enumeran, en una cierta escala, tres modos de expresión o manifestación de uno: el regalo, el mensajero, el escrito. Por cualquiera de ellos lo «conoçrás», pero por la «carta» será conocido «en çierto», en cuanto que en ella se manifiesta su «entendimiento». Así, por un lado, la manifestación por excelencia de la persona no es otra que la manifestación de su inteligencia, y por otro (como se confirmará en el pasaje siguiente, sobre el saber y el libro), se cuenta sin más con una identidad entre el entendimiento y sus manifestaciones, más cuanto más propiamente verbales o escritas.

1253-56. El saber se ensalza lo primero por oposición al «aver» o hacienda, pero desde luego, por ello mismo, poniéndolo en competencia de valor con él, como estando ambos, dinero y sabiduría, en el mismo plano, a saber en el del 'valor' en general (cfr. t. en 1260 «buena ganançia»); para el entendimiento de lo cual véase nota a 1237-40.

1257-60. La valoración económica del saber no empece para que el saber sea al mismo tiempo la «gloria» y la «graçia» de Dios. Cómo el saber es su gloria y gracia se entenderá mejor recordando la noción de Dios, que ya en la primera parte del sermón aparecía (cfr. notas a 333-48, 381-88), como al mismo tiempo exterior a las contradicciones constitutivas del mundo y al mismo tiempo siendo El mismo esa Ley de contradicción que rige el mundo. Es así entonces que «el saber» significa ante todo alguna especie de conciencia de las contradicciones constitutivas del mundo, y por ende de sí mismo (cfr. 1079-80) y por ende de algún modo una cierta participación en la exterioridad a dichas contradicciones que es la gracia de Dios; exterioridad, por cierto, que lo sería en todo caso del saber mismo, pero no del sabio, que con él no haría sino entrar en conflicto consigo mismo y con su propia contradicción constitutiva.

1261-308. Sin embargo, véase en este pasaje de alabanza del libro y de las «letras e versos» de los «filósofos» cómo en el rabino se mantiene bastante entera la confianza en el escrito como medio de ir «ganando buen saber» y como tesoro de «sabiençia pura» (1293), que de algún modo le viene de su tradición judaica de fidelidad a la escritura y a la letra. Y el religioso temor al poder de la palabra escrita vuelve a manifestarse en los vv. 1773-1828.

1261-62 y 1305-06. Lo que llegaría a ser tópico insustancial de la moderna ideología de la Cultura («El mejor amigo del Hombre es el libro», como otros dicen «el perro», contradicción que recuerdo haber oído poner de relieve a un ingénuo oyente en un acto de alguna Fiesta del Libro) es aquí en los versos de don Sem Tob algo lleno de un sentido preciso, que se percibirá mejor leyendo los vv. 1849-80 acerca de cómo el placer durable necesita la mútua inteligencia.

1264. «Más que paz val'»: pues en efecto, el lector empeñoso, que va «ganando buen saber toda vía» (1267-68), no con ello gana paz, sino más bien otro modo de conflicto (cfr. nota a 1257-60), el cual sin embargo lo declara el poeta más valioso que la paz misma, a cuya consecución se habían destinado los consejos de la regla áurea (vv. 1137 y siguientes).

1269-84 y 1301-04. Se reconoce de entrada que uno conoce primero a los «sabios» por su nombre, que despierta en uno un deseo personal o añoranza de ellos, una «cobdiçia» de verlos, para en un segundo momento denunciar la ilusión de que se trate de un deseo de la persona, sino que ese deseo es la manifestación del verdadero, que era el deseo de «su sabiduría» (1284).

1277-80. Estos versos se leen en todos los códices detrás del 1292, con evidente incongruencia. Suponiendo que un escriba de un códice anterior saltó primero los vv. 1273-80, debido al comienzo semejante con la palabra «sabios», y que los añadió más adelante con una nota de restitución a su lugar, la cual mal entendida produjo en la copia la restitución de sólo una de las dos coplas, los hago así volver al sitio donde parece pedirlo la marcha del pensamiento. Por lo demás, el comienzo de 1277, «¿qué era», lo restablezco a partir de las lecciones evidentemente corrompidas de los manuscritos (quiere N, kerya C, non queria M, sy quiero E).

1283. *Petafio* es un curioso semicultismo a partir de *epitaphium*, raro en latín como 'epitafio', y con una evolución semántica correspondiente a la fonémica, que me permito traducir con 'aforismo'. Pero el azar ha hecho que la resonancia etimológica primitiva, con el nombre de la 'tumba' o las honras fúnebres, sea para nosotros bienvenida en este contexto, donde los escritos de los sabios se contraponen a lo perecedero de sus cuerpos. Recuérdese además cuántos «filósofos» en la colección de Diógenes Laercio y en muchas tradiciones derivadas habían compuesto sus propios epitafios.

1286. «Signado» no creo que quiera decir aquí otra cosa sino 'lleno de signos o caracteres de escritura' (cfr. en 402 y 1438).

1287-88. «Dictado» puede tomarse en el sentido más propio, en cuanto se piensa en la figura, nada insólita en la tradición antigua y en la medieval, del sabio dictando notas o sentencias a sus discípulos. Nótese sin embargo que con lo de «respuesta» se nos hace ver que el libro establece una especie de diálogo, o más bien correspondencia, con sus lectores.

1291-92. El respeto por el libro no se reduce al «original», sino que se extiende a las glosas o comentarios que lo adornan. Recuérdese cuánto de la sabiduría griega, ya a través del latín o ya por los árabes, había sido absorbido por el Occidente medieval por medio sobre todo de profusos comentarios que lo hacían más asequible a las apetencias de la época (fuera en torno al *Timeo*, a las *Categorías* o al *Sueño de Escipión*), y cómo el propio poema de don Sem Tob consiste en una serie de glosas a un libro de Sabiduría (cfr. nota al v. 7).

1293-300. Así pues, de la materialidad de las letras (y aun del papel y tinta) se hace abstracción a este respecto, y el «saber», identificado, como se ve, con el «claro entendimiento», se considera «puro» y «çelest(r)ial» (o sea 'etéreo', aunque, no teniendo mezcla «de ningunt alemento», parece que está fuera o más allá de todos los cuatro, incluso el más sutil, el fuego); y no sin cierta razón: pues el lenguaje mismo está fundado en la abstracción de sus medios materiales, de modo que ni el sonido ni los rasgos son pertinentes a su mensaje.

1307-08. Sólo pués los «sabios» son los que pueden leer y ganar sabiduría con el libro, y con los «torpes» o carentes de entendimiento ni siquiera se molesta el poeta en discutir los bienes del «saber» o entender. Se manifiesta con ello la querencia aristocrática, por así decir, de don Sem Tob, su propensión a creer en que haya hombres inteligentes y hombres necios (que le hace varias veces prorrumpir en quejas y en improperios contra «el torpe»: así en el pasaje siguiente, 1309-36, en 2077-132, o en el n.º IV de las «Otras Rimas»), a pesar de que la simple congruencia de sus pensamientos (cfr. nota a 1257-60) debería impedirle creer en que hubiera propiamente hombres que fueran «sabios» y a los que la ganancia de la sabiduría estuviera reservada; pero así son también de contradictorias las querencias del poeta con los pensamientos que lo guían.

1309-36. En contrapeso con la anterior exaltación de la «sabiduría» y del «sabio», se dedican estos versos a la denigración del «torpe» (cfr. nota anterior) y de la propia «torpedat», que es el peor enemigo de uno mismo (1328-29); como si, después de haber presentado las virtudes o buenas «mañas» reduciéndose en verdad al «saber» o inteligencia (cfr. nota a 1237-1476), no pudiera menos la balanza estilística del poeta de presentar la maldad como falta de inteligencia, que es la «maña» más peligrosa (1332-33).

1309-12. Lo primero, se encarece la desgracia de la «torpedat» por medio de este hábil artilugio: que, dándose por supuesto que la servidumbre se considera como la peor de las desgracias y la libertad como el bien por excelencia, ser esclavo de un sabio no es sin embargo peor que ser señor de un necio; lo cual conviene entenderlo, no sólo para la relación entre personas, sino también para la relación de uno consigo mismo: que no es peor vivir sometido a la propia sabiduría y víctima de la propia inteligencia que gobernar y disponer «libremente» de la propia persona condenada a la inconsciencia o necedad.

Por cierto que en el v. 1310 sólo el manuscrito C ofrece la lección «señor», en tanto que los otros tres escriben «sieruo», con lo cual dejan la sentencia reducida a la relativa trivialidad, aquí en todo caso inoportuna, de encarecer el mal de la esclavitud, sea cualquiera el amo. Esta lección deterior encuentra un cierto apoyo en los vv. 1537-38, en los que se formula una tercera situación, que sería lo más profundo de la desgracia: ser esclavo «sabio» de señor «neçio».

1313-15. Que el hombre sin entendimiento sea el peor de los animales anuncia la forma más violenta de la maldición que se desarrolla hacia el fin del poema (vv. 2649-52 y siguientes), donde a las «bestias» se contrapone el mal de «el omre» sin calificación ninguna. Que él se encuentre pués en la disyuntiva de ser o pura inteligencia o el malo entre los animales, tal es la apurada tesitura en que la lógica contradictoria de los Proverbios lo coloca.

1317-24. Con la falta de la pura «sabiduría», la diferencia de entendimiento entre el hombre y la bestia se convierte justamente en mentira («acuçia de engaños» 1323, «deslealtat» 1318), y por consiguiente, en «maldat» o «maliçia». Cfr., más extremadamente, A. Machado Camp. XL 9: «El hombre, a quien el hambre de la rapiña acucia, / de ingénita malicia y natural astucia / formó la inteligencia

y acaparó la tierra. / ¡Y aun la verdad proclama! ¡Supremo ardid
de guerra!».

1325-29. Dado que uno, como varias veces hemos visto, es por constitución contradictorio y conflictivo consigo mismo, el «buen saber»,
que de eso mismo es consciencia, es su mejor amigo, no porque
con ello le dé la paz (cfr. nota a 1264), sino porque con esa consciencia introduce en él, por así decir, un tercero en discordia (con
los otros dos), que si no lo concilia con su propia contradicción, al
menos lo distancia de ella en cierto modo; su «torpedat» en cambio,
al condenarle a la inconsciencia de su propia contradicción y por lo
tanto a la fe en sí mismo, es su peor enemigo en cuanto que así
mantiene el conflicto interno en toda su integridad y virulencia.—La
sentencia se encuentra casi literalmente en los *Apotegmas* de Honain
(I 5,14): «El amigo del hombre es su entendimiento; su enemigo es
su estupidez»; lo cual aparece así en los *Buenos Proverbios*, 5: «El
amigo de cada omne es el su seso, e su enemigo es su torpedat»
(cfr. *Boc. de Oro* 320).

1335-36. El terror del torpe vuelve a manifestarse con imagen parecida en 2099-102.

1337-64. De la alabanza del «saber» se pasa al ensalzamiento de la
«verdat» (cfr. nota a 1237-1476). Pero no piense el lector que la verdad
signifique aquí ninguna otra cosa sino la virtud o «maña» opuesta a
la mentira («lengua de mintroso» 1350), «falsedat» (1347) o «mala
verdat» (1364; cfr. nota a 1186); por lo cual es más o menos sinónima
de «lealtat» (1362) y se opone a la «deslealtat» (1340), pudiéndose así
pasar desde ella a la cuestión del «derecho» y la justicia (1365 y siguientes; véanse «iuizio e verdat» emparejados en 1387). Ser verdadero es pués algo semejante a ser «sinple» en el sentido del v. 1243
(cfr. nota). Y un empleo de la verdad como algo más que la falta
de mentira, una positivización, por así decir, de la verdad, no es
sino la falsificación doble (o triple, según como se cuente), en la
que don Sem Tob, aun dentro de esta parte más moralizante de sus
coplas, difícilmente caería, como no sea en todo caso con la imagen
de la leona de 1341-43, recogida de la tradición judaica.

1337-40 y 1361-64. Nótese el hábil paralelismo de las dos coplas,
que implica la equiparación entre «verdad» y «lealtat», «deslealtat»
y mentira o «mala verdat». En ambas la verdad es valentía y fortaleza, la mentira inseguridad y miedo (y hasta en la segunda copla
son imágenes bélicas de asedio las que se usan). La extrañeza que
esto pueda producir se cura en parte recordando que la «verdat» no
es sino la falta de mentira (cfr. nota anterior), y así, en la medida
que uno abandonara la creencia en la mentirosa verdad en que su
ser y su propiedad se funda, para abandonarse a la «Ley de Dios» o
ley de la contradicción y a su merced («La merced de Dios sola es
la fiuzia çierta»: 2533-34), en la misma medida perdería de su miedo.
Sin que todo ello nos haga olvidar la interpretación moral más inmediata: que la «maña» de mentir, justamente por ser una defensa, es
el origen del miedo, en tanto que la de no mentir es el «fuerte castillo», fuerte más que ninguno en cuanto que no necesita defenderse.

1341-44. La imagen, con su contraposición del león y la zorra, puede
venir del *Aboth* IV 15: «Sé rabo entre leones y no cabeza entre
zorras» (y *Aboth* en Rabi Nathan 29 fin).

1345-48. De la varia lección de los manuscritos (e maguer C, maguer E, maguer que NM) saco la versión en Primera Persona «he,
maguer», con lo cual me siento más bien inclinado a encerrar esta
profesión de principio entre comillas, atribuyéndola a cita de pala-

bras del mismo «Sabio» a que en la copla anterior se alude como
autor de la comparación.

1349-60. Nótese que el solo tipo de mentira que se desarrolla es el
de la mentira promisoria: justamente aquél en que la mentira mejor
muestra su signo positivo, en cuanto creadora del Futuro, construc-
tora, como se dice, de castillos en el aire.

1365-80. En una misma frase se pasa de la cuestión de la «verdat»
(que es «lealtat»: v. nota a 1337-64) y «mala verdat» a la del «fazer
mal» (para el emparejamiento de «saber» y «bien fazer» cfr. 2445-46),
y por ende a la del «derecho»; y aquí, a pesar y en contra de que
en la primera parte del poema se ha verificado la más neta rela-
tivización de lo derecho y el derecho (cfr. 309-24 y nota a 312-28), el
poeta se para a admirar y exaltar la imparcialidad y la indiferencia
de una Ley que no distingue entre contrarios, entre «daño» y «provecho», «grande» y «chico», «señor» y «servidor». Esta es justamente
la Ley de Dios, esto es, la lógica de la anulación de las contradicciones. Sin embargo, no puede ocultarse que esta Justicia de la suprema
indiferencia parece seguir creyendo don Sem Tob que de algún modo
se refleja en el funcionamiento de la institución de la Justicia
cuando ella funciona bien; aunque, a decir verdad, de lo que a
continuación va a hablar sobre todo es del caso en que funciona mal.

1379-80. Es notable que aquí se incluya al rey mismo, en antítesis
con un funcionario cualquiera de la Administración, entre las parejas
anuladas por la suma indiferencia de la justicia; pues en otros
pasajes (cfr. nota a 381-88, 589-96, a 1233-36, y en 2711-32 y 2749-60 es
el Rey mismo el guardián de la Justicia) el Rey está eximido (como
representante de Dios mismo) del juego de las contradicciones que
rige todo.

1381-452. El largo pasaje se dedica a una diatriba contra el «juez
malo», que «fázese muy franco», esto es, que se separa y desliga del
derecho o Justicia que pretende representar, en cuanto que en definitiva entra, como los demás, en el juego del Mercado y se vende
por dinero. La visión del juez torcido y venal, de la injusticia en
la institución misma de la Justicia, es un viejo tormento de profe-
tas y predicadores, y en el arranque mismo de la poesía moral de
nuestro mundo con Hesíodo, el poema de los *Trabajos y Días* parte
de una queja contra los jueces o βασιλῆες y en toda su primera
parte vuelve sobre ellos una y otra vez encarnizadamente, con expresiones que a veces se acercan bastante a coincidir con las de este
pasaje de don Sem Tob.

1385-96. El gusto por los tríos, tan dominante en la tradición de
las sentencias medievales (véase hoy todavía, por ejemplo, lo de
«Tres cosas hay en la vida...», que en la copla ática antigua son
todavía cuatro) y que a don Sem Tob le viene sin duda de sus fuentes orientales (estas tres aparecen en boca del rabí Simeón ben Ga-
maliel en el *Aboth* I 18), vuelve a manifestarse otras tres veces un
poco más adelante (1477-500 y 1521-40), no sin cierta contradicción
con el esquema dual, antitético, habitual a su pensamiento y poesía.
Normalmente, sin embargo, todo grupo *ABC* se reduce a dos oposiciones bimembres: *A con B* y *AB con C*; y así en este caso: el «juizio»
y la «verdat» son de consuno origen de la «paz» (1387-88), aunque
luego (1393-94) «juizio» y «verdat» se opongan en cuanto el uno «faz'
escobrir» la otra. El modo de reducción de las dos antítesis y de los
tres términos a uno solo es ya para el lector relativamente visible:
el «juizio» o discriminación es la verdad misma, en cuanto él es
manifestación de la contradicción, el pro y el contra, que es la ver-

dad de todo asunto; pero a su vez la visión de la contradicción o
guerra de contrarios es el solo modo de paz que cabe imaginar, en
cuanto así la visión por lo menos no está en contradicción a su vez
(como lo estaría la visión parcial o unilateral) con la contradictoria
verdad de los asuntos.

1397-408. Con testaruda ingenuidad se mantiene el poeta fiel a la
etimología, que hace que el cargo real y actual de «juez» deba tener
que ver con el «juizio» como descubrimiento de la verdad. Y es aparentemente esa ingénua testarudez la que le obliga en los versos
1401-08 a sacar insólitamente un tono de arbitrista *avant la lettre;*
cuyos arbitrios sobre la previa examinación de la «entinçión» o
ánimo del candidato a juez por alguien que «bien cate» (el texto de
los manuscritos es en los vv. 1403-05 sumamente turbio y he pun-
tuado e interpretado según la lectura que menos errónea me parece)
están al menos en parte (véase sobre el «merino» nota a 1137-82)
dirigidos al propio Rey.

1409-12. Al revés evidentemente de lo que sucede con los rebaños
ordinarios (de los que sin embargo no sin profunda razón tomó estos
símbolos el más viejo lenguaje político de nuestro mundo: cfr. el
ποιμένα λαῶν o «pastor de gentes» del epíteto homérico de los reyes), en los cuales, si ·el ganado no está mayormente puesto «por
la pro del pastor» precisamente, lo están ambos por la del amo.

1421-29. El pecado del juez que jamás puede «ayunarse» consiste, como se ve, en algo un tanto paradójico: pues lo que aquí le
indigna al poeta es que el juez asista in-com-pasivo a la pasión del
que padece la injusticia, cuando por otro lado la maravilla de la
justicia (cfr. nota a 1365-80) está en su imparcialidad e indiferencia
ante los contrarios. En efecto, el Buen Juez (si semejante locura
pudiera concebirse) tendría que ser al mismo tiempo íntegramente
com-pasivo, esto es, implicado y participante en las pasiones de la
injusticia, y al mismo tiempo perfectamente exterior e indiferente.

El sentido de «testar» puede ser el de «atestiguar», que ya está
documentado desde el s. XII, pero no debe olvidarse el de «insul-
tar» que Corominas encuentra para *atestar* en el *Cancionero de
Baena.*

1430-48. La «Ley» maldice el comportamiento parcial e in-com-pasivo
del mal juez en cuanto que el «juizio» es propiamente «de Dios»
(y «del rey», que es su aparición terrestre: cfr. nota a 381-88), y el
«juizio» de Dios (que es él mismo la Ley) no es otra cosa que la
contradicción misma del mundo consciente de sí misma, y por tanto
el estar fuera y dentro al mismo tiempo (de lo que cfr. nota anterior
y a los vv. 333-48), como única forma de justicia en que todas las
injusticias se anularían las unas a las otras.

Pero ello no quita para que estos versos tengan igualmente una
interpretación bien mundana y hasta suenen nuevamente con tono
de arbitrista (cfr. nota a 1397-408): en ellos no sólo se propone que
el cargo de juez sea de nombramiento y representación real (el término «vezes-teniente» lo saco de las varias oscuras lecciones de los
manuscritos) y recibiendo por ende del Rey su salario (1443-44), sino
además que su función se limite a la aplicación de una Ley escrita
(1435-40). Esto último más bien es de entender (aunque, como es sabido, con las *Partidas* y sobre todo el *Fuero Juzgo,* la codificación
del derecho y la idea de la Ley escrita era en Castilla vieja de más
de un siglo) en el sentido más amplio de que tampoco en el caso
del juez es el entendimiento o criterio de la persona misma lo que

puede determinar lo que debe hacerse (cfr. 685-88 y nota), sino la propia Ley de Dios, de la que véase más arriba.

1449-64. Las prebendas y provecho del juez (que por hipérbole encarece el rabino, siguiendo la *vox populi*, por equiparación con las de un obispo) son directamente prueba de su «cobdiçia» y venalidad, porque, según en las coplas siguientes se expresa insisténtemente, la antítesis entre «derecho» y «cobdiçia» es absolutamente inconciliable: recuérdese que lo esencial de la «cobdiçia» es su falta de límite (v. nota a 809-16), en tanto que el «juizio» verdadero (el mismo «seso çertero» del v. 681) consistiría en el reconocimiento del límite preciso, del eje sobre el que funciona la guerra de los contrarios, que es la lógica de Dios; y «en todo pleito» «fázese lo que plaze a Dios» (685-86).

1460. «Señores» puede en Sem Tob ser masc. o fem. (cfr. 1136 y n.º VI de las «Otras Rimas»); pero tal vez hay aquí una alusión a las costumbres de los torneos en que cada dama portaba la «devisa» de uno u otro caballero; y el códice E escribe «señoras».

1465-72. Partiendo de la anterior diatriba contra el mal juez, se generaliza aquí con la notable sentencia (por otra parte tomada tal vez de los *Apotegmas* de Honain II 1,22) que separa el «ofiçio» del hombre como algo postizo y su virtud o «buena costumre» como «cosa propia suya»: algo que se considera como un *don natural* según se ve por la comparación que en 1469-72 se hace respectivamente con los dedos y la cabeza frente al «anillo» y el «capillo» ('gorro' o tal vez 'capelo': en todo caso parece que ambos implementos se han elegido no sólo como ejemplos de aditamentos artificiales, sino también como posibles símbolos de dignidad o cargo). Que la virtud sea «propia suya» frente al «ofiçio» o cargo, que es «enprestado» parece revelar en el poeta una creencia en la substancialidad o naturaleza de la Persona, independiente de su condición social, esto es, en que la Persona no está definida por su posición y títulos en el mundo; lo cual no deja de entrar en flagrante contradicción con la duda sobre la calificación moral que informaba la primera parte del poema y, por el otro lado, con expresiones como la de «lo apersona» en el v. 356, donde se ve que la Persona se construye y acrecienta con accidentes y fortuna.

1469-70. He escrito «dedos» donde los cuatro manuscritos, seguidos por los editores, escriben «de dos», sobre todo sin duda por no haber captado la locución «fuerça non faga» (cfr. en 1560-61 y en 1856 «fuerça non faze»), de un 'fazer fuerça de' con el sentido de 'dar mucha importancia', 'poner empeño en', con lo cual se perdía la oposición 'dedos/anillo', paralela a la de 'cabeça/capillo' (v. nota anterior).

1473-76. Sobre el sentido de esta copla, con la que se vuelve sobre el comienzo del pasaje, cfr. nota a 1237-40.

1477-660. Un nuevo pasaje, dentro de la parte central del libro (cfr. nota a 697 ss.), que se organiza a partir de la trivial ordenación de tres sentencias de a tres (las tres cosas por las que se pierde un concejo —1477-84—, las tres dolencias que no pueden curarse —1485-500—, y los tres mayores desgraciados —1521-52—), pero que por la inserción de digresiones crecientes (a saber: ninguna para el primer trío, una sobre la envidia —1501-20— para el segundo, y el tema, para el tercero, de la desgracia necesaria de todo hombre consciente, que se prolonga hasta el final, de 1553 a 1660) cobra una más vaga y graciosa estructura, según es costumbre en el arte de don Sem Tob.

1477-88. El primer trío, sobre las tres cosas que hacen perderse un «conçejo» (sea propiamente un municipio o con sentido más general), enlaza en cierto modo con el pasaje anterior sobre la separación entre el «ofiçio» y el «omre» (cfr. nota a 1465-72), en cuanto que estos tres motivos consisten en la discoincidencia entre los cargos o posesiones (la política, el ejército y las finanzas, por así decir) con los «omres» o detentadores de ellas que, si tal cosa pudiera imaginarse, les fuesen adecuados.

1485-500. Implícitamente, por la inmediata unión con «E» se establece una equiparación entre los males incurables del, por así decir, cuerpo social (1477-84) y los del Individuo; entre estos tres últimos, la fatalidad de la enfermedad del viejo, pretendidamente «natural» y bien conocida del refranero, se mezcla con las otras para autorizar la fatalidad de la pobreza que no se remedia a sí misma (que no tiene «consejo») y de la envidia, que en tanto que haya posesión (hasta que «el que lo ha no l' pierde»), es naturalmente también fatal.

1501-20. Uno de los términos del trío sirve para este breve desarrollo sobre la envidia, que así viene a completar el esquema de los principales «males que nacen de sí mismo» (cfr. nota a 801 ss.) al que está fundamentalmente dedicada la parte central de los Proverbios; no deja sin embargo de emparejarse el «çelo» o envidia con la «cobdiçia» a modo de sinónimos; sobre lo cual cfr. nota a 901-08.

1505-06. El «çelo», la envidia y emulación mútua, como vínculo esencial del tejido de la sociedad, sirve justamente de partida a nuestro primer poema moral, los *Trabajos y Días*, donde el «Ha çelo uno d' otro» se desarrolla así (23-26) como operación de la buena Ἔρις:

> y da celo a vecino vecino
> que anda a su logro (tal es a los hombres buena porfía),
> de alfarero alfarero se pica, herrero de herrero,
> y aun al mendigo envidia el mendigo, el aedo al aedo.

Y adviértase que la palabra *çelo* empleada por Sem Tob aquí con su valor peyorativo de 'envidia' ha quedado en su transformación semántica reducida al meliorativo de 'diligencia' que en Hesíodo se distingue como efecto de la cara buena de la porfía o rivalidad, enconándose el peyorativo en el plural *celos*.

1510-11. Aprécíese el ingenioso juego de palabras de «tiene todo su algo por nada», fundado en parte en el doble valor de *algo*.

1515 y 1520. Cierto es, por otro lado, que el que «tú» vivas «en paz» o estés «gozoso» no es en el mundo posible (que te da guerra cuanto más honrado: cfr. 41-44), sino sólo en la imaginación del envidioso justamente.

1521-52. El trío de «los que más biven cuitados» se ordena en una escala de cualidades cada vez más íntimas del Sujeto, que es por ende cada vez más sensible a su desgracia, del «fidalgo» al «justo» y del «justo» al «sabio» (ante cuya desgracia todas palidecen: 1539-40), pero en los tres casos se implica una creencia en la substancialidad de la virtud y la Persona (sobre la cual véase nota a 1465-72), que hace que la desgracia de la servidumbre se gradúe (en cuanto sentida por el Sujeto) dependiendo de la calidad del siervo y de la antitética («villano», «torticiero», «neçio») del señor. No puede ocultarse que esta graduación disimula el mal mismo de la antítesis fundamental 'señor/esclavo'; pero ya es algo que, en contra de la ideología dominante, que al esclavo tiene que atribuír un alma de esclavo, se mantenga la oposición entre la condición de siervo y la

A. García Calvo

del siervo. Por lo demás el trío tiene ascendencia en los libros pro-
verbiales: así en la *Sarta de Perlas* de ben Gabirol 448; y así en
los *Bocados de Oro* 213.

1526-32. Sobre el sentido social y moral de «villano» cfr. nota a
1081-136. Nótese aquí que, tradicionalmente, se insiste en que el
fidalgo lo es «de natura», con la ambigüedad del término que la
ideología dominante aprovechaba, y que su virtud innata es la «franqueza» o (con el otro término, cuya doble resonancia semántica, moral y social, denuncia la misma confusión) generosidad; de manera
que la cualidad esencial de su antitético, el «villano» o burgués, tendrá que ser necesariamente la «vileza» (lo cual hace que las dos
palabras, etimológicamente independientes, *vil* y *villano* vengan a
sentirse emparentadas), el interés y la avaricia.

1538. Compárese con las otras dos relaciones de dominio entre
'sabio' y 'necio' en 1309-10, con la nota correspondiente.

1541-64 faltan en el manuscrito M.

1541-52. Describen bien los versos la cuita o tormento que, mani-
festándose aquí en la antítesis exterior de la relación de dominio, es
más o menos el mismo que en la fase consiguiente de la evolución
de la Sociedad aparece como antítesis o conflicto consigo mismo,
como «tormento de conciencia».

1553-660. El canto de la desgracia necesaria del hombre se articula más o menos en tres etapas: 1.ª) se niega en general («Hombre
feliz nunca nació»: 1553-54) y se introducen dos excepciones: una la
falta de dignidad (1555-70), otra la falta de conciencia (1569-88);
2.ª) se precisa pués: «el hombre 'entendudo' no puede recibir ningún
placer» (1589-92), pues conoce la incertidumbre del mundo y no puede
confiar en él, menos cuanto más alto lo ponga (1593-632); 3.ª) y por
tanto se reformula: «el hombre que es hombre siempre vive en pena»
(1633-34), sea cualquiera su estado (1635-44); y se concluye con la
observación de que el único que recibe del mundo gloria cumplida
es el muerto (1645-60). Cómo esta visión semtobiana, que relaciona
especialmente la infelicidad con la consciencia, se contrapone y por
ende se complementa con la epicúrea, que descubre que sólo para el
consciente, que ha visto la vanidad del miedo de la muerte, es posible
la *líquida et serena uolúptas*, es algo sobre lo cual dejo al lector
el cargo de especular provechosamente.

1557-70. Adviértanse los rasgos, nada severos ni antipáticos, con
que se pinta la vida del «omre rafez», que no tiene «vergüença», esto
es que no entra en la competición del mercado de los valores
(1555-56 y 1560-61), y por ende «bive sabrosa vida». Recuérdese cómo
en 893 y siguientes (cfr. nota a 893-900 y 909-12) las «almas grandas»
«fazen lazrar» a los cuerpos, y todo el mal que tenemos es por as-
pirar a «más».

1571-88. La figura de «el sandío», el «torpe bienandante», inconsciente de las alternativas del mundo se empareja con la del inconsciente
de su propio conflicto de mal y bien en el prólogo de los Proverbios:
vv. 35-36 y 65-72.

1589-604. El puro placer, que sólo podría ser verdadero acompañado de consciencia, queda impedido por la consciencia justamente
(cfr. nota a 1553-660): consciencia, aquí, de los cambios del mundo;
pero adviértase que los cambios del mundo no son más que la manifestación dinámica de su estructura contradictoria, por la cual los
términos de las antítesis (como 'riqueza/pobreza', 'alteza/sima' en
1597-600) son mútuamente inherentes según más puramente se expo-
nía en la primera parte del poema (cfr. nota a 445-552).

1605. He escrito «esma el» (con el verbo *esmar*, que alterna con otra forma *asmar*, ambos derivados, sin duda fundidos en uno solo. de *aestimare* y de *existimare* a través de *esesmar*) en lugar del «es mal» del manuscrito C y el «es el» de los otros tres. Así queda atribuido el «cuidado» no sólo a la diferencia entre el «estado» y la «medida» del hombre (cfr. a este propósito los vv. 1465-72 y 1201-02, con las notas correspondientes), sino a la propia conciencia de esa diferencia; lo cual corresponde a lo que en 1629-30 se dice de que el «gran estado» hace cuitado al hombre «en el' saber», esto es, al darse cuenta de él.

1615-16. Con la imagen tradicional de la altura y la caída se pone aquí en paralelismo este afortunado oximoro o perogrullada de «el que no tiene nada no teme perderlo», que nos reconduce a la dialéctica de identidad entre el sér y la posesión, y por ende entre el perder y el perderse; cfr. notas a 809-16 y a 1237-40.

1617-28. El mar, con la misteriosa manera que las olas tienen de ser continuamente otras y las mismas, ha sido desde antiguo entre nosotros medio de descubrimiento del movimiento contradictorio y azaroso del mundo entero; véase la imagen de Sem Tob, con la comparación implícita, alcanzando más precisión y prolongándose, en el proverbio de Machado (*Camp.* XL 47): «Cuatro cosas tiene el hombre / que no sirven en la mar: / ancla, gobernalle y remos / y miedo de naufragar». Por lo demás, esta observación dinámica o temporal de las alternancias no es más que la manifestación de la lógica de identidad de los contrarios: así, la alternancia entre «espreciar» y «loar», referida aquí al eje temporal '«oy»/«yer»', la encontramos referida simplemente al eje '«uno»/«otro»' en los vv. 237/40.

1630. De las confusas lecciones de los manuscritos (la onbre en el N, ha omne de M, al omre e el C, al honbre que ha E) saco ésta, «a omr', en el'» (podría igualmente escribirse «a omre, 'nel'»), que entiendo con un *el'* equivalente de *(e)lo*: esto es, «en el' saber» igual que «en saberlo»; con lo cual se vuelve a insistir en la conciencia de la desproporción entre el «estado» y la propia «medida» de los vv. 1605-08; cfr. nota a 1605.

1637-44. Otra vez se muestra (cfr. 1081-108 y 1525-32) la sumisión del poeta a las oposiciones de la estructura social vigente, que aquí curiosamente se manifiesta como una especie de división del trabajo, por así decir, de la miseria humana: para el «fidalgo» la preocupación, para el «villano» el «largo afán» del trabajo propiamente dicho. Algo parecido se repite con '«pobre»/«rico»', donde incluso (1644) se exime explícitamente al rico de «tuerto» o injusticia.

1645-60. La observación popular, que tantas huellas ha dejado en modismos y refranes (el más grosero y usual entre nosotros, el de «Al burro muerto, la cebada al rabo»), encuentra, como final de este pasaje, 1553-660, un uso que sugiere un vislumbre de su sentido más profundo: a saber, que, consistiendo la participación en el mundo en una necesaria contradicción, donde lo bueno es malo y viceversa, sólo la muerte, como salida del mundo, permite alcanzar la situación de 'bueno' (¡si los muertos realmente dejaran de ser del mundo!), gracias a que la muerte misma se considera como lo 'malo' sin vuelta de hoja.

1661-828. Este pasaje, como culminación (y propiamente final) de la sección de moral más positiva que recae la parte central de los Proverbios, se dedica a unas cuantas recomendaciones prácticas y de prudencia o más bien desconfianza: sobre el guardar secreto (1661-700); sobre que no hay enemigo pequeño y las condiciones para hacer daño (1733-56); sobre no darse prisa (1757-72); y terminando, con más largo desarrollo, el religioso miedo a la palabra escrita (1773-1828); recomendaciones, como se ve, de temas aparentemente misceláneos, pero que tienen su unidad en ser los frutos de la desconfianza para con el mundo que en el pasaje anterior (1589-604) se había anunciado como necesidad que el «entendudo» tiene de conocer sus cambios y contradicciones. Pero la serie de consejos está además netamente interrumpida por una tirada (1701-32) en que el moralista deja ver las dudas metódicas que le asaltan sobre el lenguaje moral y la vacilación con que se decide a continuarlo.

1661-68. La regla, bien conocida de los moralistas habituales, es lúcida en cuanto desvela la vanidad de la oposición entre 'público' y 'privado', esto es, al fin, entre 'uno mismo' y 'la gente'.

1673-96. Las razones para no comunicar el secreto con otro son dos, bien fundadas en la lógica de contradicción: la primera, bajo su aspecto dinámico, porque la ley de los «cambiamientos» del mundo (cfr. 1593-96) hace que 'amigo' sea 'enemigo', y el confiado se encuentra con que su secreto está en posesión, literalmente, de *otro* hombre (1679-82); la segunda, más a fondo, por la dialéctica misma de la noción de 'otro': cuando al 'otro respecto a mí' se le considera 'otro yo' (como demuestro al comunicarle mi secreto o *poridat*), con ello mismo se le atribuye el derecho a que él también, como uno, tenga su otro; y así surge el «terçero» (1696), con el que la publicidad (y la Sociedad misma) queda establecida, en contra de la «poridat».

1697-700. El refrán sin duda lo conocía ya don Sem Tob en la forma con que casi literalmente lo inserta en su copla: «Lo que saben tres, lo sabe toda res» (véase en Rodríguez Marín *21.000 Refranes* p. 273: «Lo que saben tres, público es»).

1701-32. He aquí la interrupción (cfr. nota a 1661-828) de la serie de consejos, para expresar las dudas sobre el lenguaje moral que asaltan al poeta: en efecto, el hecho mismo de *hablar* de lo que es por esencia *hacer* monta la situación contradictoria por excelencia. Nombrar las «buenas costumres» o virtudes es fácil para cualquiera; pero bueno de veras sería el que supiese «obrar» las virtudes que cualquiera nombra (1701-1709); ahora bien, ellas no son «pora dezir e non fazer», sino por definición prácticas, acción (1709-10); por tanto, el nombrarlas sin hacerlas ocasiona una escisión de la «lengua» y el «coraçón», que si al principio es un placer, al fin es un pesar, denuesto, fealdad y mengua (1711-20). Hasta aquí la duda; y añade el poeta, no sin cierto humor, para justificar relativamente la continuación de su discurso: el ni hacerlas ni decirlas tampoco es cosa que merezca alabanza; en fin, me decido por hablar de ellas «commo si las sopiese obrar», y si con ello yo nada gano ni me hago mejor por ello, puede que, con oírlas, otros aprendan «algún bien» (1721-32).

Por lo demás, el texto de los manuscritos se presenta muy confuso y desordenado para estas coplas: en primer lugar, la 1717-20 la tienen los cuatro códices tras el verso 1700, con una inoportunidad que debería saltar a la vista; supongo que un copista anterior, confundido por la repetición de «nomrar»-«obrar» en 1702-04 y 1714-16, saltó a escribir los vv. 1713-20 antes del 1701, poniendo después una indicación para la transposición de esos versos a su sitio, que los copistas posteriores entendieron referida sólo a 1713-16; y así restituyo 1717-20 al que parece ser su sitio. Y por otra parte, el texto de 1708-11 se lee en los manuscritos (debido en parte sin duda a la sintaxis algo difícil de esas frases) con diversas alteraciones, de donde he sacado con algunas dudas la lección que ofrezco.

1721. «Entrégome en» lo entiendo como «Me decido por», con un
verbo *entregarse* (lat. *integrare se;* cfr. otro uso de *entregar* en el
v. 2626) sumamente expresivo de los avatares de la actitud dialéctica: el 'entregarse' es el restablecerse de la duda, que lo divide
a uno mismo en dos (la connexión etimológica entre raíces de palabras como 'dudar' y 'dos', evidente en casos como el del át. δοιάζω
debe de ser más profunda seguramente), como dos son los términos
de la antítesis, para resolverse por uno de ellos y así reintegrarse
a la propia unidad de uno. Por cierto que en este caso la decisión o
reintegración del poeta no lo es más que en una síntesis incompleta
(«nomrarlas *commo* si las sopiese obrar», «contarlas *commo* si las
fiziese»), dentro de la cual la antítesis de 'decir' y 'hacer' se mantiene viva.

1725-28. Párese mientes en esta confianza, aun dubitativa, en que,
si bien la palabra activa no puede aportar ninguna «pro», ningún resultado práctico, al que habla, en cambio la palabra pasiva, para el
que oye, no se descarta que pueda ser una ganancia práctica y accio-
nal, por así decir.

1729-32. La copla suena con un tono de humorística resignación,
que es de lo más simpatético del arte semtobiana: si es verdad que
el 'decir' sin 'hacer', en cosa tan esencialmente práctica como las
virtudes, es un absurdo, no de ahí se desprende que el 'ni hacer ni
decir' sea un partido digno de aprobación; dada mi incapacidad para
'hacer', me dejaré pensar que el 'decir' es como un término medio
entre 'hacer' y 'no hacer', y así le aplicaré al asunto la regla económica habitual para los «plazeres» de este mundo: «más vale algo
que nada».

1733-36. Los dos consejos, aparentemente heterogéneos, enlazados
por la frase paralelística, tienen su fundamento común en la desconfianza (cfr. nota a 1661-828) y en que la persona del prójimo es
siempre una incógnita, semejante al contenido de un documento no
leído. Por lo demás, de los dos consejos el uno se desarrolla a continuación (1737-56) y el otro en los vv. 1773-828.

1737-40. El consejo es una aplicación práctica de la norma general de «guardarse de sí mismo más que de enemigo» que aparece
formulada en el comienzo mismo (801-04; cfr. nota a 802-03) de la
sección central y «positiva» de los Proverbios.

1749-52. La irónica invitación a «fazer mal» prudentemente aparecía ya, en otro contexto, en 1221-24.

1753-56. La aplicación política del consejo, que tan de paso deja
caer don Sem Tob en los oídos del real dedicatario de los Proverbios, viene a encuadrarse en el ambiente de descontento con los
desórdenes interiores del Reino en su crisis de conversión en Estado,
y de consiguiente cansancio de las guerras, que marcan toda la época
(los dos siglos apr. desde Alfonso X a los Trastámaras); de tales
quejas y de la actitud pacifista consiguiente encontraremos en la generación siguiente a don Sem Tob una larga exposición en los versos
del Canciller, *Rimado de Palacio* estr. 496-518 y 528 entre otras. Ciertamente que así el reinado de Alfonso XI como el de Pedro I serían
en todo caso demostraciones de cómo la distinción misma en que el
consejo se funda entre «poner en salvo el su regno» y «guerrear
el ageno» se desvanecía, con las continuas implicaciones de Aragón,
Portugal, Francia, Inglaterra en los asuntos del Reino, en una confusión.

1757-72. Se ensarta entre estos consejos de prudencia el de guardarse de la «prissa» o «rebato» que la tradición paremíaca de todo

nuestro mundo conoce bien: su expresión paradójica en los vv. 1757-58 (que se explica en los siguientes) la tomaba ya don Sem Tob seguramente del dicho popular, cuya forma hoy vigente es la de «Vísteme despacio, que voy de prisa». La prisa es, en efecto, la im-paciencia o mala «sufriença» de la Ley de la linearidad del Tiempo en la que nuestro mundo está fundado, y así cualquier infracción a la Ley (esto es, cualquier intento de «saltar» de un punto a otro de la línea) se castiga con el «rependimiento», o sea la necesidad de recorrer «hacia atrás», por así decir, la parte de camino mal saltada.

1773-828. La última advertencia de la prudencia o desconfianza se refiere al temor de la potencia de la letra escrita. Recuérdese que, aunque en cierto modo esta tirada desarrolla la advertencia de tradición romana y forense *uerba uolant, scripta manent*, más cerca están estos versos de la reverencia judaica tradicional ante la Ley escrita. Es de ahí sin duda de donde nos viene que la fijación del azar, la fatalidad, que los antiguos designaban simplemente por alusión al 'lote' o resultado del sorteo (εἰμαρμένη) o fundándose en la sola formulación por la palabra (*fatum*), tome para nosotros preferentemente la forma de «lo que está escrito». Pues la raíz más honda de este religioso miedo de la letra está en el asombro ante la operación mágica por la cual aquella sucesión que todavía en la palabra viva está condenada a ser un «pasar», condenada al tiempo, queda por la letra como «presente toda al mismo tiempo» (por el hecho de que la escritura *representa* la llamada línea del Tiempo en una figuración espacial), de modo que parece que en el momento mismo que se vive está comprendida la Historia toda, la línea extensa y visible, y por ende el momento vivo reducido a mero trámite de la Historia. Así, «guardarse del escrito» es como pretender conservar la libertad, guardarse de la fatalidad y de la Historia.

1777-808. Por grande que sea el poder de la palabra, tiene la lengua dentro de sí el remedio de la negación (metalingüística) por el que la palabra puede negarse a sí misma, *desdecirse*, y así borrarse eficazmente, contando con el olvido y la contradicción de las memorias (1789-800); pues ella «non dexa señal» (1808), y la sola palabra vigente será la que en el momento se esté diciendo. Pero el mecanismo de la negación (de sí misma) no funciona en la escritura del mismo modo: pues aun cuando el documento posterior anule él mismo explícitamente los anteriores y se declare a sí mismo como el solo válido, ello no quita para que los otros documentos estén también tan presentes en el momento y tan hablando como él mismo; de modo que, lo más, se producirá la presencia simultánea y la denuncia visible de la contradicción, que enfrenta al Sujeto con la prueba de su inconsecuencia y falta de unidad. Cierto que las observaciones de Sem Tob literalmente sólo rigen para un mundo anterior a los inventos del registro o grabación de la palabra viva; estos inventos, en efecto, representan un paso más adelante en la progresiva condenación de la palabra (y de la vida) a la linearidad del Tiempo y a la fidelidad a sí mismo del Sujeto.

1809-28. La contraposición entre la palabra hablada y la escrita da paso a otra entre la saeta (que implícitamente se convierte así en símbolo de la palabra hablada; véase ya en 1793-96) y la escritura. Que el símil tome la forma bélica del arma arrojadiza contra el hombre y el hombre quede por consiguiente caracterizado por su defensa frente a ella, con armadura o con escudo (1810 y 1826) está bien de acuerdo con el sentido de todo el pasaje, donde se trata de la prevención ante la palabra y el escrito como armas, y no puede ser más 'uminoso en punto a descubrir cómo la convención de la Persona, cimentada en principio en el lenguaje mismo, está por él continuamente amenazada, en cuanto que la Persona se separa de su palabra, y si ésta permanece (por la escritura) y se enfrenta con aquélla, la condena a fidelidad a su convención so pena de denuncia de la contradicción en que la Persona está fundada, según se indicaba ya al final de las dos notas anteriores.

1815-26. Que la escritura, por mensajería o por copia de manuscritos, llegue «allend' mar» y «de Burgos a Aigibto» (que representan los polos, oriental y occidental, del mundo ecuménico de los siglos del poeta) y pueda así herir «al absente» es ya harto maravilloso, pero más aún que pueda herir al muerto (1819-20): pues no se trata sólo de que el escrito de un muerto pueda seguir actuando, sino que también los muertos puedan sufrir los efectos del escrito: en efecto, la Persona sólo puede suponerse que quedaba con la muerte definitivamente fijada y exenta de la guerra del mundo en tanto que no había Historia (esto es, escritura), la cual restituye a los muertos también al Tiempo y los agita en las mismas contradicciones que a los vivos; entre las cuales para ellos la primera es ésa de, por un lado, estar fijo (ser el que fué) y, por otro, seguir vivo y cambiante.

1816. Los códices escriben el nombre así: «Aibto» C (donde sospecho que se encierra la pronunciación que aquí transcribo), «Egibto» M, «Egipto» N y E.

1825-28. Cfr. los vv. 429-32.

1829-1964. El pasaje desarrolla la cuestión del «plazer». Esto, que es el nombre por excelencia del bien propio de uno, está, primero, contradicho por la necesidad de cambio de las cosas y de uno mismo (1829-48), y entonces queda colocado en una situación paradójica: la única manera de que el placer de uno dure es que él sea también placer de otro, de un Sujeto, «buen amigo» (1870) o ente «espritüal» (1864), que es capaz de entender que gozo y hacer por tanto para prolongar mi gozo, el cual a su vez consiste también en el gozo suyo (1849-80); esto da lugar a una digresión para encarecer el valor de lo «espritüal» frente a lo «sin lengua o sin entendimiento» (1905-06), de 1881 a 1904, que reanuda con la cuestión central del «plazer» en 1905-16, pero que vuelve a extenderse sobre la oposición de los «metales dos» de que el hombre está «cofaçionado» (1917-18) y la valía incomparable del «çelestrial» sobre el «terrenal», de 1917 a 1956, para sólo volverse a reanudar con el tema del «plazer» y la compañía que él requiere en 1957-64, que abren la transición al pasaje siguiente acerca de la compañía.

1829-48. El placer está pues limitado, condenado a un «signado tiempo», a un tiempo «que está escrito» (cfr. nota a 1286), por dos modos de razón: una, que los objetos mismos del placer se deterioran (1833-40); otra, que, si ellos duran, el hombre mismo, por la fuerza del aburrimiento, los ha de cambiar por otros (1841-48). No ha de dejarse de advertir que «los sabios» (1830) que someten el placer a este decreto pecan en ello de parcialidad: pues ya en la primera observación dan por supuesta la segunda, reduciendo todo placer al placer de las cosas nuevas, y descuentan ese otro tipo de placer, no menos real y contradictorio con el otro, que es el placer de las viejas y acostumbradas.

1838. Leo, con el códice C, «llanilla», mejor que el «lanilla» que dan los otros tres, y aunque no identifico con certidumbre la palabra, supongo que viene a equivaler a lo que hoy en albañilería se llama 'plano' (con una forma culta de la misma raíz), y así lo traduzco por 'revoco', pensando que se trate de muros revocados de blanco o 'enjalbegados'.

1844. «Quexarse», que aquí parece valer por 'hastiarse', no deje de leerse con las resonancias de su valor usual en castellano medieval, que es el de 'apresurarse' (cfr. 1762).

1847-48. El trueque de la «fermosa» por la «fea» no es sin embargo más que la manifestación dinámica de la duda de cuál es fea y cuál hermosa (véase en 327-28 y en 538).

1849-52. El placer sin entendimiento del otro es «medio placer»: primero, porque es placer sin duración; segundo, porque es placer sin consciencia; tercero, porque, siendo de uno sin ser del otro, no puede ser ni de uno tan siquiera, dada la dependencia del uno respecto al otro, que hace que, en cierto modo, uno solo no sea más que medio. Dejo al cuidado del lector meditar en cómo los tres aspectos se relacionan. Don Sem Tob por su parte explica prácticamente la connexión de la tercera con la primera en 1853-60, y relaciona graciosamente las tres («turable plazer», «amigo» y «entendimiento») en 1869-80.

1857-60 y 1875-76. Adviértase que, si bien esta dialéctica del placer, por así decirlo, va a aplicarse a la comunicación en entendimiento, se ve bien en estos dos puntos cómo la imaginación del otro que se place porque entiende «que della he plazer», el cual a su vez se acrecienta porque «sé que de mi plazer le plaze», nace de la experiencia (o sueño) de la relación erótica; una identificación de 'amor' y 'entendimiento' que se encuentra también en Platón frecuentemente (v. p. ej. *Clit.* 409).

1861-64. Sobre el triste tópico de la oposición entre «corporal» y «espiritual» cfr. vv. 1917-32 y nota.

1865-68. Esta tristeza del placer que se ha de «atemar» (un notable portuguesismo que sólo el códice C conserva, donde los otros tres escriben «acabar») recuerda las coplas del beso en sueños que el códice E transmite tras el prólogo, hasta el punto de que un tiempo estuve tentado de proponer su inserción tras el v. 1868. Pero no encontrando razón suficiente que explicara su supresión aquí (como no fuera un motivo de censura de la sensualidad), y reconociéndolas más bien como una 'trova', las edito como el n.º V de las Otras Rimas.

1869-80. El esquema antitético de la frase, que es la forma misma de la lógica (cfr. nota a 525-52) se utiliza aquí sabiamente para la insistencia en la relación de reciprocidad, osatura gramatical de la dialéctica de placer y entendimiento que aquí se expone (cfr. nota a 1857-60), y se repite todavía en 1961-64.

1881-82. No encontrando sentido a la lección de los manuscritos («El sabio que de [«las» E] glosas çiertas fazer non queda»), me he visto obligado a buscar algo bajo ella que sea paleográficamente explicable y más probable para el sentido: así propongo por ahora «El Sabio, que de glosas çient afazer nos cueda», donde «cueda» es igual que «cuida» (y en escritura hebraica indistintos), sólo que aquí con un uso impersonal, valiendo por 'nos da cuidado', 'es nuestra intención', y «afazer» lo entendemos con un valor semejante al del lat. *afficere*, 'dotar de', adornar con' (también se me ocurría «çien trasfazer», pero no hallo precedentes para este verbo). Lo cierto es que el número de glosas, entendiendo por 'glosa' cada una de las divisiones menores (de algo más de seis coplas por término medio) que he marcado en el poema, se acerca mucho a ser justamente ciento. Sobre las «glosas» y «el Sabio» cfr. nota al v. 7.

1883-92 y 1933-36. Opina pués «el Sabio» que la diferencia de valía entre un hombre y otro no sigue las normas económicas que rigen para las cosas (las «d' una moneda» —claro está—, es decir 'crematísticamente comparables'), ni metales (en los que está pensando como fundamento de la comparación crematística: cfr. 1899-900; pero véanse el oro y el hierro contrapuestos de otro modo en 1557-60) ni tampoco ganado: pues la oposición entre «çiento» y «un cuento» (que traduzco por 'un millón' según el uso más preciso de la palabra) se pone para indicar un salto en el orden de las relaciones. Es curioso oponer a ésta la opinión de don Miguel de Unamuno (*La dignidad humana*, 'Colec. Austral' pp. 12-13), para quien «entre la nada y el hombre más humilde la diferencia es infinita; entre éste y el genio, mucho menor de lo que una naturalísima ilusión nos hace creer». Pero sospecho que en ambas posiciones polarmente opuestas de lo que se trata es de eximir la 'racionalidad', 'espiritualidad' o 'sabiduría' de la sujeción a las leyes económicas a que se encuentran sometidas. Por lo demás, la confusión que sostiene la idea misma de la valía invaluable del entendimiento estriba en la admisión de que el entendimiento es algo que *tiene* uno, como aquí se dice en el v. 1934.

1893-96. La expresión es pués (cfr. nota anterior) literalmente absurda y tautológica: al aplicar a «lo espritual» términos económicos como «mejoría» y la unidad de peso, «onça», se implica la inconmensurabilidad de «lo espritual» con *t o d o* el valor económico del mundo («quant' el mundo val») en el hecho de que esos términos le son por definición inaplicables.

1905-16. La intervención de la «lengua» en este contexto («cosas de sin lengua e sin entendimiento» en 1905-06, «dezir» jugando contra «desdezir» en 1909-11, «dezir e fazer» en 1915) es sumamente reveladora: el placer de las cosas está condenado al Tiempo y por ende «a falleçimiento»: necesariamente deja de ser lo que es, lo mismo que ellas y su «apostura» dejan de ser lo que son; esto es, «desdizen» de sí mismas: ese placer solamente lo renueva (1916) y ·mantiene esa «apostura» (1912) el «dezir» (y aun el «fazer» de los hombres parece en 1915 identificarse con un «dezir»), en cuanto que él hace que la cosa siga «a lo largo del tiempo» idéntica consigo misma y en cada mención repetida resucite, por así decir, enteramente nueva o —mejor dicho— «como siempre».

1917-32. Se recoge con todos los honores (incluso la consabida equiparación con 'bestia/ángel') el ya de siglos bien asentado lugar común de la construcción dual del hombre, en alma (aquí propiamente «entendimiento»: 1929) y cuerpo (que en verdad sólo se menciona así en 1932). Es sabido que el esquema se establece en nuestro mundo de una manera clara y sólida con escritos de Platón como el acaso más ilustre y popular, el *Fedro* (por lo demás, siempre es útil repasar la historia del alma entre los antiguos en el viejo libro de E. Rohde *Psique*), y ha dominado hasta hoy la estructura toda de nuestro mundo, donde sólo, entre otras críticas menos eficaces, el análisis freudiano comenzaba a desmontarlo seriamente. Y se entiende hoy bastante bien cómo el esquema llegó a montarse: mientras el pensamiento versa simplemente sobre sus objetos, no hay tal dualidad, puesto que el pensamiento no es nada, y lo único que hay son esos objetos suyos; pero la reflexión del pensamiento sobre sí mismo, al mismo tiempo que mantiene la evidencia de que lo pensado es distinto de lo que piensa, incluye al pensamiento también en lo pensado; la nece-

sidad pués de asimilación del pensamiento al mundo y a propiedad
de la Persona hace que desde ese punto el pensamiento piense su
objeto como compuesto de dos partes heterogéneas y contrapuestas,
la que piensa (y por ende, gobierna) y la pensada (y gobernada); y
así el Hombre llega a *tener* cuerpo y alma, cosas que antes no se
sabe que tuviera (ni la una ni la otra, por supuesto; ya que ambos
términos están en oposición privativa). En fin, la imagen, no tan
frecuente, de los «metales dos» que junto a la del ángel y la bestia
aquí se emplea (1917-24) es bastante ilustrativa: pues los dos metales
sugieren inevitablemente el oro y el hierro (cfr. 1886; aunque en cierto
modo al revés en 2557-60), con sus antiguas resonancias incluso del
esquema de las edades, la de oro o paradisíaca y la de hierro o actual; y en efecto, la equiparación del alma al oro, ya de tiempo
atrás en trance de convertirse en el patrón de valoración de los
bienes todos, es reveladora, en cuanto, ya concebidos el cuerpo y el
alma como cosas que el hombre *t i e n e* (cfr. nota a 1883-92), el
alma viene a ser la posesión última y verdadera, en razón de la cual se
cuentan todas las demás, frente al hierro que, material de herramien-
tas y no ya de moneda, queda reducido a ser algo que sólo vale
en cuanto sirve.

1933-36. Cfr. nota a 1883-92.

1943. Sobre «sinpleza» y su relación con el razonamiento véase
nota a 1243-44.

1944. De «caber» (que dan así los códices C y N, mientras M sus-
tituye «saber» y E cambia todo el verso en «y verguença tener») podría sospecharse que está por un insólito *caver*, esto es lat. *cauere*
'preveer', 'precaverse de'; pero más vale entender «las cosas caber»
como 'dar cábida en sí a las cosas', 'concebirlas' o 'comprenderlas';
pues es antiguo (cfr. en lat. el compuesto de *capere, concipere*, que
traduce el gr. συλλαμβάνειν) concebir una primera fase de la actividad
mental (la concepción o imaginación, en cuanto opuesta al razonamiento) como un dar entrada en uno a las cosas, un abarcarlas o
propiamente asimilarlas, convertirlas en dominio y propiedad de uno.

1945-46. Adviértase cuán cerca de lo cómico llega aquí el trágico
esquema de la dualidad (v. nota a 1917-32), cuando al «otro cabo»,
esto es, al cuerpo, se le atribuyen no ya el «forniçio» y las enfermedades (de las que él sólo podría ser agente en el sentido de que
es el que las padece), sino cosas como la «cobdiçia», la «saña», la
«maliçia» y hasta, en el luminoso extremo del delirio, la «mala verdat» o mentira, los «engaños e arte» y en fin, la «mala entinçión»
(*entinçión* es en los escritores medievales un equivalente más o menos
de 'ánimo': v. en *El Conde Lucanor* ex. 40 empleado repetidamente
entençión para indicar la 'interioridad' por oposición a la acción visible). Pero ello es que, una vez establecido el esquema de la dualidad,
era inevitable que viniera a superponerse y a identificarse con el otro
esquema, aún más viejo y fundamental, de la oposición 'bien/mal',
de modo que «*todo* su bien» venga de un cabo y «*toda* la mala
maña» del otro cabo y que, siendo 'alma' sinónimo de 'bien', 'cuerpo'
sea sinónimo de 'mal'.

1955-56. Uno de los pasos más desesperados para la crítica textual:
C escribe «das aparte en mala condiçion», N «dios ha parte en
mala c.», M «dios aparte enla mala cobdiçia», y E «dios ha parte enla
mala condiçion». Siendo seguramente la introducción de «dios» un
inoportuno intento interpretativo de los copistas, y no creyendo en
«das» por «dase» (o «dios» por «dióse»), con un uso de *darse*, por

'tener lugar', 'presentarse', 'producirse', que es sin duda moderno (ni reconociendo en *condición* por 'índole' un término semtobiano), presento la lección «que nunca dás' a parte 'nel mal a condición», muy cercana a la de los MSS., aunque de interpretación algo retorcida y para mí aún incierta. No deja de llamarme la atención la relación entre este posible «Nunca dáse» con el posible «Non se da» del otro *locus difficilior*, v. 34. En la primera edición había escrito «que nunca d' essa parte 'nel mal ha condición».

1957-58. Retornan sobre el tema fundamental del pasaje (cfr. nota a 1829-964) y hacen transición al siguiente, el de la compañía y la soledad.

1959. De las varias lecciones de los manuscritos («de omres syenpre» C, «(e) de omnes sabios» N y M, «de sabios syenpre» E) deduzco ésta de «d' omres siemre, e», con *siemre* como escritura normal de *siembre* (cfr. *omre); la imagen de 'sembrar' se sostiene bien con la siguiente de 'crecer'.

1961-64. Cfr. nota a 1869-80.

1965-2044. Desarrolla el pasaje la cuestión de la amistad o la «ermandat», a la que se contrapone en el siguiente la de la soledad.

1970. Escribo «liso» a partir del «lys» del códice C, donde dan «leal» los otros tres. Cfr. nota a 1243-44.

1973-76. Con alguna enmienda, sobre todo en el tercer verso (donde los manuscritos dan «de fallar en» M, «fallar es en» C y N, «es fallar en» E), consigo esta interpretación, en la cual, como se ve, la dificultad de encontrar «amigo verdadero» se equipara con la de encontrar a otro que sea igual que uno «en conplissión» (que entiendo más bien como 'de cara', 'en facciones': cfr. el sentido de 'tez, color' que el cultismo ha tomado en inglés): en efecto, parece que la loca aspiración de la amistad consiste en que haya literalmente un *alter ego*, con la contradicción bien implícita en el apareamiento de estos dos pronombres. Cfr. nota a 2005-44.

1977-80. Cfr. otra versión del tópico ovidiano del *Donec eris felix* en *El Conde Lucanor* ex. 48: «mas muchos, et por aventura los más, son amigos de la ventura, que, assí commo la ventura corre, assí son ellos amigos».

1993-96. La denuncia del adulador se hace en virtud de que «miente a cada uno» (cfr. «a los omres engaña» en 2004), en lo cual demuestra no tener «amor verdadero»; así vuelve a identificarse la cuestión del amor y la de la verdad, como arriba hemos visto (cfr. nota a 1857-60) la del amor y el entendimiento.

2005-44. El tema de la amistad encuentra su desarrollo más preciso en este «exenplo» de las tijeras, lugar sin duda muy sabroso al gusto de don Sem Tob, como se ve porque él figura también en su obrilla en prosa rimada hebrea, el *Ma'aseh* o *Disputa de la Pluma y las tijeras* (editado por Eliezer Askenasi, *Dibre Hakamim*, Metz 1846, pp. 47-55); para el tema de la pluma v. el poemita que publicamos como n.º III de las Otras Rimas; y cfr. todavía el n.º IV, el epigrama del «escrito de tijera», que implica también la misma antítesis entre las tijeras y la pluma. Nada ha de extrañarnos esta fascinación del poeta por las tijeras (como la de Heraclito por el [torno de] batán: v. fr. 59 Diels), pues ellas son como la realización mecánica del esquema dialéctico mismo de la contradicción que rige su pensamiento: no sólo ya porque las dos hojas se oponen la una a la otra, sino lo mismo que se unen en una sola, sino por lo dudoso y contradictorio de su unidad o su dualidad (que se refleja lingüísticamente en la vacilación entre *tijeras* y *tijera*); y adviértase que aquí se traen a ejemplo, no ya de la amistad, sino más precisamente de la «ermandat» (2005; cfr. 2046), esto es, de aquella forma de amistad verdadera que se equiparaba con el hallazgo de otro igual que uno (cfr. nota a 1973-76) y donde no se sepa si hay uno o dos, como se sugiere en los versos finales del pasaje.

2010 y 2016. La forma *tiseras* (que es la que parece originaria, a partir de *tonsorias*) es la general en los manuscritos, pero dejo en el texto de 2010 *tigeras* que da el códice C; en el cual falta la copla 2013-16, sin duda por salto mecánico debido a la igualdad de rimas entre las dos coplas.

2017-32. Toda esta parte del exemplo se dedica a exponer la relación entre amistad (de las tijeras entre sí) y enemistad (de ambas para con los otros): no hacen mal a los otros en cuanto ellas son uno (2031-32), sino sólo en cuanto lo otro quiere hacer que sean dos, y ello por el propio «talante» que tienen de ser una. Todo esto, que por una cara sugiere la dinámica de la pareja (conyugal o de tipo semejante), que por haber hecho de dos uno rechaza toda intervención del mundo, esto es, de la pluralidad, que querría en su uno volver a descubrir el dos, tiene al mismo tiempo un significado más preciso para la relación dialéctica en general: sustentado el mundo en la necesidad de presentarse por antítesis o parejas de cosas en contradicción, que a su vez tienden necesariamente a denunciarse como una sola, resulta que, si el análisis o dis-cernimiento de lo establecido como unidad o síntesis (el acto de obligar a las tijeras a abrirse entrometiéndose entre sus hojas) pone en peligro al mundo que así se entremete y distingue, ese peligro se cumple (como escisión o disolución de la estructura misma del mundo) cuando la antítesis así establecida se denuncia como falsa y los dos términos se reducen a uno solo y el mismo.

2021-24. Percíbase la afortunada fusión de las dos imágenes incompletas (la del peligro del río manso y la de las ruedas de molino) que se produce dulcemente gracias a la sugestión implícita de la aceña o molino de río precisamente.

2035-36. Para la relación entre 'hermandad' y 'semejanza' cfr. nota a 1973-76 y a 2005-44.

2039-40. El «çintero» o cinta para colgar las tijeras, en especial de la «çinta» o cinturón del dueño, y que naturalmente tiene que pasar por los dos ojos o dediles, parece sugerir sobre todo la Ley misma y común (que es al mismo tiempo la ley social y la ley lógica), la ley de ser uno siendo dos, de que depende la propia estructura de las tijeras; aun cuando acaso pudiera haberse utilizado para ello, desde otro punto de vista, el clavillo o eje de la unión.

2041-44. Se resume el sentido del exemplo en esta copla de la manera más graciosa• y abstracta; para cuya interpretación véase nota a 2017-32.

2045-192. El pasaje (cuya transición con el anterior se marca en el v. 2046) se dedica a la cuestión de la soledad y la compañía y más bien a mostrar cómo, siendo la soledad el mal por excelencia y equivalente de la muerte (2052 y 2129-30), sin embargo, la «conpaña de omre» puede ser tal «pesadumre» (2057-59) que sea preferible la soledad, es decir, a dar razón al refrán que hoy suele correr en la forma «Más vale solo que mal acompañado». Ordenado el pasaje como lo presento (v. nota a 2057-76), esa antítesis de los dos males aparece, a modo de estribillo con variantes, en 2053-56. en 2077-80, en 2129-32, y en fin, en la transición al pasaje siguiente (2193-94), entre las cuales repeticiones se insertan las dos presentaciones dramáticas del conversador pesado (2085-128) y el huésped desconsiderado (2133-92). Da la impresión de que don Sem Tob hubiera recogido del texto que sus coplas glosan, de «el Sabio» (2051), la sentencia «O conpaña o muerte» y le hubiera opuesto, sacándola de su dolorida experiencia personal, que en las dos digresiones se revela, la evidencia de lo no menos mortal de la compañía de los hombres, alcanzando así esta fórmula contradictoria (del tipo que más netamente se ofrece en lenguaje erótico en la conocida copla de «Ni contigo ni sin ti») que tan bien se aviene con su lógica y estilo.

2052. La sentencia parece reproducir (aunque no sea ésta la fuente directa de Sem Tob) la que en el *Talmud (Tan-anith* 23 a, fin) aparece en boca del sabio Raba citada ya como un dicho tradicional: «O sociedad o muerte» a propósito de Ḥoni, el «trazador de círculos», que habiendo dormido setenta años, se encuentra al despertar con que nadie puede creer que sea él, Ḥoni, y así en su aislamiento tiene que pedir por la muerte, que le viene. La sentencia da bien cuenta de la contradicción fundamental en que la Sociedad (o si se quiere, el Hombre) está fundada: que, para que uno sea uno (y es sin duda lo contrario lo que se reconoce como «muerte») tiene que ser muchos.

2057-076 y 2133-92. Estos versos los transmite solo el manuscrito E; y en él además 2133-92 aparecen delante de 2077 (aparte de que en esa tirada 2173-92 se insertan entre 2144 y 2145). El lector puede juzgar cuán aceptablemente corre el sentido con la reordenación que le propongo y cuán deslabonada queda la serie si se intenta leerla en el orden que el manuscrito la presenta. En cuanto a cómo pienso que se han debido de producir en la tradición del texto esos desórdenes y las pérdidas en los otros manuscritos, me remito a una explicación más detallada en el aparato de mi edición crítica; baste aquí notar que en un códice perdido del que derivan nuestros C, N y M debieron saltarse mecánicamente los vv. 2057-76 por la igualdad de las parejas rimantes «soledat — verdat» en 2053-56 y 2077-88, y en cambio tal vez suprimirse de propósito el pasaje 2133-92, que tal vez le pareció al copista una duplicación ociosa de la escena dramática, saltando así de una repetición de la sentencia (2129-32) a otra (2193-94); y que los dos desórdenes del códice E debieron de producirse porque en dos diversas copias antecedentes suyas se copió del revés una hoja desencuadernada, en un caso dando lugar a la copia de 2133-92 antes de 2077-132, y en el otro a la de 2173-92 antes de 2145-73.

Ahora bien, en las partes que sólo el manuscrito E conserva, dado que es este manuscrito, como sabemos, el que nos ofrece, más que una copia, una nueva redacción de los Proverbios, refundiendo con frecuencia coplas enteras, sobre todo en atención a ajustar las rimas a las leyes normales (cfr. la Introducción), el lector encontrará que en varios puntos, en que me parecía descubrir vestigios ciertos de refundición, y especialmente en las coplas 2057-60, 2062-64, 2066 y 2068, 2135-36, 2141-44, 2189-92, he tratado a mi vez de restituir la lectura que podría ser originaria o más consonante con el lenguaje semtobiano; por cierto que estas restituciones son meras conjeturas, y en los puntos correspondientes le doy al lector en estas notas la versión del manuscrito E; lo que sí puede darse casi por seguro es que el texto del manuscrito en esos puntos está más adulterado que el que aquí ofrezco.

2057-60. He aquí la versión del MS. E (cfr. nota anterior): «Ca de huesped conpaña / delas cosas pesadas / que a todo el mundo daña / fallo algunas vegadas». Doy por supuesto que el copista había entendido mal el adv. *avés* (de lat. *uix*), ya desusado en el s. xv, traduciéndolo mal por «algunas vegadas». Por otra parte, el hecho de que en su texto se hable de «huesped». se ha debido seguramente a la anteposición equivocada en su copia de los vv. 2133-92, como en la nota anterior hemos indicado.

2062-64. También estos tres versos me parecían sospechosos en la versión del MS. E, que reza así: «o amigo espeçial / que ha por bien la gente / conpaña deste tal».

2066 y 2068. Los versos pares de esta copla, que en el MS. E se leen respectivamente «esto conel en gloria» y «que a él non es notorio» *(sic)*, me ha parecido igualmente que presentaban formas no semtobianas y que podían responder al tipo de alteración habitual en el manuscrito, para evitar la rima -*obra* / -*ubra*.

2069-82. Después de haber atenuado, según la práctica habitual en don Sem Tob, el efecto de la copla 2057-60 sobre la pesadumbre de la «conpaña de omre» con las salvedades sobre el «pariente» y el «amigo viejo» de 2061-68, se precisan aquí las condiciones que pueden convertir el gran beneficio de la compañía en la mayor pesadumbre; y éstas parecen ser tres: una la del «pesado» (2069, volviendo en 2081 a exaltarla como la peor de las condiciones), que se desarrollará en los vv. 2085-128, otra la del desconsiderado (2070-72: pues he modificado el texto, que decía «es en todo su fecho», obligando a puntuar fuerte tras «estrecho», y dejando los dos tipos reducidos al mismo), que se desarrolla en 2133-92, y una tercera la del «omre sin verdat que a omre engaña» (2079-80), que no se desarrolla aquí porque de ese tipo se ha hablado ya antes, en los vv. 1969-2004.

2076. Después de este verso se leen en E los 2133-92 (cfr. *ad* 2057-76).

2081-128. La peor pués de las malas compañías es la del hombre «torpe», sin inteligencia; nada más congruente con la teoría del placer de la amistad que más arriba se ha expuesto (cfr. 1869-80), según la cual el placer consiste en un mutuo entendimiento (v. notas a 1849-52 y 1857-60) y saber del placer del otro; nada por tanto más insoportable que el necio incapaz de entender cuándo su compañía me da placer y cuándo no; y esta herida de humanidad, por así decirlo, la encarece bien el poeta (prefiere la servidumbre del animal, en 2083-84, y la soledad entre sierpes 2099-104) y se complace en hacerla vivir en esta pequeña escena de evocación dramática, nutrida sin duda con los largos dolores de la experiencia propia, y que no deja de recordar por su tono de amargo humorismo la de Horacio abordado por el necio en la Vía Sacra *(Sermones* I 9).

2086. Del texto del MS. C, que G. Llubera lee como «dexease» o más bien «dexe asy» (trivializado sin duda en los otros tres códices en la inoportuna forma «dexase») he venido a deducir esta lectura, en la que conjeturo que «Asse» es una locución de cortesía hebraica (tal vez '*asseh*, el Imperativo del 'pi'el' o estado intensivo del verbo '*āsoh*: 'ea, haz', o 'sigue haciendo') que se emplearía con valores similares a los de p. ej. «No se moleste por mí», «No quiero entretenerle»; el paréntesis que sigue sería entonces una explicación o paráfrasis de esa locución.

2092. El amigo pesado pués es comerciante con tienda abierta; pero no se deduce de los detalles del texto (el sobrado de 2108, el poste de 2116, el «lo que quisiess' cuidar» de 2118) que tal fuera también el caso con don Sem Tob (o la persona a la que hace aquí hablar en la Primera) y que la escena misma se desarrolle en su tienda más bien que no en su casa (cfr. nota a 23-28)

2111-12. Adviértase cómo el último efecto de la pesadez del conversante es que su oyente no queda tampoco indemne de la estupidez del trato y casi llega a su propio parecer («en mis ojos») a ser más necio y pesado que el otro; con razón: pues ni cabe en una conversación estúpida que una de las dos partes hable inteligentemente y es en general iluso que, dada una relación entre dos términos, uno de ellos pueda ser en su propia constitución ajeno a la relación en la que es parte.

2113-28. La desgracia se gradúa en dos etapas: una, que el tormento se completa por el hecho de que el visitante habla, es decir, que la evidencia de su humanidad que el hablar impone no hace sino más dolorosa la ininteligencia (v. nota a 2081-128); la segunda (2121-28), que el visitante no sólo habla, sino que, haciendo preguntas, pretende ejercer la facultad de hablar en su función lógica o «humana» por excelencia, a saber, en diálogo o dialéctica, lo cual hace todavía la falsedad de la inteligencia más sensible, hasta el punto de que el poeta preferiría renunciar él mismo a esa prerrogativa «humana», «seer mudo» y «seer sordo».

2129-32. Es la tercera aparición (según mi ordenación del texto) de la sentencia contradictoia ('Lo peor, la soledad; peor aún, la mala compañía'): v. nota a 2045-192.

2133-92. Sólo el manuscrito E conserva este pasaje (segundo ejemplo o desarrollo dramático del mal de la compañía), que en él además se lee detrás del v. 2076 y con las alteraciones de que se habla en la nota a 2057-76.

2135-36. Restituyo así, a título de conjetura, estos dos versos que, sin duda refundidos, se leen en el MS. E: «la mengua que non vido / al otro non se niega». En efecto, la forma *vido* no es la que usa Sem Tob, y «se niega» es sin duda un giro moderno; el copista además se equivocó sin duda por tratar de dar a la frase un sentido que casara con los vv. 2173-92 que en su copia estaban erróneamente antepuestos tras el v. 2144 (v. nota a 2057-76); en cambio, con la versión que propongo esta copla ajusta bien con la siguiente, que no sería sino un desarrollo de estos dos versos (que están en el sentido de refranes como «Otro vendrá que bueno me hará» y «Tras de que éramos pocos, parió mi abuela»), y en fin, la extrañeza para el copista de la forma *entrega* (cfr. *entregar* en 1721 y en 2626) contribuiría a explicar la alteración del texto.

2141-44. También en esta copla me he sentido obligado a hacer un intento de restitución a partir del texto del MS. E («Oy me preguntaua / alegre por mi puerta / non sabie sy quedaua / la muger medio muerta»), viendo que los verbos puestos inoportunamente en Imperfecto (cfr. los Presentes en las coplas siguientes) han debido de ser un recurso para remediar una rima inaceptable para el corrector, el cual además se confundió seguramente al no reconocer la forma «oí» bajo «oy», que interpretó como «hoy» (cfr. en el v. 2, donde E escribe «Oyd»).

Por otra parte, tras el v. 2144 el manuscrito presenta los vv. 2173-92, desorden al que ya nos hemos referido en la nota a 2057-76.

2153-56. El refrán, que sigue vivo en castellano (generalmente en la forma «El pez y el huésped al tercer día hieden»), tiene ya antecedentes latinos y correspondencias en otras lenguas europeas (v. algunas referencias en Stein pp. 97-98).

2157-92. Sobre la medianía económica y la doctrina del arreglo de la vida por alternancia de abundancia y restricción («oras mal, oras bien»), tan característica de la pequeña burguesía arcaica, cfr. los

vv. 557-96, donde se expresaba la admiración por la «franqueza» o liberalidad y al mismo tiempo sus limitaciones. Recomendaciones para semejante arreglo en la mezquindad se encuentran ya con tonos muy similares en los *Trabajos y Días* de Hesíodo, p. ej. en 368-69, y en especial sobre el tratamiento del criado en 441-42: «uno que almuerce en ocho un pan de cuatro porciones».

2188. «Rreçelando la baraja» escribe el códice E y, suprimiendo «la», también G. Llubera, ambos entendiendo algo como «temiendo riña», por lo que dice a continuación; entiendo por mi parte la palabra *baraja* con un sentido semejante al de *barata*, y así escribo «çelando», como el metro pide, y traduzco con «ocultando el cambalache».

2189-92. Nuevamente descubro en estos versos señas de adulteración en el texto del manuscrito E («ca muger por villa / sy sabe que lo buscase / era çierto rrenzylla / por paga me fincase»), sobre todo en la construcción con Impf. de Subj., propiamente imposible en castellano, que tiene todas las trazas de ser otro arreglo más para conseguir una rima consonante normal para el refundidor; también en la inepta locución «por villa». Y así me siento obligado a restituir por conjetura un texto que pudiera ser propio al caso y acorde con los usos semtobianos.

2193-2212. La cuarta y última aparición en vv. 2193-94 de la sentencia contradictoria del mal de la soledad y el de la compañía (cfr. nota a 2045-192) remata el pasaje anterior al tiempo que hace transición con éste, que en realidad no es propiamente un pasaje aparte, sino una recapitulación y vuelta sobre el tema general de la lógica moral de los Proverbios, a saber, que no hay mal ni bien: la cuestión de la soledad y la compañía se toma como ejemplo para generalizar que «non ha del todo cosa mala sin toda buena», lo cual es un retorno a la parte inicial del sermón (véase la copla 445-48), y para insistir en el absurdo del deseo humano, que es deseo de posesión y justamente está excluido por la posesión (cfr. nota a 857-72); y así con la fórmula explícita «Suma de la razón» (cfr. 389) se vuelve a enunciar el principio de la relatividad que se expusiera en la primera parte: toda cualificación, por ejemplo «fea»/«fermosa», depende de la «sazón», esto es, de las circunstancias, y no es nada en sí misma; y finalmente se añade, en los vv. 2209-12, la modesta explicación del fundamento práctico de lo que los hombres generalmente tienen como moral: a saber, «loar» «lo comunal», esto es, llamar bueno a lo que es normal y promediado. En efecto, careciendo de fundamento en sí la oposición 'bueno/malo', la medianía, es decir, la renuncia a ambos términos, sería lo menos engañoso; pero a su vez, es justamente esa medianía o generalidad la que en la moral de los hombres prudentes se convierte en el término 'bueno' de la oposición nuevamente reconstruida.

2199-201. Sobre el cambio de la «fea» por la «fermosa» cfr. vv. 1845-48 con la nota correspondiente.

He corregido el texto de los MSS. en 2201 («que omre» C, «omre» los otros), restituyendo el encabalgamiento sintáctico entre las dos coplas, que a los copistas sin duda, como en otras ocasiones, se les escapaba.

2213-424. El largo pasaje desarrolla la aplicación del tema de la negación moral, que acaba de volver a resumirse («No hay nada del todo bueno ni del todo malo» cfr. nota a 2193-2212) y que se repite nuevamente al terminar en los vv. 2425-28, a la oposición misma entre 'hablar' y 'callar', que al mismo tiempo es la que en el prólogo

(vv. 163-76), planteada como duda personal, había servido de obertura al poema entero. La primera copla (2213-16) enuncia la contradicción («Mal el hablar, mal el callar»), tras la cual la tirada 2217-84 se dedica a la alabanza del callar contra el hablar, y después de un inciso (2285-304) en que se reflexiona que la que alaba el silencio es justamente el habla y que si alguien tiene que alabar el habla es el habla misma, se pasa en la tirada 2305-424 a hacer complementariamente la alabanza del hablar contra el callar, interrumpida por la reserva de los vv. 2353-68, y adoptando la forma antitética característica de los buenos nombres y los malos en 2381-424, que reproduce en escala mínima la antítesis que ya estructura el pasaje entero por la contraposición de sus dos mitades. Con esta indecisión o contradicción entre las virtudes del habla y del silencio, que es con razón la última, como era la primera, en cuanto que toca a la justificación y existencia misma del discurso moral, se cierra propiamente la exposición de las dudas morales que constituye la trama del poema entero (pues el resto se dedicará a formular nuevamente la virtud, por encima de las virtudes y exenta de la duda, del hacer bien y del saber, seguido de la formulación de la vanidad del saber del hombre y de lo esencial de su maldad); y adviértase bien cómo, entre la fe en el lenguaje, característica de lo que llamamos hombre occidental, y la fe en el silencio, propia de la actitud mística, lo que hace el sermón del rabino es plantear la disputa y no decidir en ella.

2221-24. El dicho de las orejas y la lengua (a veces boca) aparece en numerosos escritos medievales; así, en Honain II 2, 17, y en la versión tal vez más cercana a la de Sem Tob en los *Buenos Proverbios* 26: «Dios nuestro sennor dionos dos orejas e una lengua, porque deuemos oyr dos tanto que lo que auemos de fablar»; cfr. *Boc. de Oro* 154, y la anotación de Knust a este lugar (*Bibl. des Litt. Vereins* n.° 141).

2225-64 faltan en el códice N, indicando seguramente la pérdida de un folio en un ejemplar del que se copiara.

2229-60. En boca de «el Sabio» aparecen esta vez tres sentencias sucesivas en alabanza del callar; en ninguno de los libros sapienciales que desde Stein se reconocen como fuentes se encuentran así precisamente, aunque las tres aparecen en el de ben Gabirol, si bien simplificadas en lugares diversos: por un lado (Ascher *Choice of Pearls*, apéndice al cap. 32), «Si el hablar vale un siclo de plata, vale el callar un talento de oro» (cfr. en el *Mišle Chachamim* 88: «Si el hablar es plata, el callar es oro»), y *(ib.)* para 2237-38, «Arbol el callar, fruto la paz»; por otro lado *(Choice* p. 352), para 2245-52, «El provecho del hombre de oído le pertenece a él mismo, el del hombre de lengua, a otro» (cfr. en *Boc. de Oro* 151 —al parecer, mal interpretado— y 376: «La pro que ha omne en el oyr con sus orejas es propia para si, e el pro de la su lengua es para los otros»). Pero si la forma de la exposición y los desarrollos de 2249-60 no son de atribuir enteramente a Sem Tob, contra lo explícito de su cita, una vez más se revela en este punto que no conocemos todavía el libro de Sabiduría de que este poema se presenta como glosas (cfr. nota al v. 7).

2261-64. También esta sentencia se encuentra en los *Boc. de Oro*, 139: «Los mas de los males conteçen a las animalias porque non fablan, e conteçen al omne porque fabla».

2265-66. La frase, que edito siguiendo el texto del códice C, tiene así una traza algo enigmática; tanto que, al parecer, los otros manuscritos (y los editores) se han visto obligados a trastrocarla, bien

como N («El fablar tienpo pierde, / non lo pierde el callar»),
bien como M («El callar tienpo non pierde / e pierdelo e fablar»;
así también, corrigiendo «el fablar», G. Llubera) o como E («Callar
tienpo non puede / perder y sy el fablar»). Pero si bien se examina,
atendiendo a lo que en los vv. siguientes se desarrolla (2269-84), creo
que se puede entender en esta forma: «Al callar le es dado dejar
pasar y perderse el tiempo y ocasión; al hablar no le es dado»; si
bien la expresión está tan condensada que es evidente la intención
de hablar primero por enigma o adivinanza, de la que sólo en la
secuencia se ofrece la solución, un tipo estilístico bien propio de
los hábitos de don Sem Tob.

2277-80. La fórmula más cercana a ésta la localizó Stein en el
Ben Misle de Samuel Hanagid (ed. de Harkavy, p. 329): «Si has callado, puedes todavía hablar tras el silencio; pero si has hablado, ya
no puedes recogerlo».

2281. «Lo dicho dicho es» y en gran parte todo este pasaje no dejan
de estar en contradicción con las posibilidades de negación y olvido de
la palabra hablada frente a la escrita, de que se hacía mérito en
los vv. 1781-808. Pero en ambos casos se trata de dos formulaciones
de la fatalidad en relación con la palabra: antes de la escritura, la
simple palabra es el instrumento de fijación y realización: sólo lo que
está dicho está hecho y forma irremisiblemente parte de la realidad;
ahora bien, después de la escritura, en cuanto ésta desempeña con
respecto a la palabra viva una función hasta cierto punto análoga a
la que desempeñan las palabras respecto a los hechos, es ya sólo
«lo que está escrito» lo que adquiere propiamente el rango de lo fatal
y lo representa.

2285-304. Son los versos que sirven de bisagra para el paso a la
segunda parte de la antítesis (cfr. nota a 2213-424), el cual se inicia
con la observación irónica (2285-88) de que, dígase el mal que se diga
del hablar, es él el que lo hace y el que alaba al callar; en cambio
(2307-08) el callar no puede alabar al hablar (ni decir mal de sí mismo). Ahora bien, se recuerda que la lógica de la contradicción no
permite que ninguno de los dos términos de una antítesis sea tomado
como del todo bueno o del todo malo (este principio fundamental
se recuerda en dos puntos: 2289-90 y 2313-16); procede por tanto poner la cuestión en su punto, y ya que otro no puede alabar al hablar, será él el que se alabe (2301-04). Con este pasaje, la lógica
de la contradicción alcanza bastante lúcidamente su momento metalógico: si al instrumento dialéctico se le enfrenta consigo mismo como
objeto, no le cabe a él más que seguir practicando la misma operación
que con los demás objetos, a saber, condenarse como objeto positivo
o como valía, y condenar al mismo tiempo su propia negación positivizada (el silencio como el valor supremo). Asimismo, desde el punto
de vista histórico, es de notar que, en tanto que la parte anterior,
la de las alabanzas del silencio, está construida de citas o reminicencias de libros sapienciales, más o menos «orientales» (v. notas
a 2221-24, 2229-60, 2261-64 y 2277-80), en cambio la segunda parte antitética con ella (y también estas observaciones metódicas de la transición) parece estar compuesta con otra originalidad (apenas se notan
un par de reminiscencias) y con los giros más característicos de don
Sem Tob.

2319-20. Poner la diferencia del hombre sobre las bestias en el hablar es cosa que, aparte de otros textos más lejanos, se encuentra
también (aunque añadiendo a la mención del hablar la del entender
o la razón) en Honain (I 19,4) y los libros con él relacionados; así

en *Boc. de Oro* 268 c: «La mejora del omne sobre todas las animalias es rrazon, pues si non fablare, torrnarse ha bestia»; cfr. *ib.* 244 c, y Judá Bonsenyor (o ben Astruc) *Livre de paroules*, n.º 272: «La valor que hom ha sobre los altres animals es lo parlar e l' entendre, e si calla e non enten es bestia». Lo notable en tales sentencias es que se presentan como verdaderas por definición o tautología. en cuanto que la noción misma de 'hombre' se define por la nota 'hablar' (confundida con la de 'razón' o 'entender') hasta el punto de que si calla deja de ser hombre. Véase a este propósito la fórmula más clara en el v. 2416.

2329-52. Aunque luego, en las antítesis 2381-424, se enuncien otras virtudes del lenguaje más puramente lógicas en cuanto se le equipara con la actividad o con la visión, se le alaba lo primero en estos versos por razones de poder y de economía, esto es, por su ventaja para el que sabe bien hablar: él le gana honra (2331-36) y desarma a sus enemigos (2345-52); él, con mínimo costo, le trae el mayor provecho y les hace a los hombres servirle sin pagarles (2337-44). Así paradójicamente el posible instrumento de verdad, llamado a debilitar la fuerza y denunciar la falsedad de los valores, se convierte a su vez en un arma y un valor (justamente en cuanto se considera posesión de su usuario), y queda el lenguaje en el mundo condenado a la situación ambigua que ya se manifestaba por ejemplo en la doble interpretación de la fórmula con que aludían los atenienses a la actividad de los sofistas, τὸν ἥττω λόγον κρείττω ποιεῖν «hacer ganar las causas perdidas» o «hacer dominar a la razón dominada».

2341-44. Dos refranes de los judíos españoles, que Stein recoge en sus *Untersuchungen*, p. 104, exaltan de modo parecido el valor económico de la palabra: «Respuesta en su ora vale mil ducados» y «La palabra de la boca mucho vale y poco cuesta». La palabra, en efecto, es el único medio de producción que la sociedad les proporciona gratuitamente a todos sus miembros, y al mismo tiempo, supuesta la ventaja de ser hombre como la más alta o inconmensurable con todas, ella es el medio que produce el bien más valioso. En ese sentido resulta ser el lenguaje la excepción y quebrantamiento de la ley económica que rige la relación entre la «pro» y la «costa», aunque por otro lado (cfr. nota anterior) ella a su vez quede sometida a la economía y le sirva de último fundamento.

2354. «Devisado» es conjetura que propongo (con el valor de 'señalado', 'bien definido', y referido más bien a «término») en lugar de las lecciones inaceptables de los manuscritos: «rrevesado» (o «rrevisado») N, mesurado M y E.

2361-68. Adviértase que el límite que se pone aquí al bien del hablar (a saber, la condición de que sea con discreción y con inteligencia) es el mismo que en el pasaje anterior se le puso al bien de la compañía, acentuándose con esto el paralelismo entre las dos antítesis 'soledad/compañía' y 'callar/hablar' que reina en general entre estos dos últimos capítulos.

2377-424. Sobre la organización en frases de miembros antitéticos cfr. nota a 525-52; también aquí la construcción regular (dos antítesis por copla) se rompe sabiamente en 2405-12, para rematar la serie con el tipo más largo de una antítesis por copla (2413-24).

2382. Desde «es[cureza» y hasta el v. 2617 falta el texto en el manuscrito C, por pérdida, según la cuenta de G. Llubera, de cinco hojas.

2381-404. Nótense las analogías que sirven para alabanza del lenguaje: la luz («clareza» 2381, «vista aver» 2392, «despertar» 2398), la

actividad («ligereza» 2385, «levantar» 2400, «aína» 2402), la riqueza
(«franqueza» 2383, «riqueza» 2387, «algo» 2407); y sobre todo la reducción del silencio a continente del lenguaje («cuerpo» 2393, «cama» 2396,
«vaína» 2404, «talega» 2405). En suma, todas ellas parecen sugerir la
función del lenguaje (el verbo) como creador dentro del caos o la nada.

2405-12. Para la relación entre el lenguaje y el dinero véanse las
indicaciones de las notas a los vv. 2329-52 y 2341-44. Nótese aquí en
especial el «cuyo», que vuelve a reducir el lenguaje a posesión de su
usuario, y así a darle valor en el Mercado.

2413-16. El silencio es nada (o mejor dicho: nadie) en cuanto que
no se le puede propiamente nombrar (pues el hablar, al nombrarlo
—como aquí sin embargo está haciendo— y hacerle ser algo, le hace
dejar de ser el que es). En cambio, nótese la ambigüedad de la
locución con la que el hablar se alaba: «es omre omre»: lo que
quiere decir por un lado que el lenguaje define el ser hombre
(cfr. nota a 2319-20), pero dice por otro lado que por él uno es uno,
esto es, alguien en el mundo.

2417-24. Con esta insistencia en la esencial heterogeneidad o más
bien irreversibilidad de la oposición entre 'callar' y 'hablar' se cierra
el pasaje volviendo sobre la copla 2305-08.

2425-40. De este breve pasaje de transición los códices N y E
sólo presentan la primera copla, mientras en M se leen las tres primeras; en cuanto a C, ofrece en su folio de añadidos inserto al final
las coplas segunda y cuarta, delante de los versos 29-32. Así G. Llubera editó estos versos al comienzo del poema (ante el v. 29), fundiendo además irrazonablemente la tercera copla (conservada en M)
con la cuarta (conservada en C). Por mi parte, aunque sin perder
del todo alguna duda sobre la constitución o integridad de este pasaje, creo más prudente conservar en este lugar las coplas, según M,
completándolas según C; y hasta creo que puede darse razón del modo
en que ellas sirven de transición a la última parte del poema: a
saber, que en 2425-28 se formula otra vez, la última, la relatividad
de las oposiciones morales (en cualquier virtud, en cualquier hombre,
hay motivo para alabar y para criticar), que es el tema fundamental
de todos los Proverbios con el que se vuelve a su arranque mismo
(237-38: «lo que uno denuesta / veo otro loarlo»), y las tres coplas
siguientes precisan la imposibilidad de calificar a un hombre en sí
de 'bueno' o de 'malo' del siguiente modo: que las manifestaciones de
uno (las obras, el gesto y las palabras) son lo único que de uno se
conoce (algo en el sentido del «Por sus frutos los conoceréis»), y que
en fin (2437-40) es por la «ventura» o azar por lo que uno queda
ascrito a tal o tal servidumbre, y según el servicio así es el premio
que le toca.

2441-60. Terminado así el cuerpo principal del poema, destinado a
manifestar la duda y relatividad de las oposiciones morales, se añaden
todavía estos versos para hacer excepción de dos virtudes, el «saber»
y el «bien fazer», como las únicas exentas de la contradicción moral,
según ya se había hecho constar en dos lugares: para el «bien
fazer» en 981-1024 (cfr. nota), para el «saber» en 1253-58 (cfr. notas
a 1253 y a 1257). En efecto, de la ley de contradicción de todas las
virtudes la virtud en sí misma, el «hacer bien», estaría exenta por
definición o tautología; y en cuanto al «saber», si lo entendemos como
la conciencia de la ley de la contradicción moral, con ello mismo
queda por fuera de la contradicción y deja de ser una virtud él mismo.
Por eso, siendo ambas «costumres» de especie heterogénea (en cuanto
que una es intelección y la otra actividad), ambas son «egualadas»

en el hecho de que cada una es única en su especie («non han conpa-
ñeras»), pues ésa es la manera de expresar la exención de toda
antítesis que se les atribuye.

2447-60. Es importante la insistencia en el «plazer» (placer sin
mezcla ni arrepentimiento) como nota que acompaña a las dos
virtudes-por-encima-de-las-virtudes: «plazer» es evidentemente el nombre del 'bien' mismo en cuanto experimentado; y en efecto, siendo
manifestación dinámica de la ley de contradicción del mundo la alternancia (y así el cansancio y el arrepentimiento), como se dice en
2449-52, es claro que el «plazer» de las dos virtudes exentas de la
contradicción habría de ser «sin rependençia» (2455 y 2459) y sin cansancio (2457-58): en suma, un placer «conplido» (2448 y 2454), que es
lo imposible dentro de la ley del mundo, donde el bien sólo es posible
como compensación y antítesis del mal.

2461-560. El poema va ahora a cerrarse con tres admoniciones: la
primera ésta, que lo sabio es no confiar en nada del mundo, eternamente cambiante, y sólo confiar en Dios; la segunda será (2561-644)
que el mundo en sí es indiferente y no conoce bien ni mal, ni de él
en verdad sabemos nosotros nada; la tercera (2645-700), que el malo es,
por esencia, el Hombre. Esta primera pués se articula claramente
del siguiente modo: el hombre cuerdo no puede confiar en posesión
ni valor alguno (salvo el de hacer bien), puesto que la ley del mundo
es cambiar, como el mar, como la «rueda» (2461-92); el valor del
hombre mismo es enteramente relativo a sus circunstancias (2493-512);
se le impone pués estar siempre apercibido al cambio y no reírse del
mal ajeno (2513-32); sólo cabe confiar en la «merçed» de Dios, aunque
no entendamos lo que El hace (2533-40), pensando que lo que al
Hombre se le ha dado se le ha dado según sus necesidades (2541-60).

2461-96. Este tema de la desconfianza del cuerdo para con el bien
del mundo, fundada en la conciencia de su ser cambiante, se tocaba
ya en la parte central del poema (1589-636) desde otro punto de vista,
cuando se decía que al hombre «entendudo» no le puede hacer el
mundo «bien con que plazer aya»; cfr. notas a 1553-30, 1589-604.

2465-68: La falta de relación entre el bien o mal y la virtud o
culpa del que lo recibe nos vuelve sobre el comienzo del poema (333-48). Y también del «saber» es independiente
la riqueza, commo allí (349-68 y 479-88) podía ser la locura la que
ocasionara el bien, puesto que «en las aventuras / yaz' la pro enpe-
ñada»; y esto es una cierta interesante contradicción con aquello de
que el saber se equipara al mejor de los caudales (1253-60) y de que
en 2329-44 se haya exaltado el provecho del saber «bien fablar» y
«razonarse bien».

Por lo demás, el texto de los manuscritos está confuso en 2468:
escribo «del sino» donde N dice «el signo» y M «de al sy non», en
tanto que E ha alterado los dos versos («nin por su culpa cueda
defender de ser pobre»).

2469-72. Para la excepción del «bien fecho» entre los bienes, cfr. nota
a 2441-60, y en especial sobre su excepcional permanencia los vv. 981-
1016.

2477-92. Sobre que los cambios o «coçobras» del mundo son la manifestación de su estructura contradictoria cfr. nota a 1589-604; y
sobre la comparación con el mar, los vv. 1617-28 con su nota correspondiente.

2481-92. Estas tres coplas aparecen en los manuscritos en órdenes
diversos: en N y E, 2481-84, 2489-92, 2485-89, y en M, 2485-92, 2481-84.

He restituido el orden que la ilación sintáctica parece exigir, aparte de que los dos diversos órdenes de los códices se explican bastante bien si partimos de que un antecesor común había saltado por semejanza de rimas de la copla 2477-80 a la 2489-92, y luego los copistas trataron de restablecer la serie con errores diferentes.

2483. El «çapato» se pone (frente a la corona) como símbolo del plebeyo, en cuanto supone la falta de las «calças» o botas altas del caballero (cfr. 843-56).

2486. Vientos más o menos de Sur y Norte respectivamente.

2487-88. Repetición casi literal de 1617-18. Cfr. nota a 1617-28.

2493-96. Es aparente la resonancia bíblica: véase *Proverbios* 27,1: «No te jactes del día de mañana: porque no sabes qué dará de sí el día».

2497-504. El rabino encuentra en estos versos una de las más inusitadas y lúcidas maneras de formular la relatividad del valor de un hombre, enteramente dependiente de su condición o posición en el mundo, por medio de la comparación con el valor de las cifras en la escritura de los números arábiga o moderna (esto es, por medio de ceros), que es el sistema que hoy usamos, y ya bien generalizado en tiempos de don Sem Tob: es a saber, que las diferencias de valor entre las diez cifras en sí mismas se vuelven irrisorias en comparación con las diferencias que les da su posición relativa. Y no sólo esto, sino que el carácter convencional del valor del hombre, dependiente del sistema en el que juega, queda bien puesto de relieve con la analogía.

Por cierto que en la copla 2501-04 (que el códice M omite, después de presentar las dos anteriores en orden invertido) me he visto obligado a conjeturar para el texto del cuarto verso «y quarenta, y quarto» (suponiendo un uso de la cifra '4' para escribir el número fraccionario), allí donde el códice N ofrece la lectura incomprensible «quarenta e quatro», mientras el códice E tiene, según su costumbre, una refundición del texto, con «quatro segunt su cuenta» en 2502 y «en logar ay que quarenta» aquí en el 2504.

2507. También el texto de este verso lo propongo por conjetura, con un uso raro de la forma corta «dí'» del nombre «día» (tal como tenemos en «disanto»), en lugar del texto de N y M, «de bien e asy de al», con una alteración que, tenida cuenta de una copia en caracteres hebreos, se explica fácilmente desde el punto de vista paleográfico; en cuanto a E, escribe, corroborando la mala interpretación, «mas de bien nin de al».

2508-12. La relación (y dependencia) entre las mudanzas sociales que el hombre sufre y la revolución de la «espera» o «rueda» del cielo la hemos visto otra vez en 2481-84, y ya en el Prólogo del poema (145-50), cuando en ese giro necesario ponía justamente sus esperanzas el poeta. La «deçendida» y la «sobida» de la esfera pueden aludir al movimiento de la bóveda celeste respecto al sol a lo largo del año.

2519-20. No logro descifrar la forma *anchalidos*, que es la que da el códice M, pero tampoco veo cómo entender el *engeridos* del N (en cuanto a E, ha refundido toda la copla y escribe aquí «dos armados»); en todo caso el sentido debe de ser el de 'armados', 'acorazados', 'fortificados' o algo semejante. La forma hoy usual del refrán es, como se sabe, «Hombre prevenido vale por dos».

2521-32. Adviértase cómo de la duda del mundo y la desconfianza de todo bien se desprende aquí inesperadamente una especie de norma de caridad negativa, o mejor dicho, de sentimiento de común participación en los males de todos y cada uno. Con esta manifestación de la inseguridad, en efecto, apunta la posibilidad de anulación de la antítesis fundamental del mundo, 'uno/otro', pues que uno puede ser otro, como otro uno. La recomendación, por otra parte, es de larga tradición en las formulaciones gnómicas (v. ya en la Biblia, *Prov.* 24,17, y *Sabiduría* 7,11, y cfr. nuestro refrán «Cuando las barbas de tu vecino veas pelar, echa las tuyas a remojar»), de las cuales tal vez la más cercana es la de ben Gabirol (Ascher *Choice of Pearls* 444), «No te alegres cuando tu enemigo tropiece, pues no sabes qué es lo que a ti puede ocurrirte»; cfr. también *Boc. de Oro* 212 s. «Non te alegres con la cayda que otro faga, que non sabes cómmo se rrevolverá el tienpo sobre tí». Véase, sin embargo, cómo al final (2529-32) torna don Sem Tob sobre el fundamento lógico del aparente precepto: que es la ley del mundo que no puede haber uno sin otro, como no hay «alegría sin pesar» o «sin noche día» (cfr. 525 y siguientes).

2533-40. De la duda y la desconfianza nuevamente se exceptúa a «Dios» (cfr. 333-48 y nota) como significando aquello que está fuera de la contradicción constitutiva del mundo y la supera (al mismo tiempo que es Él mismo esa ley de contradicción); en este sentido «bien es quanto Él faze», es decir que Él es el bien sin antítesis con mal, si bien es cierto que para llamarlo así (y no, como igualmente sería posible, mal sin antítesis con bien: en suma 'totalidad' o *synapsis* en el lenguaje de Heraclito, que al incluir en sí la oposición de lo uno con lo otro, ya no puede oponerse a nada) no es nuestro entendimiento el que nos guía (pues nosotros «no l' entendemos»), sino la confianza o «fiuzia» *(fiuza* y *fuzia* son otras variantes de los manuscritos) en su «merçed»: una confianza que puede ser en este caso gratuita, pero que en otro cualquiera es necesariamente mentirosa (2535-36), en cuanto que toma absolutamente uno de los términos de una pareja contradictoria.

2541-60. Por curiosa aberración, se mencionan aquí, como apoyo de la «fiuzia» en la «merçed» de Dios, unos rasgos de la providencia de Dios para con el hombre (consideraciones semejantes le atribuía también descaradamente a Sócrates Jenofonte en los *Recuerdos* I,4), en cuanto que le ha dado más precisamente de lo que más necesita, como agua, aire y fuego; cuidado providencial de Dios que es, de cierta manera, una verdad: a saber, en cuanto es una tautología, o sea que el ser que es como es necesita para ser como es que se den necesariamente las circunstancias que se dan.

2548. Detrás de este verso el códice M inserta los dos poemas que publicamos en las Otras Rimas con los números III y VI, siguiendo después el texto hasta el v. 2604 y añadiendo las tres últimas coplas de los Proverbios; se ve que el ejemplar de se copiaba tenía descosidas (e incompletas) las últimas hojas, y así se copiaron descolocadas.

2549-60. No sorprende tanto que el fuego se identifique en 2549-50 con la vida misma del hombre, cuando ya las tradiciones antiguas en torno a Prometeo parecen hacer coincidir el dominio del fuego con la creación del hombre propiamente dicho; pero es más sorprendente que junto al fuego se presente el hierro como necesidad fundamental del hombre, sobre todo cuando en 2557-58 aparece su abundancia contrapuesta a la escasez del oro, es decir haciendo jugar los dos metales simbólicos en un sentido en cierto modo inverso al que tienen en el mito de las eras o edades de la humanidad: y la intención de rechazar la aspiración o añoranza de la edad de oro (la del bien sin contradicciones) y reducir la mirada al hombre histórico o de hierro aparece clara a lo largo del pasaje, en que se trata de encontrar «guarida» (2551), de guardar «lo nuestro» (2555) y de ser «salvos de yerro» (2559). Pero lo más notable es cómo en 2553-56 el hierro se justifica como materia de fabricación de la «reja» (de arado) y de la «çerraja e llave», es decir, no sólo representando la necesidad de la producción, sino también la necesidad de la propiedad privada, de «lo nuestro».

2561-644. La segunda de las tres admoniciones (cfr. nota a 2461-560) con que se cierran las Glosas se articula del siguiente modo: a) aunque decimos mal del mundo, el mundo en sí es indiferente a todos, ni ve, ni oye, y en su perpetuo cambio no se altera jamás por nada (2561-92); b) en el mundo estamos, pero en verdad no sabemos de él nada, si no es algunos cálculos numéricos y relativos (2593-612); c) el mundo en sí es siempre uno y el mismo (como uno y el mismo es también el hombre «en su cuerpo»), pero por necesidad todo se presenta en oposiciones de bien y mal, «commo faz e envés», y según cada persona o cada «talente» de una persona, lo mismo se aparece como malo y como bueno. Percíbase bien lo transcendental, por así decir, de estas observaciones como cierre de una composición cuyo principio informador es la relatividad de las nociones de 'bien' y 'mal' y la lógica de la contradicción moral: es preciso anotar al mismo tiempo cómo la totalidad de las contradicciones (el mundo) es ella misma indiferente o no-contradictoria, ni mala ni buena (sobre la doble aparición de la superación de las contradicciones como 'mundo' y como 'Dios' véase lo dicho en la nota a 333-48), y al mismo tiempo que la necesidad interna de ese absoluto es presentarse como relativo y organizado en antítesis de 'bien' y 'mal'. Veremos en el pasaje siguiente en qué sentido es 'el Hombre' la causa y centro de esa necesidad.

2561-64. «Dezir mal» del mundo los hombres (en lo que se incluye la plasmación del mal en fantasmas o «vestiglos») se opone aptamente a «non aver mal» (esto es: 'decir' a 'haber'); salvo —claro está— los propios que «mal dezimos», «nos mismos»; con lo que se anuncia el tema del pasaje siguiente (2645-700).

2565-68. «Non tien' ojo», puesto que la visión no se concibe sin un punto de vista relativo; y por supuesto no puede tener predilecciones ni distinguir entre «un omre» y «otro», puesto que para él 'uno' y 'otro' son lo mismo.

2569-76. No tiene tampoco lengua («nin responde nin llama»), puesto que el ejercicio del lenguaje supone la oposición de interlocutores; y no tiene, por ende, moral ninguna («nin ha ninguna maña», esto, es virtud o vicio: cfr. nota a 397). Son «cada uno», es decir, los entes divididos y contrapuestos los que hablan por él y «lo razonan».

2577-88. El mundo en sí, por debajo (o por encima) de todas las calificaciones morales con que los infelices o desgraciados «lo razonan», es siempre «uno» (en cuanto que no es dos, ni forma antítesis con nada) y el mismo; y de aquí, de la falta de contraste, se desprende la falta de cambio (que no es sino la manifestación dinámica del contraste); en efecto, la observación científica («los sabidores») no descubre en el cambio alguno; lo cual puede parecer sorprendente, cuando de continuo a lo largo de los Proverbios se habla de la constante inestabilidad de todo; pero tenemos aquí nuevamente las dos caras o maneras de considerar el mundo: o desde dentro, por así decir, esto es, como «razonado» por nosotros, caso en el cual lo único que aparece es su organización en oposiciones y sus cambios, o en sí mismo —si así pudiera hacerse—, donde lo que aparece es justamente la constancia de esos cambios mismos y la perpetua unidad resultante de la anulación de todas las antítesis de contrarios.

2589-92. Otra vez la situación social («el mundo» en el sentido histórico) se identifica con su trasfondo natural o astronómico («el mundo» en cuanto «espera del çielo»), según ya hemos anotado a los vv. 2508-12. Pero además aquí ese aspecto celeste de «el mundo» viene bien para hacer más evidente su indiferencia o exterioridad a las pasiones («amor nin çelo») y a los órdenes morales: su movimiento (perpetuo) es justamente lo que le permite ser «toda vía» uno y el mismo, y lo que no cabe es ninguna alteración o cambio de ese movimiento, que le haría volver a entrar en la contradicción de 'otro' y 'uno', en la cual está él internamente organizado, pero que él en sí o como total no sufre.

2593-96. La formulación es aquí especialmente afortunada: yacemos encerrados bajo el cielo, es decir que nosotros, los entes y pensantes, estamos incluidos, como partes, en el sistema de contradicciones constitutivo del estado, y condenados por ende a la lógica de la contradicción; así es que él nos hace noche y día, con lo cual se indica (recuérdese que la antítesis 'noche/día' es ya desde Heraclito ejemplo favorito de la lógica de contradicción) que el orden total nos tiene condenados a esa alternancia o paso de lo uno a lo otro y de lo otro a lo uno en que él contradictoriamente se manifiesta; y no sabemos nosotros otra cosa, esto es, nada más que lo que está dentro de la contradicción, pero no lo que está fuera, es decir el orden mismo total considerado «desde fuera», en absoluto o en sí mismo; sea a su vez lo que sea de contradictoria esta negación con el hecho de que el poeta está intentando justamente hablar así del mundo, «desde fuera» y superando el juego de contradicción en que él, entre nosotros, está encerrado.

2597-602. Lo de «lueñ' trïera» es una conjetura (entendida la palabra *trïera* o *triyera* como un equivalente de *trillera*, esto es, 'era de trillar' o más bien 'círculo trazado por el movimiento rotatorio de las bestias que «pisan», sea o no atadas a una estaca central por eje, o de los trillos', siendo la forma tanto más fácil de explicar cuanto que hay una antigua confusión parcial entre los verbos *trillar* y *triar*, sobre la cual puede consultarse el *Dicc. Etim.* de Corominas), conjetura a la que he llegado a partir de las lecciones de los manuscritos, «lueñe tierra» (NM) o «luenga tierra» (E), que me parecen un caso evidente de *lectio facilior*, con resultado además absurdo: pues, como se ve por lo que sigue, no se trata para nada de la tierra (que por los tiempos de don Sem Tob seguía todavía fija), sino del mundo en general, bajo su aspecto de bóveda del cielo, cruzada por los movimientos del sol, luna y planetas. Que a esa esfera celeste (a la que otras veces se llama «espera» o «rueda») se la llame aquí *triera*, como acentuando con la despectiva denominación metafórica nuestra ignorancia, se me antoja en cambio muy puesto en razón, toda vez que «nomre çierto», esto es, que no sea metafórico y que lo designe de veras en sí mismo, la ciencia («ningunt sabidor») ni se lo ha sabido poner ni puede saber ponérselo.

Es, aparte de eso, muy ilustrativo de las nociones lógicas o lingüísticas del poeta el que en 2598-99 se trata de la «verdat o mentira» no de ninguna predicación, sino de la simple denominación 'mundo' («mundo») leo con el manuscrito E —señalando el empleo metalingüístico, del que cfr. v. 1851— frente a N y M, que escriben «nun-

ca»), como si en este caso el mero poner nombre d i j e r a algo,
tuviera ya un sentido: como lo tiene en cierto modo: pues, dentro
de este mundo, las denominaciones sólo son ciertas («nomre çierto»:
1602) por oposición de unas con otras; y así no podría ser «çierto»
un nombre que no pudiera jugar en antítesis con ningún otro; aunque
no estoy seguro de si el rabino pensaba además en la etimología
del nombre (mundus, como traducción de κόσμος, esto es, 'orden'
u 'ordenado'), con la cual el carácter positivizador y moralizante de
la denominación queda doblemente puesto en evidencia.

2603-12. Por oposición al conocimiento del mundo, al saber «qué
es» (representando en las coplas anteriores por el saberle «nomre
çierto»), lo que sí les es dado a los «sabidores» y a la ciencia es la
medición relativa de sus partes, y también por tanto el cálculo
de funciones de esas medidas, de las que es ejemplo típico la velocidad; según la interpretación que ofrezco de los vv. 2605-12, se trata,
en efecto, de la velocidad comparada de los cuerpos celestes, y más
precisamente, de los que tienen movimiento propio d e n t r o d e l
movimiento general del cielo, esto es, de los planetas, designados
por comparación como «peones» (si es que no se trata propiamente
de una traducción del gr. πλάνητες 'andantes', 'errabundos', que los
opone a las estrellas fijas), entre dos de los cuales la constatación
de un espacio doble en un tiempo igual conduce al cómputo de la
velocidad (que aquí se llama todavía «meçimiento», igual que el movimiento mismo), una noción que no consiste más que en una relación, y que aquí sirve bien de ejemplo de cómo el saber de la
ciencia puede alcanzar, «por çierto» (nótese cómo la locución, puesta
al final, subraya irónicamente la certidumbre), a la medición relativa
o comparación de las cuantías establecidas por la ciencia misma,
pero nunca al conocimiento de las cosas en sí ni de «qué es» el
mundo.

2605. Desde este verso falta el texto en el manuscrito M, que
añade sólo las tres últimas coplas de los Proverbios; cfr. nota al
v. 2548.

2613-20. La representación por medio de la «faz» y el «envés» (de
una lámina o cuerpo virtualmente bidimensional cualquiera, y en particular de una moneda) vuelve a usarse para figurar la necesaria
constitución en contradicción y antítesis de todos los seres del mundo
(cfr. en 541-44, y la nota correspondiente), en tanto que a su vez esta
constitución antitética se presenta en contradicción con lo «sienpre
uno» del mundo mismo; con lo cual resultan esos cuatro versos la
formulación acaso más precisa de la estructura lógica que da sentido
al poema entero; y a modo de corolario, se vuelve a formular en
2617-20 la relatividad de las nociones éticas, de modo que, según que
se trate de uno u otro, un mismo origen o causa puede serlo de
provecho o de perjuicio, de placer o de daño; con lo cual se torna
sobre las primeras observaciones que abrían el poema: cfr. vv. 237-332.

2617. A partir de este verso volvemos a conservar el texto del
manuscrito C (cfr. nota a 2382), después de la pérdida de algunas
hojas.

2621-24. Estando el mundo en sí por fuera de las calificaciones morales (cfr. nota a 2577-88), lo está también de la oposición misma
entre 'entender' y 'no entender'; esto es, que «non ha entendimiento»
en los dos sentidos de la palabra: que, así como no se le entiende
(cfr. 2596), así él no entiende; pero ello de tal modo que no se
trata de que no-entienda (con la negación incluida en el verbo), sino

de que no entiende (sin incluir en el verbo la negación), por lo cual, así como no es inteligente, así tampoco es «torpe» o ininteligente, sino que la operación de entender es propia de los seres interiores a él, que, así como están ellos mismos divididos «commo faz e envés», así también entienden las cosas por método de oposición o antítesis y en primer término por la fundamental de todas, la de 'mal/bien' («mal e bien dizen dél»), método que no sirve para el entendimiento del mundo mismo como total, exento del juego de oposiciones por incluirlas todas en sí mismo.

2625-40. En la unicidad y mismidad de Ello en cuanto independiente del juicio humano se insiste aquí con tres términos: a) el día (2625-32), que sólo por virtud de la contabilidad es al mismo tiempo día de pago y día de cobro, pero que en sí mismo, por ser los dos al mismo tiempo, no es ni el uno ni el otro, sino el mismo y uno; b) el mundo (2633-34), que, cambiando continuamente, y estando dentro de sí constituido por las oposiciones temporales, no cambia nunca en su cambiar, y así «es en un egual todo tienpo»; y c), lo que es más notable, el hombre mismo «en su cuerpo», por oposición a su «talente» (2635-40): el cuerpo, en efecto, representa aquí lo que en el hombre es, por así decir, anterior o exterior al juicio de bien o mal, lo que en un hombre, en suma, no es propiamente el hombre, que propiamente está constituido por el juicio, y así es, como veremos enseguida, esencialmente malo, y por ende alternativamente bueno.

2641-44. Con esta oposición entre «él», que no hace ni mal ni bien, y los hombres quejosos o contentos, que sacan «de sí mesmos» el bien y el mal, el pasaje de la indiferencia del mundo hace transición al siguiente, el de la malicia esencial del hombre.

2645-700. La última de las tres admoniciones con que se cierran los Proverbios (v. nota a 2461-560) consiste en esto: que el que es malo es el hombre: carece de la obediencia a la necesidad que en las bestias produce un como arreglo de cuentas automático, y así las hace pertenecer al mundo indiferente (2649-56, 2673-82): el hombre por el contrario no puede hacer más que medirse y compararse con los otros, y así el bien de uno no puede ser sino el mal de otro (2657-72), y queda él a su vez obligado a guardar lo suyo de la maldad ajena (2683-700).

2645-48. Que el «çelo» o envidia y la «cobdiçia» son los principales males que al hombre le vienen «de sí mesmo» lo hemos visto ya en los vv. 801 y siguientes (v. las notas correspondientes): la envidia, porque ella significa la necesidad de la antítesis de uno con el otro, y por ende la absurda conmensuración de lo que es por esencia inconmensurable (en cuanto que uno propiamente es único); la codicia, porque es por definición codicia de lo que no es de uno, precisamente en cuanto no es de uno, y así es necesariamente insaciable o sin objeto y contradictoria consigo misma.

2649-52. Lo peligroso, dañino y maléfico sobre todo lo que en el mundo hay es «el omre» en general y sin más calificación; lo cual le pareció al refundidor del manuscrito E lo bastante duro como para escribir «el mal onbre» en lugar de «el omre» (así también en Boc. de Oro 117 c; y cfr. D. Juan Manuel Libro de los Estados 24-25), sin percibir que en el mal no está en el malo, sino en que haya malo y bueno, y es justamente «el omre» como autor o representante de esta organización antitética y del juicio moral el que así resulta malo por definición.

2653-72. Las «bestias» (que se toman hipotéticamente como nombre

de 'lo no humano semejante al hombre') alcanzan su contento y su
sosiego justamente con aquello con que «se fartan»: frente a ellas,
el hombre no tiene realmente hambre, sino sólo «cobdiçia», que es
por definición insaciable; de ahí la ironía con que en 2657-60 se presenta la falsa antítesis entre «famriento» y «farto» para mostrar su
anulación, ya que, lo mismo con el pretexto del hambre o necesidad
que sin tal pretexto el hombre hace mal indiferentemente: venimos
a tener así una especie de manifestación moral de la sinapsis o anulación de la antítesis entre χόρος ('hartura') y λιμός ('hambre') del
fr. 67 de Heraclito: en verdad, la hartura de uno es el hambre de
otro (2661-62), la riqueza de uno la ruina de otro (2663-64), la ganancia de uno la pérdida de otro (2665-66), y en fin, la salud o salvación
del uno la muerte o perdición del otro (2667-68); y con la frase hecha
«el oro y el moro», que alude expresivamente al ansia del todo
frente a la hipérbole del mucho («mil quintales de oro») se remata elegantemente esta serie de fórmulas de la antítesis necesaria
entre el otro y el uno, que es la armazón lógica de la de 'bueno/malo'
en la que consiste el mundo (humano) y la maldad esencial del
hombre.

2673-76. Las «bestias» (cfr. nota a 2653-72), en efecto, no tienen
en todo caso unas de otras más que un miedo (y dicho así por
analogía) inmediato, pero no la prevención y el miedo propiamente
dicho (es decir, el Futuro) que le obliga a uno a guardarse y guardar
su «algo», y por consiguiente, lo mismo que ha de encerrar lo suyo
«so çerraduras», así también encerrarse él mismo (como su más propia posesión) en «armaduras»; así es como el uno termina de defi-
nirse y endurecerse en sí mismo frente a la maldad propia de los
otros, y con ese intento de seguridad de uno respecto a lo otro
que como uno le amenaza, se consolida la antítesis constitutiva
de que en la nota anterior se habla.

2677-82. En la atribución, aunque sea negativa, al «mulo» de posesiones (como su albarda!) y de deseos (como el de estar «folgado» u
ocioso por la noche en el establo), se produce aquí el peculiar
efecto de misterio doméstico y humor negro (perceptible, por ejemplo,
en los cuentos licantrópicos o de lobisomes y en las *Metamorfosis* de
Apuleyo) que parece acompañar a toda invasión de lo animal por el
mundo de la Moral humana; creo que es aquí la imaginación
de un mulo con ojos, por así decir, humanos, pre-visores, pero con
olor de mulo y establo lo que hace penetrante esa sensación; y el
hecho de que se trate de un animal doméstico la vuelve acaso más
material, en cuanto los dos mundos se confunden por las dos vías,
por analogía y por contacto: el mulo en su establo frente al «omre
malo» que va a robar por fuera, por la noche.

2693-96. Vuelve a aparecer, no sólo aquí bajo forma de «llaves»
(2675) y «çerraduras», sino también de «armaduras», la necesidad del
hierro que a otro propósito encontrábamos en los vv. 2551-60; véase
lo que en la nota correspondiente se decía sobre el papel simbólico
del hierro (frente al oro) y de cómo la visión del Hombre se reduce
al hombre histórico o de hierro, figurado allí en la agricultura y la
propiedad, aquí en la propiedad y la guerra.

2700. Tras este verso insertaba G. Llubera en su edición los versos que aquí publicamos en las Otras Rimas con los números III
y VI, de los cuales el manuscrito M presenta ambas composiciones
tras el v. 2548 (por las razones que en la nota a este lugar he suge-
rido) y el manuscrito C el n.º III al final de lo que él conserva
del texto seguido de los Proverbios (v. nota a 2741); la inserción es

aquí además evidentemente inoportuna por cuanto rompe la ilación de este último pasaje del poema con su epílogo, que sin embargo, como en la nota siguiente haré notar, es bien visible.

2701-72. Pueden estos versos, en efecto, considerarse como un epílogo del poema, con las lisonjas al Rey (2718-32), que, cerrando la estructura por retorno, se corresponden con las de la dedicatoria (9-24), y con la nueva encomendación de la deuda del Rey con el poeta (2769-72), que retorna igualmente sobre la del principio (25-28). Pero no por ello deja este epílogo de enlazarse elegantemente con el tema de la última parte del poema: de la maldad esencial del Hombre (2645-700) se pasa naturalmente a exaltar la dificultad extrema de mantener en avenencia y armonía las clases antitéticas de hombres (2701-10); conseguirlo sería la obra de un rey cumplido (2711-17); pues bien, esa obra la vemos realizarse en nuestro Rey (2718-32). Aquí se inserta todavía la reflexión sobre la antítesis del poder y la mesura, que sólo dándose juntos podrían constituir la armonía y hacer que la ley y el rey fueran la guarda contra el mal (2733-60). Después de lo cual se vuelve a las bendiciones al rey y al recuerdo de la deuda del poeta (2765-72).

2701-10. Se traen a comparación ejemplos de armonía por el contraste (el fondo y las figuras de un paño, el juego de tramas y urdimbre de un tejido, y el del blanco de los dientes con el rojo de los labios) para encarecer la más difícil de las armonías: la que consistiría en conjugar y «mantener avenidos» los términos opuestos de las antítesis constitutivas de la sociedad, de las que se citan aquí las más notables, 'poderosos/débiles', 'viejos/jóvenes'; una vez más, el juego de la lógica moral (o política) se apoya, como en Heraclito, en los ejemplos físicos (con frecuencia instrumentos, como el arco o el torno de batán) que muestran visibles las antítesis y sinapsis.

2703. Por cierto que para el «biato por fuerça» sigo con grandes dudas sobre la clase de tejido que pueda ser: la forma «viado» (que dan los manuscritos N y E frente al «biato» de C) suele entenderse como significando '(tejido) listado', y así Corominas en su *Dicc. Etim.* la incluye bajo el epígrafe 'Vía'; y con ella iría el nombre de un implemento de telar llamado viadera; pero junto a esto están las formas catalanas, provenzales y francesas del tipo *biaite*, *biais*, de etimología por cierto incierta y discutida (¿podría preferirse **bicaptum*, o acaso sugerirse **biaxium?*), a las cuales tal vez podría pertenecer este *biato*. La interpretación que doy, como indicando una especie de terciopelo, se basa desde luego en la suposición del prefijo *bi-*, y parece así especialmente apropiada al texto, en cuanto se piense que es el juego de la urdimbre con la (doble) trama lo que esta vez se usa como imagen visible de la antítesis.

2705. El códice C conserva bien la forma *az* (de *acies*) que para designar una formación de tropa (en línea) aparece en el *Mío Cid* y aquí se usa con decente metáfora para los dientes; los otros dos manuscritos, N y E, le han substituido fácilmente la lectura «faz».

2711-17. Los «fechos» del rey que consigue esta armonía de contrarios «son conplidos» o perfectos; tal rey sería, en efecto, el rey verdadero o ideal, esto es, la figura de Dios mismo, en cuanto 'Dios' designa la superación de todas las antítesis y de la guerra de contrarios, que no por ello deja de ser Su propia ley; sobre esa idea del Rey y lo que en ella pueda haber de lógica y de necesaria adulación hemos hablado en notas a los pasajes en que el rey aparecía a lo largo del poema: 381-88, 589-96, 1233-36 y 1379-80. Así se entiende aquí que este Rey ideal (que no deja de recordar el del *Político* de Platón) aparezca enlazado con las imágenes de los animales mansos (la oveja y la «cabrilla coxa») defendidos de los salvajes (el lobo y el «zebro» o —en la otra redacción— el oso), cuando la paz entre animales de pasto y carniceros es uno de los símbolos tradicionales de la Edad de Oro (v. p. ej. el ciervo y la tigre, la tórtola y el milano, el rebaño y los leones, el redil y el oso, en Hor. *Epodo* XVI 31-33 y 51, el león y el rebaño en Virg. *Buc.* IV 22; y también *Isaías* 11,6-7: «Morará el lobo con el cordero y el leopardo con el cabrito se acostará; el becerro y el león y la bestia doméstica andarán juntos, y un niño los pastoreará. La vaca y la osa pacerán, sus crías se echarán juntas; y el león como el buey comerán paja»; cfr. 65,25), como que el cese de la contradicción social encuentra su más clara imagen en la suspensión de la ley de la jungla misma, que sirve para justificarla.

Por lo demás, creo que lo más probable es que el «zebro» sea el macho de la cabra montés, que se llamaba a veces zebra, de donde nombres de pueblos como el de Cebreros.

2717 y 2719. Doy en el texto la lección del manuscrito C; en cambio, N y E escriben «del lobo e del osso» en 2717, para escribir «al [o «del» N] buen rrey don Alfonso» en 2719; lo cual es en E tanto más notable cuanto que este códice presenta en los vv. 9-24 la dedicatoria al rey don Pedro, y la misma dedicación se desprende de su texto en 2769-70 (tanto el texto de C como el de N faltan en esas partes). Se ve pues, como hemos anotado a los vv. 1-28, que, habiéndose corregido la versión definitiva del libro para dedicársela al nuevo rey, el manuscrito antecesor de N y de E mantuvo por descuido en estos versos un vestigio de la redacción primitiva, dedicada al rey Alfonso.

2721-28. Abundando en la identificación de 'el Rey' con 'Dios' (de que v. nota a 2711-17), se le presenta aquí muy precisamente bajo la imagen astronómica (sobre la superposición de los dos «mundos», el social y el celeste, v. 108-16, 145-50, 2481-84, 2508-12, 2589-92, con las notas correspondientes): en efecto, la «suma» de las «mañas» del Rey es «muy entera», esto es, él representa, como 'Dios', la totalidad de las contradicciones morales, que supera la contradicción (por lo cual puede echar por tierra a los malos, manteniendo a los buenos —2727-28—, es decir, anular la fuerza de la oposición 'bien/mal' en que consiste el mal del mundo), y así sus diversas cualidades morales son como las estrellas, que se oponen unas a otras y se ordenan en estructuras, pero él, en sí mismo, es como la esfera del cielo, la imagen predilecta del poeta, como ya hemos visto, del mundo en cuanto totalidad; es esta esfera la que mantiene la tierra en equilibrio, esto es, actúa como la ley de contradicción misma, que hace que todas las contradicciones del mundo social en la suma queden compensadas y anuladas; que es a lo que se llama justicia o «derecho».

2729-32. La lisonja del rey toma en estos versos una forma emblemática o por enigma que no deja de ser interesante: supuesto que el rey lisonjeado se toma por el 'verdadero Rey', sobre el que v. nota a 2711-17, el cual a su vez es figura de 'Dios' mismo (del que puede en cierto modo decirse que, así como es el ojo o visión del mundo, es también la mano del mundo, esto es, su acción), la izquierda y la derecha del mundo son emblema a no poder más apto para representar la ley de antítesis: pues bien, 'Dios' ni el 'Rey verdadero' no conocen antítesis ni contrapartida: él es la derecha absoluta (y con ella el «derecho», de que v. al final de la nota anterior), y por tanto cuantos otros reyes (imperfectos o zurdos, por así decir) pudieran imaginarse no bastarían para hacer con él contradicción o contrapeso.

2733-48. Entre las lisonjas y las bendiciones del rey se intercalan estos versos todavía de advertencia sobre la noción de 'poder' que el poeta podría admitir sin crítica y hasta con alabanza: tal sería el poder emparejado con la «mesura» (medida o templanza), una sinapsis para la cual se vuelve (cfr. 2705-06) sobre la imagen de la mezcla del rojo con el blanco en la color del rostro; por el contrario, el poder «con desmesura», es decir, sin la mesura, es sólo una «meatad», y por lo tanto «muy fea»: esto es, que es un solo término de la antítesis tomado como absoluto. Cree pues aquí el poeta (o finge que lo cree) que puede, dentro del mundo, darse realmente esa armonía o equilibrio entre el poder y la moderación del poder, como si cupiera otra forma de limitación del poder que no fuera la impotencia; sería la «mesura» como impotencia la que permitiría «levantarse» a la inteligencia y debilidad («sinpleza e cordura»), en tanto que el poder seguía «quebrantando» la insensatez y la desmesura de los otros («sobervia e locura»). Pero esto es una concesión idealizante a que el poeta se ve forzado por sumisión al rey: pues bien sabe su lógica que el poder no puede menos de presentarse en el mundo como «mitad», junto con la mesura o impotencia, nero no mezclado o confundido con ella, sino con ella jugando necesariamente en oposición y en alternancia.

2741. A partir de este verso faltan en el códice C las ocho últimas coplas; tras 2740 el escriba anota en hebreo que en su original faltaba una hoja; en cambio, añade tras un blanco la Loa de la Pluma (n.º III de las Otras Rimas), bajo la cual pone la indicación en hebreo tom, 'perfección'. Tras ella añade sin embargo los versos portugueses que hemos impreso y comentado en nota a los vv. 29-136; luego está además el folio de añadidos, que ofrece los vv. 2429-32 y 2437-40, los vv. 29-32 y 57-90; sobre los cuales véanse las notas correspondientes. Se ve pues que el ejemplar de que C está copiado se interrumpía en el v. 2740 y que todo lo que en C aparece detrás lo recogió o bien de otro ejemplar o bien de hojas sueltas o de restos de hojas estropeadas de aquél mismo, ya del final, ya del principio.

2749-60. Esta aparente concepción política, con los dos términos 'ley' y 'rey' (que el azar hace ridículamente rimar en nuestras lenguas, desprestigiando la verdad de su conjugación lógica), lo que es sobre todo es una iluminación muy pertinente sobre la concepción metafísica que informa todas las Glosas: no sólo el mundo está constituido por antítesis o parejas de contrarios, sino que el fundamento mismo de esa constitución o «mantenimiento mundanal» es también «dos»; dos que a su vez, naturalmente, son uno: a saber, la «ley», que «es ordenamiento», o sea la ley o principio lógico mismo que constituye el mundo, y «el rey», que vigila, como «guarda», el cumplimiento de esa ley (con un papel semejante al que en Heraclito, fr. 94, se atribuye a las Erinias), de modo que impere el miedo («que las gentes de fazer mal se teman», que escribo, por conjetura del texto original, a partir de las dos evidentes correcciones por la rima de N, «fazer mal non se pongan», y de E, «de mal fazer se caten») y que así la fuerza no aniquile a la debilidad, que es su contrapartida necesaria. Pero ya en 2753-55 se ve cómo ley y rey quedan reducidos a uno solo, bajo el nombre 'Dios', que es él mismo, como otras veces hemos visto (cfr. nota a 333-48), la ley de contradicción que rige el mundo («lo que Dios manda») y al mismo tiempo el que, en cierto modo exterior a esa ley, la impone al mundo y, por medio del rey y el miedo, vela por la guarda de su necesidad.

2761-72. Las tres coplas finales incluyen la bendición del rey (2761-64), la execración de la guerra y el «bolliçio» (2765-68) y la rememoración de la deuda del rey con el poeta (2769-72); con lo cual el poema se cierra en estructura cíclica (que en otras partes de él hemos notado cómo se combina con la ordenación paralelística), volviendo sobre la dedicatoria (21-28).

Por cierto que de las tres el manuscrito N sólo conserva la primera, bajo la cual escribe su éxplicit («Deo gratias et Virgini Inmaculate / Et Anne eius genitrici beate»), de manera que parezca de creer, mejor que una pérdida accidental, que en la tradición de ese códice el poema terminaba así, perteneciendo las dos últimas coplas a la redacción posterior (la dedicada al rey don Pedro: recuérdese que en 2719 este manuscrito mantiene la mención del rey Alfonso). En cambio, el manuscrito M, cuyo texto se interrumpía en 2604 (cfr. nota a este lugar), añade tras ese verso las tres últimas estrofas.

2761-67. Sobre en qué sentido le da «Dios vida al rey», como siendo el rey la representación temporal de 'Dios', y cómo es «nuestro mantenedor», «guarda» y «defendedor», en cuanto lo es de la ley constitutiva del mundo, cfr. notas a 2749-60, 2711-17 y 2721-28. En ese sentido pueden seguir valiendo para el rabino la imagen real del pastor (cfr. 1409-12) o «guarda desta grey» y la noción de la relación del pueblo con el rey como un «serviçio».

2767-68. Sobre la prevención contra la guerra y el «bolliçio» o revueltas interiores, véase la nota a 1753-56. Bien se sabe qué mal se cumplieron estos deseos así en el reinado de Alfonso XI como en el de Pedro I. Pero en todo caso, el hecho de que don Sem Tob viera la guerra (como Heraclito frs. 80 y 53) como un ejemplo de la lógica contradictoria constitutiva del mundo no quita, según se ve, el deseo de paz, que es justamente contradictorio con la guerra constitutiva.

2769-72. De la naturaleza de esta «merçed» hemos hablado en nota a los vv. 23-28.

Sobre la forma *Santob* del nombre cfr. nota a la línea 70 del Prefacio. En cuanto a la prosodia de *judio* (que aquí la rima parece que obliga a leer *judió*), es la misma probablemente que en el v. 4, pero contradictoria seguramente con la del 208.

Bajo el v. 2772 el códice M escribe así su éxplicit: «Aqui acaba el Rab don Santob Dios sea loado»; y así el códice E: «Deo graçias».

De la posible extensión originaria del poema a 2800 versos (700 coplas) se ha hablado en nota a 29-136.

II

Estas dos coplas las conservan los manuscritos M y E en aquella parte intermedia entre el Prólogo Primero y el Segundo de las Glosas o Proverbios, junto con restos de la parte perdida de este poema y (en el códice E) los poemillas V y IV, de la manera que hemos advertido en nota al v. 136 de los Proverbios. A pesar de que el tono de estos versos no disuena del de los Prólogos (lo cual ha facilitado en la tradición su inserción allí), parece indudable que se trata de una especie de epigrama aparte; que he titulado «Respuesta» por analogía con las composiciones que llevan ese nombre en los cancioneros posteriores (véanse p. ej. los núms. 43 y 44 en la colección de J. Manrique), como suponiendo que el rabino responde por ellos a una «Pregunta» o epigrama en que se le interpelaba sobre el por qué de haberse teñido el pelo. Pero de todos modos, estos versos, que llamaron la atención de A. Machado (*Nuevas Canc.* IX 61: «Como don San Tob, / se tiñe las canas, / y con más razón»), son traducción, con aplicación a la Primera Persona, de la respuesta que aparece en los *Apophthegmata* de Honain, Puerta II, cap. 19, v. 6: «Como Krastiges [¿Protágoras?] se tiñera el pelo, le preguntaban por el motivo. El dijo: 'No quiero que se busque en mí el juicio propio de la edad'»; y así en los *Bocados de Oro* 357: «E preguntaron [a Proteus o, según otra lección, Prothegum] por un omne que tenia su cabello tinto o negro por qué lo fazía, e dixo: 'Porque non le demanden sabidoría de los viejos'».

2-4. He conjeturado la construcción originaria a partir de lo que en M se lee «non por las aborresçer / nin por desdezirlas / nin mançebo paresçer» (en E está arreglada la métrica, escribiendo «menos» en lugar del primer «nin» y «moço» por «mançebo»).

III

Esta loa de la pluma por enigma o adivinanza la conservan el manuscrito M detrás del v. 2548 de las Glosas, según he explicado en nota a dicho verso, y el manuscrito C, con falta de la primera y la tercera copla, detrás del v. 2740, último que conserva de las Glosas, de la manera que se explica en nota a 2741. Que se trata de una composición independiente parece claro (cfr., sobre su inoportuna colocación en la edición de G. Llubera, nota a 2700), no obstante que guarde una cierta relación con la loa de las tijeras inserta en las Glosas (2005-44), tanto más si se tiene en cuenta el opúsculo hebreo de don Sem Tob (ibn Arduṭiel) *Disputa de la Pluma y las Tijeras*, de que hablo en la nota a ese pasaje. Cfr. también el poema n.º IV.

1-4 y 9-12 faltan en el códice C; de esto y otras lagunas menores en el texto se confirma bien la sospecha (cfr. notas a 29-136 y a 2741) de que el ejemplar del que C copiaba tenía estos versos en su última o penúltima hoja, deteriorada.

1-32. Adviértase que la gracia del enigma (y la emoción del agradecimiento) consiste sobre todo en dotar a la pluma de una independencia personal respecto al escritor, que le permite analizar modestamente la labor creativa o verbal como una colaboración (aunque se mantenga la relación de amo a criado entre el autor y el instrumento) y que convierte el poemilla en una alabanza del hombre a su instrumento, que, al producir la cosa, lo produce a él como hombre. En verdad, lo que maravilla al rabino y le parece un «milagro» (25-26) es que la palabra (escrita) surja de dos colaboradores que ni uno ni otro hablan: si el servicio del criado es «boca callando» y «sin ningunas biervas», el amo no tiene que decir tampoco nada (27 y 32), y gracias a él lo mismo podría «seer yo mudo» (29-30).

33-40. Para la contradicción entre «dezir» e «fazer» cfr. los vv. 1701-1732 de las Glosas (y en especial, frente al 33, «Non dezir e fazer», el 1711, «dezir e non fazer» y el 1729, «non dezir nin fazer») con las notas correspondientes. Aquí además, donde se trata de una alabanza del instrumento (v. nota anterior), esa contraposición tiene

el sentido de exaltar la acción («la mano»: v. 40) frente al hablar
(«la lengua»), aunque paradójicamente la acción de que en este caso
se trata sea la escritura.

45-46. He tenido que reconstruir por conjetura estos dos versos a
partir de las lecturas imposibles de los dos códices: «De su cosa mal
aya del que ninguna naçio» en C y «Esta cosa mas ayna que del ninguna naçe» en M. Pero en escritura hebraica «desso» y «de su» son
prácticamente lo mismo, y las variantes «aya» y «ayna» parecen sugerir un «anya», que fácilmente se confunde con «anyo», esto es «año».
Así también en el v. 47 he escrito «sayo» («saya» C, «saña» M), prenda
que parece más adecuada al caso que no la saya.

49-50. Con «su madre» parece sugerirse en el enigma el ave de que
la pluma se cortaba.

52-56. Se insiste con estos versos en la gratuidad del servicio, de
que ya se hacía mérito en 5-8. Se ve que al escritor le conmueve
especialmente esta gratuidad del trabajo del instrumento mudo, que
exime su trato de las leyes económicas de relación entre patrón y
obrero.

57-64. Este gracioso rasgo, el más concreto del enigma, es el que
se destina a dar la clave de la adivinanza; tras él vuelven, en un
cierto ritornelo, las alabanzas más vagas del criado.

65-68. Así como el servidor es mudo (21-24), así también es sordo
y ciego, esto es, privado de toda actividad lingüística o racional; de
ahí la maravilla de que vea, oiga, y en definitiva también hable, por
la escritura.

69-84. Las cuatro últimas coplas aparecen diversamente desordena-
das en ambos manuscritos: en C, 73-76, 69-72, 77-84; en M, 81-84,
73-76, 69-72, 77-80. He restablecido el orden que más bien me parece
exigir el sentido, y que se acerca más al de C. El trastrueque se
explica bien si un ejemplar antecesor (o dos) de nuestros códices
tenía el poemilla en su última hoja, desgarrada y mal recompuesta
(cfr. en nota a 29-136 una situación posiblemente semejante para una
hoja del comienzo).

72. Nótense las diversas maneras en que el rabino alude al origen
de la acción de la escritura («mi talente» 28, «quanto yo cuido» 31,
«quanto cobdiçio» 44, «quant' en coraçón tengo» 66, «qual yo quiero» 72), concebido todavía, como se ve, y a pesar de la noción de
colaboración entre hombre y herramienta que el enigma desarrolla
(v. nota a 1-32), como voluntad, como puesto en el centro, por así
decir, de la persona.

73-76. Alude probablemente al silencio y soledad que el escribir
requiere; en compensación de lo cual, resulta la escritura un generoso servicio para los otros.

77-80. La copla recuerda el pasaje de las Glosas (especialmente
1813-16) en que se exalta el poder de la escritura contra la ausencia
y la distancia. Por lo demás, no se deduce del primer verso que el
poeta mismo fuera vecino de Castilla (lo que nos llevaría más bien
a Soria que a Carrión), puesto que se trata de un mero ejemplo;
cfr. de todos modos «el de allende Tajo» del v. 420 de las Glosas.

81-84. La copla final (si se admite esta ordenación: v. nota a 69-
84) vuelve y resume sobre la principal maravilla de la operación de
la pluma (cfr. nota a 1-32): que la palabra surja de la colaboración
de dos que no hablan; así la comunicación entre el hombre y el instrumento es una especie de hablarse sin hablar, paradoja que restituyo en el texto escribiendo «nos fablamos» donde los dos manuscritos ofrecen el trivial error de «non fablamos».

IV

Este epigrama o escarnio lo conserva solo el manuscrito E, detrás del v. 56 de las Glosas y delante del n.º II de estas Otras Rimas, en aquella parte intermedia entre los dos Prólogos de que se habla en nota al v. 136. El que se trate evidentemente de una composición aparte no quita para que se reconozca en esta broma del escribir recortando en hueco las letras la misma reflexión sobre el misterio de la escritura que vemos aparecer en los vv. 1805-28 de las Glosas, en el n.º III de estas Otras Rimas y en el opúsculo hebreo de la pluma y las tijeras que se cita en nota a los vv. 2005-44, tanto más cuanto que aquí son justamente las tijeras las que remplazan a la pluma en su función habitual. Por pueril que este juego parezca, la imagen de la escritura en hueco no deja de tener algo de fascinante: es como si el carácter negativo de «la razón» (v. 18), ambiguamente manifiesto con el negro sobre blanco de la escritura corriente, quisiera expresarse claramente, haciendo «vazía la llena» (v. 10), como si con la manera del escrito se dijera «Diciéndote, no te digo nada». El poeta se queda «para sí» con el «meollo» (14-15 y 19), con lo positivo inexpresable, pero no quiere darle tampoco al «neçio» (5) «la carta sana buena» (12), el dominio inalterado y blanco de la común creencia, sino rota por la tijera de la dialéctica y mostrando su condición de «caxca vana» (16) y «carta vazía» (20).

6. Escribo por conjetura «refierta», con rima semtobiana, donde el manuscrito E (siempre atento al arreglo de las rimas) da la lección inoportuna «infinta».

11. Mejor «fiz' vazía» que «fize vazya», en vista del v. 20, donde parece que vazía es aquí la prosodia de la palabra, como en 'Glosas' v. 56.

V

Trasmitidos sólo por el manuscrito E, tras el v. 136 de las Glosas y ante los fragmentos de 33-40, en el mismo espacio intermedio entre los Prólogos de que véase nota a 136, intenté primero en vano encontrarles a estos versos un lugar en los Proverbios (el más adecuado parecía entre los vv. 1868 y 1869), hasta que —gracias también a la comparación con el n.º VI— me di cuenta de que debía de haber estado escrito originariamente no en heptasílabos, sino en octosílabos, lo cual para mí indica que se trata no de «sermón» (cfr. nota al v. 2 de las Glosas), sino de canción, que es lo que convencionalmente señalo con la designación de «Trova»; en efecto, tres de los ocho versos (1, 2 y 8) conservan la forma octosilábica en el manuscrito, que en los demás presenta un texto sin duda arreglado para ajustarlo a la medida heptasilábica habitual; he tratado pues de reconstruir lo más económicamente posible el texto octosilábico original de esos otros cinco versos. Por lo demás, las rimas repetidas en las dos cuartetas son otro rasgo común con el n.º VI y adecuado al carácter de canción que atribuimos al poema. En fin, el ritmo de imágenes y sentimientos en un breve ámbito de tanta rapidez y tal reposo hace de esta composición una maravilla lírica, donde no por azar uno de los hallazgos de sensualidad más material y profunda se presenta como un ensueño.

3-4. He escrito «estando mucho» en lugar de «estando muy» que da el códice E (también había intentado «estando ella») y «de la su» en lugar de «de su", para reconstruir los octosílabos (v. nota anterior): *mucho/muy, tanto/tant* son todavía en el lenguaje de Sam Tob dobletes de una misma forma.

Adviértase cómo, aun dentro del ensueño, se introduce la censura con este miedo de la hermosa por sus familiares; lo cual, al tiempo que le da a la descripción onírica su rasgo más realista (pues así suele suceder en los ensueños reales), impregna la emoción erótica de su doble pulsión, la natural, por así decir, y la social: la pura sensualidad, que en los dos versos siguientes aparece, y el deleite de la infracción de la ley que se manifiesta en este miedo. Harto visible es la coincidencia con el «salí sin ser notada, / estando ya mi casa sosegada» de San Juan de la Cruz.

5-6. Escribo, para rehacer los octosílabos (v. más arriba), «Fallé y» por «Falle» del manuscrito E, y «mucho» por «muy» en el v. 6, espero que dando construcciones propias del estilo semtobiano y sin pérdida para la locución poética.

7-8. También para recobrar el octosílabo escribo «tanto» por el «tan» del manuscrito. Por otro lado, el «mas» del v. 8 prefiero leerlo «más», mejor que con la trivial sintaxis que resultaría de la lectura «mas».

VI

Estas dos coplas las transmite solo el manuscrito M, detrás del v. 2548 de las Glosas y el poema n.º III, de la manera que en la nota a aquel verso se refiere (cfr. t. nota a 2700). Que se trata de una «trova» o canción (cfr. nota al n.º V) se me apareció claro desde el momento que vi que estaban compuestas (con excepción del v. 2, que admite una enmienda fácil) en octosílabos. También la igualdad de rimas entre las dos cuartetas y la cuádruple repetición del «NON» parecen juegos propios del arte lírica, y además se trata también, como en el n.º V, de una poesía erótica. Cierto que aquí el tema, relativamente frívolo, del «No» de la amada, que se convierte en un «Sí», en prenda de su fidelidad o —mejor dicho— de la unicidad del amante, no deja de ser al mismo tiempo el tema dialéctico por excelencia (o mejor: de reflexión de la dialéctica sobre su propio método) de la relación entre el sí y el no; con lo cual esta canción sería bien propia para tomarse como lema del sermón de las Glosas Morales, que hemos visto cómo estaba informado por la lógica de la contradicción moral. Lo que se dice aquí, en efecto, bajo este hábito amoroso viene a ser algo como lo siguiente: la convención del mundo, generalmente admitida por «las gentes», es que el NO sea lo malo (como 'destrucción', 'falta', 'prohibición', etc.); pero yo —dice el lógico y poeta— no encuentro nada que sea tan bueno como el NO; en efecto —se sobrentiende—, siendo constitutiva del mundo la mentira, lo que se tiene por positivo es negativo, y es por tanto sólo la negación de esa positividad (que es la revelación de la verdad de su mentira) lo que con razón podría contar como positivo, no cabiendo más construcción que la destrucción de la destrucción, etc. Bien es verdad que en este caso lo que el lógico y poeta encuentra propiamente es esto: que la aparente afirmación del mundo consistiría en que hay muchos amantes, esto es, que hay muchos 'como yo', o muchos 'yoes' (y en efecto, sólo por convención de «las gentes» puedo yo usar el pronombre *yo*); ahora bien, la operación dialéctica, la negación de «mi señora», destruye esa convención y dice que no hay otro amado, es decir, que 'yo' no hay más que uno: con lo cual el lógico y poeta (el que preguntaba) queda afirmado en sí mismo por lo mismo que negado y borrado como ser social.

2. He debido añadir «de» al texto del manuscrito M, para rehacer el octosílabo (cfr. nota anterior).

6. «Señora» escribe el manuscrito, rompiendo el metro, por ignorancia de que *señor* es en la lengua de don Sem Tob un epiceno (cfr. el v. 1136 de las Glosas, y para el «señora» de los versos portugueses, la nota a 136), aquí por lo demás usado sin duda con intención de femenino.

8. Substituyo «e dixo» por el «dixe que» del manuscrito M (corregido en «dixo que» por G. Llubera), como parece exigir la sintaxis, seguramente mal entendida por este copista, notoriamente descuidado.

FECHAS	VIDA DE SEM TOB	ACONTECIMIENTOS EN EL REINO DE CASTILLA	ACONTECIMIENTOS EN OTRAS PARTES	HECHOS TOCANTES AL PENSAMIENTO, LAS LETRAS Y LAS ARTES
1284		Muere Alfonso X.		Por ahora nace Juan Ruiz.
1285			Muere Alfonso III de Aragón.	
1286			Conquista de Menorca.	
1287				Muere Adrián de la Halle, con quien empieza en la música el *Ars Nova*.
1290		Según Y. Baer, hay en Castilla 3.600 familias judías tributarias.		Muere Shem Tob Falaquera, que propugnaba el uso de la sabiduría griega.
1293				*Castigos e documentos del rey don Sancho.* Se continúa la *Crónica de Alfonso X.*
1294		Tarifa y Guzmán «el Bueno».	Guerra franco-inglesa por la Guyena. — Advenimiento del papa Bonifacio VIII.— Los libros de tributos de Aragón muestran que los judíos pagaban el 22 % de las contribuciones.	
1296		Muere Sancho IV; regencia de María de Molina; liga contra el rey, de nobles, Aragón, Francia, Portugal y Granada.	China: Chen Ta-kuan en los países del Sureste. Asimilación política de los chinos a los mongoles.	Se empieza la catedral de Florencia.

1297			Comienza la conquista de Cerdeña.	
1298			Formación de los emiratos turcomanos de Asia Menor.	
1299		Florecimiento de la industria lanera; fundación de Bilbao.		Se termina la catedral de Reims.
1300	Por ahora nace Shem Tob ibn Ardutiel en Carrión o más probablemente en Soria.			Por ahora Máximo Planudes reúne en Bizancio una gran antología de epigramas griegos.
1301			Tratado de Jaime II con el Bey de Túnez.	
1302			Felipe el Hermoso convoca en París a los representantes del reino.—Roger de Flor ayuda a Andrónico II Paleólogo de Bizancio.	Por ahora aparecen las primeras novelas de aventuras en castellano (*Caballero Zifar, Demanda del Grial*).
1303		Paz con Granada.	Muere Bonifacio VIII.	Se termina la catedral de León.
1304		Tratado con Aragón.		Nace Petrarca. 1304-08 enseña Duns Scoto en París.
1307			Coronación de Luis I de Navarra.—Muere Eduardo I de Inglaterra.—Comienzan los Templarios.—Muere Tamerlán.—Juan de Montecorvino, arzobispo de Pekín.	

FECHAS	VIDA DE SEM TOB	ACONTECIMIENTOS EN EL REINO DE CASTILLA	ACONTECIMIENTOS EN OTRAS PARTES	HECHOS TOCANTES AL PENSAMIENTO, LAS LETRAS Y LAS ARTES
1310				Escriben Manuel Moscópulo y Tomás Magister (Teódulo) en Bizancio.—Se empieza la catedral de Orvieto.
1311				Muere Arnau de Vilanova, médico y teólogo.—Raimundo Lulio, de más de setenta años, va al concilio de Viena.
1312		Muere Fernando IV; regencia de nobles y de María de Molina.		De 1312 a 1314 Dante escribe el *Infierno*.
1313				Nace Al-Jatib de Loja, poeta y filósofo.—Escribe Jafudá Bonsenyor.
1314			Mueren Felipe el Hermoso y el papa Clemente V.	
1315				En las costas de Berbería muere Raimundo Lulio.
1316			Paz de Ferhe.	Se comienza el Palacio de los Papas en Aviñón.
1317			Muere Marcos, patriarca nestoriano de Bagdad.	Trabaja Giotto en la capilla de la Santa Croce de Florencia.—Dante escribe el *De Monarchia*.

1318		De 1318 a 1324 enseña Guillermo de Ockham en Oxford.
1320	Publica conversión de Abner de Burgos (don Alfonso de Valladolid).	
1321	Muere doña María de Molina. Cada pretendiente a la regencia actúa como soberano en sus territorios.	Coro de la catedral de Colonia. — Decretal de Juan XXII sobre el *Ars Nova*.
1322		Sublevación de los campesinos de la Flandes marítima.
1325	Mayoría de Alfonso XI y luchas con los regentes.	Muere don Dinís de Portugal, rey y trovador.—La Universidad de París levanta su condena del tomismo.
1326		Se funda el Ducado de Atenas.
1327	Se concierta la boda del rey con María de Portugal; despecho de don Juan Manuel, que se subleva con ayuda de aragoneses.	Muere Jaime II° de Aragón, tal vez autor del *Libre de Saviesa*. Deposición de Eduardo II de Inglaterra; advenimiento de Eduardo III. *Libro del Caballero y el Escudero* de don Juan Manuel. Juan Eckhart en Bolonia.

FECHAS	VIDA DE SEM TOB	ACONTECIMIENTOS EN EL REINO DE CASTILLA	ACONTECIMIENTOS EN OTRAS PARTES	HECHOS TOCANTES AL PENSAMIENTO, LAS LETRAS Y LAS ARTES
1328			Advenimiento de Felipe VI de Valois.—Coronación en Roma de Luis de Baviera.	
1330				Primera redacción del *Libro de Juan Ruiz.—Les Noces Spirituelles* de J. de Ruysbroek. *Roman de Renard le Contrefait*.
1332				Nace Ibn Jaldún, el mayor de los historiadores árabes. — Nace López de Ayala.
1333		Asesinato por orden del rey de su privado Alvar Núñez de Osorio.	Advenimiento de Yucef I de Granada.	Nace Ibn Zamrak, cuyos versos decoran los muros de la Alhambra.
1335			Sube al trono de Aragón Pedro el Ceremonioso.—Disolución del imperio mongol de Persia.	Composición de *El Conde Lucanor*.
1336		Guerras favorables contra Aragón y Portugal.		Muere en Ibiza el cronista Ramón Muntaner.
1337		Alfonso XI asienta el reino; siguen unos años de relativa paz.	Ruptura entre Felipe VI de Francia y Eduardo III de Inglaterra.	Muere Giotto.

1338		El genovés Andalo de Sarignano, embajador del Emmperador de China en Europa.	
1340			Por estos años nace G. Chaucer.—Se introduce la moda del vestido corto y ajustado para los hombres.
1341			Petrarca laureado en el Capitolio.
1343			Segunda redacción del *Libro del Buen Amor.*
1345	Termina don Sem Tob en Soria el *Debate*, y por entonces su traducción de los *Preceptos de Israelí.*		
1346		Batalla de Crécy.	
1347		Entra en Europa la peste negra, traída de Haffa a Mesina.—Toma de Calais por Eduardo III.—Dictadura de Cola Rienzo en Roma.	Se funda la Universidad de Praga.
1348	Ley prohibiendo a los judíos préstamo y recaudación, abrogada tres años más tarde.	Clemente VI compra Aviñón.	Juan Buridán, rector de París por segunda vez.—Muere don Juan Manuel.

FECHAS	VIDA DE SEM TOB	ACONTECIMIENTOS EN EL REINO DE CASTILLA	ACONTECIMIENTOS EN OTRAS PARTES	HECHOS TOCANTES AL PENSAMIENTO, LAS LETRAS Y LAS ARTES
1349	Termina en Carrión las 'Glosas', y las dedica a Alfonso XI.		Movimiento de los flagelantes.	Muere Guillermo de Occkham.
1350	Segunda edición de las 'Glosas', dedicada a Pedro I, y tal vez versos a doña María de Portugal.	Muere Alfonso XI.	Nace San Vicente Ferrer, azote de infieles.	Por ahora muere Juan Ruiz.
1351		Empiezan las luchas de los Trastámaras (apoyados por Francia) contra el rey Pedro (apoyado por Inglaterra).	Estatutos de los 'artesanos' y los 'proveedores' en Inglaterra.	Por 1350-80 florece la escuela de juglares y trovadores catalanes.
1352		Unión del rey con doña María de Padilla; boda con Blanca de Borbón, recluida en Arévalo.	Advenimiento de Inocencio VI.—En China, revuelta de las provincias del Sur contra los Yuan.	
1353				Bocaccio concluye el *Decamerón*.
1354		Boda con Juana de Castro.—Conjura general contra el rey, que se encierra en Toro.	Advenimiento de Mohammad V de Granada.—Los otomanos en Galípoli.	Se comienza la Alhambra. *De Vita Solitaria* de Petrarca.
1355		Matanza de judíos por las huestes de don Enrique en Toledo, ocupado al día siguiente por don Pedro.	Muere el zar servio Esteban Dushán.	

1356		Guerra contra Aragón, que apoya a don Enrique.	Batalla de Poitiers.	
1357				Se termina la catedral de Gloucester.
1358			Fracasa la revuelta de Etienne Marcel en París.	
1360	Tal vez ahora corre peligro de prisión, y recibe las congratulaciones de ben Shashón como miembro prominente de la aljama de Carrión de los Condes.	Ejecución del tesorero real Samuel Leví.—Renovación de la guerra civil.	Tratado de Calais.	De por esta época son los primeros romances conocidos.
1362			Conflicto de La Hansa y Dinamarca.—Toma de Andrinóplis por el sultán Murad.	
1363		Paz con Aragón, enseguida rota.		
1364			Advenimiento de Carlos V de Francia.	Fundación de la Universidad de Cracovia.
1365		Derrota de Pedro ante Enrique, apoyado por las Compañías Blancas. El rey vuelve y se restablece con ayuda del Príncipe Negro.	Cruzada chipriota contra Alejandría.	Se funda la Universidad de Viena.

FECHAS	VIDA DE SEM TOB	ACONTECIMIENTOS EN EL REINO DE CASTILLA	ACONTECIMIENTOS EN OTRAS PARTES	HECHOS TOCANTES AL PENSAMIENTO, LAS LETRAS Y LAS ARTES
1367			Vuelta de Urbano V a Roma. — En China, Chu Yuan-Chang se apodera de Pekín, y funda la dinastía Ming.	
1369		Muere Pedro I en Montiel a manos de Enrique II.	Recomienza la guerra franco-inglesa.	
1374			Caída del reino armenio de Cilicia.	Muere Petrarca. — John Wyclif en Oxford, sobre la política de la Iglesia y el Rey (De Civili Dominio).
1375			Se funda en Hamburgo el primer asilo para locos.	
1377			La población de Inglaterra ha bajado a 2½ millones de habitantes por efecto de la peste, que en general ha aniquilado de ¼ a ½ de la población europea. — Muere Eduardo III. — Vuelve a Roma Gregorio XI.	Cartógrafos judíos de Mallorca.
1378			Elecciones de Urbano VI y Clemente VII, comienzo del Gran Cisma.	

miento de Brujas y la na-
ve de la catedral de Can-
terbury.

Libre de Fortuna de Ber-
nard Metge.—López de Aya-
la, embajador en Francia.

Se comienza la catedral de
Milán.

Fecha del prólogo de los
Canterbury Tales de Chau-
cer.

Se termina la Alhambra.

venimiento de Juan I. Flandes.

Mueren Santa Catalina de
Siena, Duguesclín y Car-
los de Francia.—Victoria
del Duque de Moscú, Dmi-
tri Donskoi, sobre los mon-
goles.

Gran crisis económica en
toda Europa.

Portugal derrota a Cas-
tilla en la batalla de
Aljubarrota.

Muerte de Juan I y
advenimiento de Enri-
que III.— Persecución
de judíos en Sevilla;
pública conversión de
Samuel ha-Leví, y otras
grandes persecuciones.

1380

1381

1385

1386

1387

1390

1391